MW01076504

ЛІНА КОСТЕНКО

записки українського самашедшого

Київ. XXI століття

ББК 84.4УКР6
К72

*«Перлини сучасної
літератури»*

Ліна Костенко
ЗАПИСКИ УКРАЇНСЬКОГО
САМАШЕДШОГО

Видавництво «А-БА-БА-ГА-ЛА-МА-ГА»:
Свідоцтво: серія ДК, № 759 від 2.01.2002
Адреса: 01004, Київ, вул.Басейна, 1/2
E-mail: ivan@ababa.kiev.ua
Поліграфія: ПРАТ ХКФ «Глобус». Зам. № 1-0293

ISBN 978-966-7047-88-7

www.ababahalamaha.com.ua
www.ababagalamaga.com.ua

Л І Н А

КОСТЕНКО

записки українського самашедшого

Я завжди був нормальною людиною. Радше меланхоліком, ніж флегматиком. Раціо в мені явно переважало, поки не зустрів свою майбутню дружину. Тоді на деякий час взяло гору емоціо, а тепер вже не знаю. Зрештою, дружина в мене розумна й красива, упадальників біля неї не бракувало, і якби зі мною щось не так, то вона вибрала б не мене.

Спадковість у мене теж добра, психів у ро́ду не було. Вчився в університеті, ходив на байдарках, навіть маю спортивний розряд. Кінчав аспірантуру, захистив дисертацію. Хобі у мене музика, література, у дитинстві збирав марки. Словом, все адекватно, а оце раптом, на зламі століть, відчув дискомфорт, крівля поїхала, звернувся до психіатра, але відхилень психіки він не знайшов. Втім, це така тонка матерія, досконалої апаратури на це нема. Сон у мене нормальний, руки не сіпаються, тільки відчуваю якийсь неспокій, ніби якісь фантомні болі душі.

Почалося це з того, що я раптом захотів на Канари. Не тому, що курорт, океан, екзотика. А тому, що вичитав у одному журналі, що там десь високо в горах, у вічнозелених нетрях є плем'я, яке не говорить між собою, а пересвистується. І я подумав — от якби й у нас не говорили, а пересвистувались. Бо стільки вже наговорено, до цілковитої втрати смислу. Та ще й якоюсь мовою недолюдською, сурогатом української і російської, мішанкою, плебейським сленґом, спадком рабського духу і недолугих понять, від чого на обличчі суспільства лежить знак дебілізму, — а при чому ж тут я?

Якби такою мовою спілкувалися люмпени чи бомжі, а то ж по всій вертикалі, починаючи з президента. А він же гарант Конституції, то що ж він мені гарантує? Краще б уже пересвистувались у тому його кабінеті, то не було б і «касетного скандалу», а був би художній свист.

Я розумію, це втома. Сприймати все треба спокійніше. Фах у мене сучасний, абстрагований від ідіотської дійсності, я можу говорити виключно мовою комп'ютерних програм. Правда, мріяв піти в науку, але інститут змізернів, кадри розлетілись по світу, я залишився з принципу, все ж таки це моя країна, я тут виріс, я тут живу, я не хочу в Силіконову долину, я не хочу в найкращі комп'ютерні центри Європи, я хочу жити і працювати тут. І не абияк жити, а жити добре, достойно. Абияк жили мої батьки, і батьки моїх батьків, і всі гарні порядні люди у цій частині світу завжди мусили жити абияк, задурені черговою владою, черговим режимом. Набридло. Абияк жити я більше не хочу.

Працюю у комерційно успішній фірмі, роботи, правда, багато, але платять пристойно. Маю від фірми добрий транспортний засіб, майже нового білого «Опеля» — мотатися у справах фірми, бо на своїй, ще радянській, тачці не наїздишся, завжди летить якась деталь. На ніч ставлю у дворі проти вікон, він на сигналізації, не вкрадуть, можна кудись поїхати у вихідні. Моя дружина гарно вписується в дизайн іномарки, правда, її трохи дратує, що цей «Опель» розмальований емблемою фірми, так що ми їдемо і водночас її рекламуємо. Але що вдієш, реклам тепер більше, як дорожніх знаків, то колись був Ленін на кожному перехресті, а тепер тампакси й снікерси, шоколад «Корона» і презервативи «Дюрекс». Рекламні щити, білборди, мигтючі літери світлових реклам: «Дихай вільно, живи мобільно!» — а чому й ні?

Ми їздимо на природу, в Гідропарк, за місто, але я нікуди не можу поїхати від себе. З острахом дивлюсь на дружину — вона нічого не помічає? Часом вона зітхає, цілує мене в лоб, — і що б я робив, якби не така дружина? Син, правда, вже матюкається, він ходить у дитячий садок, йому шість років. Ну, це в нього від Борьки, це пройде, переросте. Борька у них лідер, за кожним словом — «блін», «круто». Ну, і мій теж. Не можу ж я йому заборонити дружити з Борькою, хоча варто було б, бо вже малі дівчатка на нього скаржаться, він підглядає за ними в туалеті, а одній навіть показав свій ще зовсім не переконливий пістолет.

Дружина моя зривається і часом його лупцює, а потім плаче, я їх обох жалію, я мужчина, я не повинен зриватись, але іноді мені здається, що колись я вийду з дому через вікно, і більше мене ніхто ніде не побачить. Вночі вона питає: — Це у нас секс чи любов? — Я мовчу, я не знаю, у мене це завжди було разом, тепер це чомусь окремо, боюся, що перемкне, а я люблю, коли в жінки щасливі очі, а вона тепер така роздратована, і ми одне одного не впізнаємо.

Теща дивиться на мене перелякано, вона боїться, що у нас розвалиться сім'я, і я піду наліво або зіп'юся. Ні те, ні інше мені не загрожує, я не жлоб, теща вдячно киває і варить нам смачні селянські обіди з наших міських інґредієнтів. Вона вдова, з переселенської зони, у неї тепер немає нікого, крім нас, і я дуже боюся, що вона помітить, що зі мною щось не гаразд.

Між іншим, з нею теж щось не гаразд. Наслухавшись новин з радіоточки на кухні, вона починає таке щось вигукувати, хоче з кимсь поділитися, не може переварити цей інформаційний коктейль і просто кричить: «Та що ж це робиться?!» Дружина просить: «Мамо, не слухайте радіо, я його викину!» Дала їй читати «Консуело» Жорж Санд — на кілька днів заспокоїлась. Потім знову послухала про «таращанське тіло» і почала кричати.

Я її розумію, справді можна збожеволіти. Третій місяць тягають те «таращанське тіло», то кажуть, що воно може бути сином Лесі Ґонґадзе, то не може. Та обезуміла з горя жінка вже од вітру хитається, а вони її мордують, все беруть кров на ДНК, але не визнають потерпілою стороною, бо не певні, що труп умер насильницькою смертю, і взагалі, чий це труп, бо він без голови, і вже ніхто не розуміє, як це можна було до такого дійти, щоб таке терпіти?!

Потім виявляється, що у нас не президент, а директор заводу, що він не може не матюкатися, бо він звик. То чого ж я хочу від свого маленького сина — він теж звик. І Борька звик. Тільки я, лох, очкарик, ніяк не звикну. Мені колега каже: «Ну, ти, блін, дайош». А я кажу: «Нормально», — і відчуваю, що не нормально, і хтось із нас божевільний, вони чи я.

Дружина моя філолог, працює в академічному інституті. У них то скорочення, то їм не платять по кілька місяців, то здають вестибюль в оренду під якусь барахолку, — спочатку все це її обурювало і вона вибухала, тепер замкнулася і страждає в собі. Дисертація не дописана, науковий керівник поїхав у Буркіна-Фасо. Але я працюю, сім'ю утримую непогано, міг би, звичайно, краще, але я не продвинутий, фантазія моя не сягає далі належного заробітку за належний труд. На роботі мене поважають, колектив нічого, спершу дивилися скоса — думали, що я націоналіст, — у нас же так, якщо говориш українською, то вже й націоналіст. А потім звикли, дехто й сам би вже перейшов, але ж це мало не акт громадянської мужності, як було за радянських часів, так і тепер.

Ціни підскакують як скажені. У Верховній Раді бедлам. Одного нардепа судять в Америці. Другий сидить у в'язниці в Ганновері. Третім цікавиться Інтерпол. Приїхав Сорос, каже, що Україна у світі має дуже погану репутацію, а до чого тут Україна, нам же її підмінили, а куди ж ми дивилися, так нам і треба! — я не помітив, що говорю сам з собою. Теща дивиться на мене з жахом, боїться грюкнути ополоником, я читаю газети, знову ж таки про «таращанське тіло» і «касетний скандал», і починаю розуміти, чому теща кричить. Вона хоче, щоб хтось її почув, зрозумів, що так далі не можна, — я її чую, розумію, але що ж я можу вдіяти? Це послідне діло, коли мужчина нічого не може вдіяти, у нас всі мужчини нічого не можуть вдіяти, я боюся, що моя дружина стане феміністкою і пошле мене на фіґ.

Вночі ми вже навіть не заходжуємося любитись, у мене комплекс, що я ж нічого не можу змінити, ні на що вплинути, то чого ж обнімати жінку, вона ж бачить, що я ніхто. Правда, коли в неділю виспишся і вранці виринаєш зі сну, і ще не тямиш, у яку реальність вертаєшся, обпалить тебе дотик до жінки, ми кохаємось до нестями, вона, може, уявляє собі когось іншого, о, як вона жагуче віддається йому! — і тоді цілий день у неї щасливі очі, і вона навіть не лупцює малого.

Я міг би бути тим іншим, я ревную її до нього, але я такий зашуганий, я мушу заробляти гроші, тепер жорстка конкуренція, не встигнеш — злетиш з конвеєра. Іноді почуваюся роботом, у якого механічне серце. Найбільше боюся приниження, цей страх мене теж принижує.

Мужчина повинен чутися переможцем, тоді він цікавий для жінки. А я в основному перемагаю себе.

Мужчини зникають як явище. Їхнє місце посіли круті — ерзац, замінник, гібрид гамадрила й Шварценеґера. Словом, еволюція вспак.

Час хисткий і непевний. У нас тепер «перезмінка». Думали, що нове століття почнеться з круглої дати, з 2000 року, а виявляється, що з наступного, коли крізь нуль проклюнеться одиничка. Але це арифметика. Все одно вже цей чорний лебідь з трьома нулями завершує свій царственний круг. Хоча, може, це й не лебідь, а Вселенський Змій з хвостом, звинутим у три нулі — символ страшний, космогонічний, не треба б людству накликати його на себе.

Відверто кажучи, я навіть зрадів цій пролонґації. Якось треба зібратися з духом, налаштуватись морально — все ж таки це Міленіум, дуже високий поріг. Інші покоління жили й не переходили такий Рубікон. А нам випало перейти. Нам судилося жити ще в одному столітті, Господи, в тисячолітті! Яке воно буде? Які ми будемо? Як зустрінемо таку грандіозну дату — новий 2001 рік?

2000-й ми зустріли пристойно. Один сусід стрибнув з восьмого поверху. Одна знайома втонула у ванні. В Росії прийшов новий президент і почав нову чеченську війну. У нас прийшов нетиповий Прем'єр-міністр і заходився робити реформи. Щоправда, для цього довелося розгрібати такі авгієві стайні, розворушити такий гадючник, що в суспільстві уже зовсім немає чим дихати. Але народ у нас витривалий, привчений завжди терпіти щось в ім'я чогось, — головне, щоб не було гірше.

Діапазон гіршого у нас безмірний, так що межі терпіння практично нема. Поняття ж кращого співвіднесене з гіршим, отже, завжди є люфт для надії. Я особисто дуже надіюсь, що у новому столітті все буде інакше, і ми будемо інакші, і не потягнемо за собою шлейф тих самих проблем. Бо я вже не так боюся нових найскладніших проблем, як тих самих, хронічних. Проблеми ж — як божевілля. Буйних ще можна вилікувати, а тихопомішані — то вже навік.

Як там у Гоголя в «Записках сумасшедшего»? «Год 2000 апреля 43 числа». Це ж коли тому самашедшому приверзлася така дата! А ось він уже й минає, цей такий нереальний тоді 2000-й рік.

Час неосяжний, коли він категорія Вічності. А звичайний наш час, повсякденний, мигтить-мигтить, його завжди не вистачає. Він летить, мов експрес, не встигнеш озирнутися, а ти вже вчорашній. Пролітаємо крізь події, підбиваємо підсумки на льоту. Скільки нас, людства, вже є на планеті? Мільярдів шість? І серед них українці, дивна-предивна нація, яка живе тут з правіку, а свою незалежну державу будує оце аж тепер.

Отже, за місяць до нової ери, — а це таки має бути нова ера, в історії людства досі так і було: нове тисячоліття — нова ера, — за місяць до нової ери повно всіляких прогнозів і передбачень. Астрологи радять, зорі віщують. В одній газеті жирним шрифтом на розворот: «Не залишайте на наступне століття те, що можна зробити в цьому!» А що вже можна зробити в цьому?

Докторську я не написав, і вже не напишу, кому вона тепер потрібна? Сина не зумів виховати. З дружиною проблеми.

Майбутнє щодня стає минулим. Вйо.

1 грудня, дев'ята річниця референдуму, коли на руїнах імперії постала наша Незалежність. Синій птах з перебитими крилами, майже до смерті заклькований двоголовим орлом. Скільки тоді було радості, скільки надій, а тепер що? Мряка, туман, ожеледиця. Настрій на нулі, сезонна депресія.

І це ж треба, саме сьогодні Всесвітній день боротьби зі СНІДом. Ну, світ як світ, у нього свої міжнародні дати. А от чому саме на цей день президент призначив Професійне свято працівників прокуратури, — це вже фройдистський ляпсус. Бо що ж святкувати? Держава загрузає в корупції, резонансні злочини не розкриті, президент обмотаний «касетним скандалом», а історія з «таращанським тілом» — то взагалі ганьба на весь світ.

Третій місяць прокуратура ловить фантоми: то їй ввижався Ґонґадзе у кав'ярні, то на сходах львівського банку, то у поїзді на Донецьк, — опитує сотні свідків, висуває всілякі версії. Тим часом тіло без голови два тижні пролежало у таращанському морзі, з автентичним ланцюжком і браслетом, потім щезло, потім знову з'явилося, вже у київському морзі, теща недарма кричить, Едґар По такого б не придумав, а у них професійне свято.

Обростаєм абсурдом. Ядерну зброю віддали, державу розікрали, чекаємо інвестицій у свою економіку. Танки продаємо у Пакистан, гладильні дошки купуємо в Італії. Проводимо військові навчання, а влучаємо ракетою у власні Бровари. Криза енергетики, над Україною пронеслася стихія, позривало дахи, поломило дерева, дроти обледеніли, стовпи попадали, три тисячі населених пунктів сидять без електрики, а вони під цю лиху годину, проти зими, надумали закривати Чорнобильську атомну станцію. Хоча що вже там закривати? Перший блок давно вже закритий, другий згорів кілька років тому, четвертий — руїна під «саркофагом». А єдиний цей, третій, постійно на ремонті, він і зараз стоїть, то чи встигнуть відкрити, щоб було що закрити? Центрифуґа ідіотизму, голова йде обертом.

— Не переймайся, — каже дружина. — Бо вони нас з ума зведуть.

Репродуктор на кухні бубонить і виспівує. Телевізор підморгує срібним більмом. Деренчить телефон. Дзумкотять комп'ютерні ігри. У сусідів ремонт, мозок просвердлює електродрель. Я вже весь підмінований тими дзвінками і звуками. Мегабайти моєї пам'яті привалила інформація. Борсаюсь, як у пісках.

— Читай менше газет, — каже дружина. — Або хоча б по діагоналі.

Але я звик читати газети. Інтернет втягує, так і будеш плавати у віртуалі. А газету раз-раз, і проглянеш. Це як у дитинстві калейдоскоп. Струснеш — і нова картинка. Струснеш — і нова. Тільки тепер картинки щораз страшніші.

Там катастрофа, там теракт, там вибух метану. Там військовий літак випадково знісся бомбою. Там якийсь маніяк перестріляв перехожих. Там спалахнула невідома інфекція. Там захопили в заручники автобус з дітьми. В Альпах зірвався гірський фунікулер. В Токіо секта перетруїла газом людей у метро. В Червонограді школярі перетоптали самі себе на сходах після фільму «Армаґедон», — у голові не вкладається, це вже не хроніка подій, це документальний фільм жахів.

Сиділи колись за залізною завісою, ловили кожну вісточку зі світу, — інформація була нашою здобиччю. Тепер ми — здобич інформації. Що б де не сталося, всім віддає в плече. Літак у Каракасі розбився — урни з прахом привезли в Італію. Чхнув наш реактор — упало на скандинавські мохи. Підірвався на власній торпеді російський підводний атомний човен — увесь світ здригнувся. А що, як там є крилаті ракети?! Росія запевняє, що нема. Боронь Боже, бабахнуло б, був би ще той Армаґедон.

І голови. Голови, голови, голови. Колись на плаху котилися — так то ж у часи великих смут. Козацькі голови на палях — так то ж у якому столітті! Француз

Ґійотен ґільйотину придумав — так то ж для революційної зручності. Голова Йоана Хрестителя — так то ж за царя Ірода. З двох ударів відсічена голова Хаджи Мурата — так то ж російське приростання Кавказом. «Вершник без голови» — так то ж Майн Рід. Персей голову Горгоні втяв — то воно хоч міф. А тепер же наче цивілізація, на якому ж ми щаблі? То чотири одрізані голови на снігу в Чечні, то «таращанське тіло» без голови, то голова без тіла в кущах біля автозупинки в Одесі. Звично й буденно, в ряду інших подій. Скоро людство, як той святий Діонісій, ітиме з власною головою в руках, а на плечах у нього буде віртуальна голова, набахтурена абсурдом безвиході.

Добре, що Господь увімкнув нам ближнє світло свідомості, бо якби дальнє, схибнутися можна. Скрізь по всій Україні — на стовпах, на стінах, на транспарантах — чорний силует голови Ґонґадзе. Так, наче диявол ножицями вирізав її тінь. Це ж тільки прокуратура не знає, де та голова. Диявол знає.

Душа пручається вірити, що це вбивство замовив президент. Втім, він чи не він, але вони могли. І ось цей розлом суспільства на «ми» і «вони» — фатальний. Це спрацювало, як детонатор. І все, що накипіло за ці роки, вибухнуло і зірвало дах. Київ заклекотів. На Майдані мітинги. Люди кричать, протестують, вимагають правди. Скрізь відозви і заклики — вийти на всеукраїнську акцію протесту.

— Не піду, — сказала дружина. — Протестувати проти своєї держави?!

А вона ж не своя. Ми ж її передоручили будувати чужим. От вони й будують чужу, не нашу, антиукраїнську Україну.

— А куди ж ви дивилися? Теж мені, мужчини, — зиркнула спідлоба дружина.

Ух, як я не люблю цього її погляду! — блисне, мов камінь «тигрове око».

До нового століття 29 днів.

Телебачення рекламує котячий «Віскас». Безпритульні діти у підвалах нюхають клей.

Кілька областей і досі ще без електрики. Ні радіо, ні телефонного зв'язку. Села одрізані від світу. Кам'яний вік. Читаєш газети, як детектив: «У темряві сільських вулиць розгулялися криміногенні елементи». Десь убили молодого бухгалтера, десь вирізали цілу сім'ю. Поночі з хлівів виводять худобу. Сигналізація не працює, у тростянецькому райсуді викрали дві папки з кримінальною справою. У Вінницькій області пологи приймали при свічках.

— Навіть після війни такого не було, — каже моя теща.

До нової ери 28 днів.

В Америці все ніяк не виберуть президента. Голоси розділилися майже порівну. Чотирнадцять тисяч голосів на Флориді будуть перераховувати вручну.

У нас, коли проходять вибори, фальсифікати йдуть на мільйони. І ніхто нічого не перевіряє, навіть механізмів таких нема. Ми хто? Ми статисти духовної пустелі. Ми ґвинтики й шурупи віджилої системи, вона скрипить і розвалюється, продукти розпаду інтоксикують суспільство, і воно по інерції обирає й обирає тих самих. Великий народ обирає карликів, маріонеток, і що цікаво, — не він їх, а вони його сіпають за мотузочки у цьому політичному вертепі.

Почуваю себе засмиканим з усіх боків. Але на завтра, конкретно на завтра, астрологи прогнозують зростання фізичного тонусу. Зорі все знають: «Може потягти до алкоголю, але приймати його не слід». До алкоголю мене не тягне, тягне до жінки, але вона геть збайдужіла. У мене вже навіть почалися якісь чоловічі фобії, — може, зі мною щось не так?

Я ніколи раніше не писав щоденників, не чоловіче це діло. Але світ глобальний, душа не справляється. Розвантажую психіку.

Та й цікаво ж, як людство входить у Міленіум. І я разом з ним.

У Нідерландах дозволили одностатеві шлюби.

У Парижі продали з молотка норковий палантин Марії Каллас.

Скандинави схрестили телефон з комп'ютером.

Шотландці — картоплю з медузою.

До нового століття 26 днів.

У мусульман священний місяць Рамадан.

У нас політична криза, президент каже, що ні. Але сформовано полк спецпризначення для охорони державних об'єктів.

Нова каста з'явилася у нашій незалежній країні — Ті, кого охороняють. Круті двометрові хлопці прикривають їх зівсібіч, а як кого, то й по тридцять бережуть за державний кошт. Олігархи, нардепи, бізнесмени, очільники, кримінальні авторитети, VIP-персони і поп-зірки — ось він, золотий фонд суспільства, його неоціненний скарб. Всі інші — це маса, це посполите тло. Навіть Борьку охоронець возить у дитячий садок і забирає звідти. Борьчин батько підприємець, в джунґлях конкуренції кожен кожному звір. У нас тепер — як на Дикому Заході, йде амбал, на ходу запихає за пояс пістолет. Наш президент, коли зустрічається з народом, — усі його бодіґарди стоять боком і обмацують очима цей народ.

Тільки наші життя, очевидно, нічого не варті. Їх охороняють від нас, а хто нас охоронить від них? Недавно у Львові вбили композитора, сидів у кав'ярні з друзями, співали українських пісень. Навпроти п'яні молодчики горлали свою попсу, почули ненависну їм мову аборигенів і убили. Їх не зразу й заарештували. Свої не арештовують своїх.

Що ж дивуватися, що у справі Ґонґадзе ніяких зрушень?

Вчора по телебаченню показали Феміду із зав'язаними очима. Все знали давні греки, і про нашу прокуратуру теж.

Туркменбаші заборонив балет.

Китайській миші відростили людське вухо.

Таїландська принцеса бачила мамонта.

— Ти що, колекціонуєш абсурди? — каже дружина.

— Картина світу, — кажу я.

— Виклич сантехніка, кран тече.

«Пропорції дрібного й великого — ось у чому різниця між розумом жіночим і чоловічим», — подумав я.

Втім, кран справді тече, і я давно мав би викликати сантехніка. Але така властивість моєї пам'яті: пам'ятаю бозна-що, забуваю елементарні речі.

Взагалі-то щоденник — жанр особистих записів. А яке моє особисте життя, і чи буває воно в одружених? Записувати, як тебе жінка пиляє, як засмоктують будні? Це вже був би не щоденник, а буденник.

А так принаймні знаєш, що в світі робиться.

Там вулкан. Там землетрус. Там садист з'їв мазохіста.

У Сонячній системі за орбітою Нептуна американці відкрили нову планету.

В Росії все ніяк не затвердять державного гімну. Одні хочуть «Боже, царя храни», інші ностальгують за гімном Радянського Союзу. А один депутат Ґосдуми вніс пропозицію — замкнути найкращих поетів на три доби, а потім вибрати з того, що вони там напишуть.

Творчо перспективний метод. У нас теж.

Ніяк не створять Монумент Незалежності. Проектів

багато, художніх ідей чортма. Митців наших повбивали, мистецькі школи знищили. Старі соцреалісти вийшли в тираж, нові Праксителі ще не дозріли. Тож конкурс за конкурсом, рекорди б'є посередність. А час підпирає: наступного літа вже перший ювілей Незалежності, 10 років.

Світ готується до Різдва. Ілюмінує вулиці й фасади.

У нас, як завжди, енергетична криза. Електорат сидить без електрики. І доки одні розчищають завали скрижанілого бурелому, тягачами й танками тягають по бездоріжжю бетонні опори, інші валять стовпи, змотують кілометри дротів і розбирають рейки. Мефістофель дуже реготався б: люди гинуть не за метал — за металобрухт. Когось убило струмом. Когось підстрелив сторож з мисливської рушниці. На хуторі біля Диканьки новітні Вакули літали на зеленому змії, залишивши без тепла і світла тисячі абонентів.

Крадуть усе підряд. Гвинти. Дроти. Меморіальні дошки.

Алюмінієві секції цвинтарних огорож.

Збивають металеві літери з барельєфів.

У Рівному на Монументі Слави одпиляли бронзові пальці.

До нового століття 23 дні.

Дев'ять років тому в цей день розпався Радянський Союз. У Біловезькій Пущі зубри підписали угоду.

Свистить над головою бумеранґ.

У Росії таки затвердили нову державну символіку — старий герб з візантійським орлом і ту ж саму мелодію радянського гімну. Нових слів поки що немає, але дехто подумки підспівує ті ж самі.

До нового століття три тижні і один день.

У Централ-Парку в Нью-Йорку запалюють свічі пам'яті Леннона, убитого маніяком двадцять років тому.

До закриття Чорнобильської атомної п'ять днів.

Однак її ще не відкрили. Хотіли підключити вчора, але спрацював аварійний захист. Проте газети сповнені оптимізму, запевняють, що світ нарешті зітхне з полегкістю. Готується ґрандіозне шоу «Світ без Чорнобиля». Президент Академії наук пропонує цей день оголосити державним святом. І навіть висловив думку, що «президент України, який закриває Чорнобиль, заслуговує як мінімум на Нобелівську премію миру». Так і сказав: як мінімум.

Чорнобильці мруть по максимуму, сорок-п'ятдесят тисяч щорічно, це в самій лише Україні. Пік захворювання на рак щитовидної залози прогнозують на 2005 рік.

Але нічого. Британські вчені вивели курку, здатну нести протиракові яйця. Першу таку генетично модифіковану курку буде презентовано в середу.

Якась фірма продає ділянки на Місяці. Я купив би, дачі у нас немає, але раз, що теща не захоче на Місяць, два — уявляю собі, які там будуть сусіди.

Краще б на ту невідому планету, що за орбітою Нептуна. Тим паче, що я народився під впливом зірки Альґерат у сузір'ї Ворона, — поняття не маю, у якій це галактиці, просто чув з радіоточки на кухні: «Народжені у цей день». В астрологічний патронат я, звичайно, не вірю, а все ж приємно бути народженим під зіркою з таким загадковим іменем. «Ці люди, — віщала радіоточка, — навряд чи коли досягнуть влади. Але самі по собі талановиті й добрі. В товаристві їх люблять». Втім, у мене вже давно нема товариства. Друзі мої і знайомі пороз'їжджалися — хто в Америку, хто в Європу. Найближчий мій друг у Каліфорнії, в Силіконовій долині. Має вже зелену картку, забрав сім'ю. Там уже майже весь мій курс. А тут часом нема з ким зустріти Новий рік.

Уриваються й уриваються людські зв'язки.

Та й робота у мене зовсім не за фахом. Заповідався на вченого, а фактично я ж навіть не інженер. Спеціаліст з комп'ютерної техніки, так це тепер називається, а насправді — їжджу на виклики, ремонтую комп'ютери по офісах і міністерствах, міняю диски, доставляю пам'ять. Словом, обслуговую клієнтів. Одноманітна робота, рутинна. Але хоч би не втратити й таку. І «Опель» мій, тільки й слави, що «Опель». «Опелі» теж бувають різні. Це як коні — може бути ломовий кінь, а може бути й рисак. У мене ломовий. Працює на дизелі, їздить повільніше, зате дешевше, ніж на бензині.

— Тобі аби дешевше, — каже дружина. — А я, може, хочу іномарку меланжевого кольору, а не цей твій помальований рекламою драндулет.

Я розумію, вона мене дражнить, хоче допекти до живого, щоб я розсердився, щоб захотів щось змінити. Але, видно, така вже моя зірка Альґерат у сузір'ї Ворона, — хоч би що вона сказала, ця жінка, я змовчу. Від того вона ще більше лютує: — Ти якийсь загальмований! Куди я дивилася, коли виходила за тебе заміж?!

Вона забула, невже вона забула? Вона ж не виходила за мене заміж. Ми одружилися, ми побралися, ми обрали одне одного.

Для того, щоб оце тепер загубити?!

Часом мені здається, що я не скажу ні єдиного слова і піду. Як у Генріха Бьолля: «І не сказав ні єдиного слова». Колись я не розумів, про що це. Тепер, на жаль, розумію.

У неділю ходив з малим в університетський парк, він собі розважався на дитячих атракціонах, а я блукав по алеях. Навіть газет з собою не прихопив, лави засніжені, з дерев капле. Дружина аж полагіднішала, що я виявив таку ініціативу — погуляти з малим. Він прийшов такий розпашілий, веселий, теща спекла пиріжки з яблуками, в домі повіяло теплом і родинним затишком. Треба буде частіше водити його у цей парк. Це ж тут близько, біля університету, де ми вчились обоє. Скільки тут побачень було призначено, скільки цвіту з каштанів осипалося на нас! Там є старенька фотоательє, куди ми колись забігли в дощ. Фотографом тоді була маленька сива жінка з підфарбованим синькою волоссям, схожа на постарілу Мальвіну. Фото вийшло гарне, вона його виставила у вітрину, ми й досі там усміхаємося за склом, такі не схожі на нас теперішніх.

Мабуть, у всіх родинах буває оце переродження в побут. Будні роблять людей буденними. А може, ось як настане цей рокований час, цей урочистий момент в історії людства — Міленіум! — всі ми зупинимось перед його порогом, витремо порох своїх підошов і оновимося душею. Все-таки тисячоліття буває раз на тисячу років. Час натягується, як тятива, але не в руках Купідона.

Росіяни бомбили Грозний. Полковник Буданов зґвалтував і задушив чеченку. На Балканах бої. В Руанді різанина. Скрізь по світу конфлікти, сутички, протистояння. Навіть з найгуманнішою метою — покласти край насиллю на Балканах, і то було скинуто бомби, а бомби, як відомо, сліпі. В Індії землетрус. У Туреччині землетрус. В Румунії прорвало дамбу. В Дніпропетровську провалився будинок. Отакий був рік, що минає.

Кров, радіація і недуги. Уже не знаєш, яка тепер найстрашніша хвороба сучасності. То вважалось, що рак. Потім чумою XX століття назвали СНІД. А це вже пропасниця Ебола, таке щось дике, нечуване, — людина спливає кров'ю всередину, кров проступає з очей, і з вух, і крізь шкіру. Людей незліченно вимерло на Чорному Континенті. В Уганді, Заїрі, Судані, а завтра де? СНІД хоч передається у групах ризику, а це ж навіть через потиск рук. Спасибі, не через погляд. Колись, коли йшла холера, при в'їзді в село забивали осиковий кіл. А тепер що заб'єш, чим перепиниш інфекцію у цьому глобалізованому світі? Всесвітня дифузія радіації, хімії, інфекцій і вірусів, міґрація людей, товарів і епідемій, в океанічних лайнерах, у міжконтинентальних літаках, — скільки люду мотається по світу, скільки всякої контрабанди ввозиться, не виключено, що й живності з африканських лісів. Може, вже де й проскочив той вірус Ебола, в екзотичному сувенірі, у вишуканій страві — біфштекс з антилопи або ж добре усмажена зебра. То хоч на зелених мавп думали, а ця кривава лихоманка звідки взялася? Не з космосу ж занесло.

Отакі ми йдемо у XXI століття. Над нами озонова дірка, під нами отруєні ґрунтові води. Купив екологічну карту України — плямиста, як саламандра, вже ж нема де жити на цій землі. Все в завалах сміття, брухту, ядерних відходів, руйнівних енергій духу і болячок тіла, в суцільних зонах екологічного лиха, — то чого ж я надіюсь на той Міленіум, на те оновлення людства? Чи воно ж здатне оновитися? Дехто взагалі вважає, що Третє тисячоліття — це вже кінець Історії.

Мій кінець мене не хвилює. Але мій син, моя змарніла дружина. Так уже природа задумала, таку програму заклала в мужчину, — він має бути сильний і мужній, має бути опертям для сім'ї. А я, чи відповідаю я такій програмі? Син мене розуміє, ми з ним пересвистуємося. Дружина гримає, щоб не свистів.

До нового століття три тижні.

«Таращанське тіло» лежить у морзі.

Акціонерне товариство «Мазепа» спонсорує «Людину року».

У Севастополі російська мова проголошена другою офіційною.

У всіх країнах мови як мови, інструмент спілкування, у нас це фактор відчуження. Глуха ворожість оточує нашу мову, навіть тепер, у нашій власній державі. Ми вже як нацменшина, кожне мурло тебе може образити. Я ж не можу кроку ступити, скрізь привертаю увагу, іноді навіть позитивну, але від цього не легше. Бо в самій природі цієї уваги є щось протиприродне, принизливе. Людина розмовляє рідною мовою, а на неї озираються. Сина в дитячому садку задражнили, навіть Борька сказав: «Хохол». Україна — це резервація для українців. Жоден українець не почувається своїм у своїй державі. Він тут чужий самим фактом вживання своєї мови.

Але ж якщо мова — це Дім Буття, то чого ж ви мене виживаєте з мого власного дому?! Це бандитизм. Це імперський вірус. Це гарячка Ебола. У мене вже кров проступає з вух, коли я чую, як ображають мій народ. І хоч би ж російською говорили по-людськи, а то ж якийсь волапюк. Хочу на Канари.

Я ніколи не дозволяв собі думати, що в Україні є п'ята колона. Але ж вона вже йде потоптом по моїй душі! Раніше ж принаймні ненависть до українців хоч якось камуфлювалася, а тепер тебе просто готові знищити: «Хотєли свою нєзалєжность? Вот вам!» Виїли Україну зсередини, як лисиця бік у спартанця, ще й дивуються — чого ж вона така скособочена? Чого кульгає в Європу, тримаючись за скривавлений бік? Всю обгризуть, як піраньї, і сипонуть врозтіч. Від України залишиться тільки скелет.

Наш нетиповий Прем'єр, такий незвичний на наших політичних пейзажах, звертається до совісті громадян, каже, що «кожен повинен сам з собою поговорити».

Ось я сиджу і говорю сам з собою. З того боку у мене відняли життя, і з цього віднімають. Тоді я задихався, і тепер задихаюсь. Там тисла ідеологія, тут — тотальний цинізм. Я хочу займатися наукою, а мушу обслуговувати чийсь бізнес. Свого бізнесу я не хочу, я людина не бізнесова, — маю я право робити свою роботу, на яку вчився, на яку здатен, якою міг би принести найбільше користі? Чи я мушу терпіти, щоб ця квазідемократія нищила мене не згірш, як той псевдосоціалізм?! На науку коштів нема, на культуру нема, зате є олігархи і тіньовий капітал, який одмивається через Антиґуа і Науру, у паспорті національність не вказана, так що тепер будь-яка погань називається українською — «українська мафія», «українська корупція», «українська проституція». Шахраї, злодюги, антисеміти, хабарники, пофіґісти і матюгальники, держиморди й політикани, бюрократи й нувориші, затхлий спадок імперії, потолоч зужитих ідеологій — все приписується цьому народові, який уже й не знає, що з ним діється і в які Бермуди попав.

«Нужда и бедность — неизбежный удел стоячего государства», — писав Гоголь. Стоячого! Дожились.

— Не клади газет на мою дисертацію! — сердиться дружина. — Дисертація у неї про Гоголя. Герменевтика історичних детермінацій творчості Гоголя. Профетичний дискурс. Актуально. Бо тепер часто дискутують — російський він письменник чи український? Навіть почали писати сукупно: російський і український. Ні. Звичайно ж, Гоголь — це російський письменник, але це — український геній.

На перший погляд так просто. А якщо вдуматись?

Вдумуватись їй нема коли. Треба ходити на роботу, зарплата мізер, та й та з перебоями. Приробляє перекладом, нерідко сидить до пізньої ночі. Вранці сина відвести в дитячий садок, увечері за ним заїжджаю я. Тим часом вона захрясає у побуті, занепадає, нервується і вже бачить світ у ряботинні дрібниць. На моїх очах зникає жінка, красива-прекрасива жінка. От я гляну на неї — вона прекрасна. Торкнуся до неї — вона магніт. Але втомлена жінка під вечір — це вже ступа. А коли ще й задубіла в роздратуванні, то це вже ціла меґера.

З іншого боку, вона ж, мабуть, бачить і мій занепад, це її мучить, я їй не подобаюсь. Дві людини взаємно мають творити одна одну. Ми руйнуємо, бо руйнують нас.

Колись ми хотіли мати двійко дітей. Тепер хоч би виховати одного. Вчора син побився з Борькою, прийшов і каже: «Борька — мудак». Дружина його мало не прибила, я відняв. Терпіти не можу сварок, уникаю конфліктів, я завжди позитивно налаштований. Колись вона це любила в мені, а тепер кричить:

— Як ти можеш?! Хіба ти не бачиш, до чого йдеться?

Бачу. Але у мене такий характер. За гороскопом я Терези. Я сім разів зважу, один раз одміряю. Але вже потім не переважую. І нікого в житті не обважив. А також я — Кінь. Я тягну. У мене великий запас витривалості.

Холеричний темперамент дружини я зрівноважую. Уявляю, що б це було, якби її супутником був Тигр або Скорпіон.

У мене один полюс українського характеру, у неї — другий. Найкраще, звичайно, було б посередині, але у нас так.

Зима цього року противна, то сніг, то дощ. Влітку не відпочили, хлопчик не набігався, не засмаг. Чиїсь діти їздять в Італію, у Францію, на Кубу. У нас ані коштів таких, ні зв'язків. У Крим далеко й дорого. Київське море — відстійник радіонуклідів. У ліс по гриби — де тепер чисті гриби? До тещі в село — там тепер зона. На Канари теж поїхав не я.

Життя нудне й безпросвітне. Телевізор хоч не вмикай. У парламенті скаженіють шовіністи, брунькуються фракції, сповзають у водевіль патріоти. Кількох депутатів стабільно немає у сесійному залі, вони сидять деінде. А ці щодня в телевізорі, — ось чому вони здаються карликами, вони ж усі вміщаються в ящику, дрібненькі-дрібненькі, як у перевернутий бінокль. Сновигають, куняють, чубляться, виступають, тиснуть на кнопки, тасуються в більшість і меншість, і безнастанно дбають про народ.

Хоча навіщо про нього дбати? Він поганий. Він увесь вік стояв на колінах, він спить, у нього препаскудний менталітет, у нього жахлива історія, яку не можна читати без брому, у нього продажна інтелігенція, у нього немає еліти, він роздав своїх геніїв у сусідні культури, а сам сидить яко наг, яко благ, неконкурентоспроможний.

Я за все своє життя не наслухався таких пасквілів на народ, як наговорено при цій, з дозволу сказати, демократії. Навіть у радянському ідеологічному казані не варили в такій смолі українців.

У нас є два крени в не-істину. Крен апологетичний і крен в негації. Одні запевняють, що український народ найкращий, історія — найгероїчніша. Що у нас трипільці глечики ліпили, коли в Єгипті ще пірамід не стояло, танцювали триколінний гопак, коли у москалів ще й гармошки не було! А мова солов'їна і така пра-прадавня, що походить мало чи не від ханаанської. Та й узагалі, все і всі походять від України. Навіть Іспанія це, по суті, Жупанія, від слова жупан, — знахідка для гоголівського божевільного, його дуже цікавили іспанські проблеми. Етимологія України — «украна», бо украдена в Індії, перенесена через гори й доли і гепнута тут. Градус національного пафосу вказує на гарячку.

А інші вправляються в протилежному. Нації ще нема, є недолугий етнос. Гетьмани його — запроданці, письменники — пристосуванці, культура неповноцінна, психологія рабська, національної гідності нуль.

А що робити мені? Я ж то, в принципі, запрограмований на щось інше.

Мабуть, чогось такого подібного в цілому світі немає. Мова солов'їна, а тьохкають чортзна-що.

Важко належати до такого народу. Націю запрограмували на безвихідь. А вона добра, вона терпляча. Вона, як я — Терези і Кінь.

У нас немає людини, яка б думала солідарно. Зате є понад сотню партій, які вегетуються й конфронтуються. І є вже аж три Рухи, які рухаються врізнобіч і закликають до єдності.

На мене вже газети падають, нема куди класти. Одна все падає заголовком догори: «Формувати історичну свідомість». Нове тисячоліття на носі, а вони все історичну свідомість формують. І хто?!

Несвідомі власної несвідомості.

Триста років ходимо по колу. З чим прийшли у двадцяте століття, з тим входимо і в двадцять перше. І жах не в тому, що щось зміниться, — жах у тому, що все може залишитися так само. Вчора один з неформалів кричав під гітару: «У меня голова не помойка! Оставьте меня в покое!» Я його розумію, я теж готовий кричати, але я вже знаю, що не поможе. А він не знає, у нього вся біологія проти, він молодий.

Почуваюся препогано, нерви роздриґані. Зайшов до аптеки — і там листівка з головою Ґонґадзе. Він усе ще оголошений у розшук, повідомляються його дані. Близько шукають, між анальґіном і аспірином. Тіло без голови лежить у морзі, листівка з головою під склом в аптеці, і невідомо, чи це голова від того тіла, чи те тіло не від цієї голови. І взагалі, чому тіло обезголовлене? Має ж бути якась причина, якесь пояснення! Якщо для того, щоб не впізнали, то чого ж підкинуто прикраси, щоб, навпаки, впізнали? Якесь божевілля. Дружину Ґонґадзе до опізнання не допускають. На матір страшно дивитися. Давні греки хоч трансформували свої трагедії в міфи, а в сучасній оптиці все перетворюється на абсурд.

Добре людям, які пробігають повз факти. А я проходжу крізь них.

Вимотаний за день, вночі не можу заснути. А якщо й засну, таке щось верзеться, дублі денних кошмарів.

Учора передавали інтерв'ю з одним російським психотерапевтом, він говорив про диспластику людини і диспластику ситуацій. Сказав, що в Росії суспільство хворе. А в нас? Ну, бо як там у Гоголя каже той самашедший? «Советую вам нарочно написать на бумаге Испания, то и выйдет Китай», — підказала дружина. Вона того Гоголя знає напам'ять. Та все доскіпується, у чому ж справжня причина, що український геній став російським письменником? У колоніальному становищі нації, мови, в моноцентричності імперії, чи відторгнення генія зумовлене також і специфікою питомого реципієнта? В такому разі, чим детермінована ця специфіка?

Я часто її не розумію. Особливо, коли вночі хочу її любити, а вона виголошує такі сентенції.

Цікаво, що це в неї уживається з буквально містичним сприйняттям тієї ж летаргії Гоголя, його непояснимих душевних станів. Її глибоко вразило, що чорний камінь, привезений з Кавказу для могили Гоголя, ніби перекотившись через століття, став надгробком на могилі Булгакова, — в цьому вона вбачає якийсь вищий знак ретрансляцій духу і вважає, що наступний етап цієї містерії має замкнутися десь тут, в Україні, з того й почнеться її неймовірний злет.

Я не розуміюсь на таких матеріях, думаю, що і її науковий керівник з Буркіна-Фасо мало б що в цьому запоміг.

Післязавтра мають закрити Чорнобильську атомну, а вона й досі ще не відкрита. Отже, фактично закриють недіючу станцію, відкривши її спеціально для закриття. Суто радянська схильність до фікцій. Фахівці протестують, застерігають, не радять, але президент надумав зробити свою політичну акцію, і він це зробить. Ось уже й поїхав на станцію зі своїм ескортом. Уся міліція взяла під козирок. Вулиці перекриті, машини сигналять, люди запізнюються на роботу, скрізь корки, вже сталося кілька аварій. Я тільки не розумію, чому канадський прем'єр-міністр може проїхати до парламенту на ковзанах по замерзлій річці через всю Оттаву, а у нас людей розкидають мало не в кювети, коли їде якесь цабе.

До нового тисячоліття 17 днів.

У США, нарешті, вибрали президента. Довго вибирали. У нас швидше. Пообіцяв бути інакшим — і вибрали. А тепер мітингують, вимагають імпічменту. Лідери кричать у мегафони. Провокатори сновигають у натовпах.

Перед лицем грізних подій українське козацтво зібралося на Велику Раду. Побалакали, поспівали, помолилися в церкві і зварили куліш.

У тещі на підвіконні зацвів алое.

У Кодорській ущелині пропало двоє оонівських спостерігачів.

На Парламентській Асамблеї в Європі обговорили нашу свободу слова.

Газети забомбили свідомість. Нова форма свободи слова — що хто хоче, те й лопоче. Або що замовляє хазяїн. У найкращі вечірні години біля телевізора вже не зберешся родиною. На одному каналі стріляють, на другому б'ються, на третьому хекають одне на одному. Син повергає нас у паніку своїми репліками, теща тихенько хреститься і йде спати. В голові сумбур. Кожен тобі сипле в голову своє сміття. З'явилися теоретики, які можуть заморочити кого завгодно. Закидаються чутки, які ферментують хаос. Нав'язується кут зору, який деформує суть. Приміром, таке: «Сьогоднішня ситуація в Україні — це відображення загального падіння моралі».

Загального! Тобто привселюдно з телеекранів нами ж обрані карлики ображають цілий народ. А гарні й порядні люди по всій Україні, у яких мораль нікуди не падала, — слухають, сприймають і вже навіть звикли, що так і є, мораль впала, усі винуваті. Звироднїння окремих амортизоване словом — «всі». Людей зомбують, дезорієнтують, пошту й телеграф не треба захоплювати — телебачення захопило все.

— Ступінь деградації цього суспільства ти не можеш зміряти, ти не термометр, — сказала дружина. — Заспокойся.

Я не хвилююсь. Я тільки хочу на Канари.

У парламенті шок. Депутати дивляться відеозапис майора. Той майор їм упав як сніг на голову. Мало того, що записував президентські бесіди з-під дивана, він ще й заговорив. І говорить речі страшні й несподівані. Що Ґонґадзе убили ніякі не бандити, а самі ж правоохоронці. Що намір його вбити визрівав у найвищому кабінеті, голоси впізнавані. Тобто у нас при владі злочинці, через те й не розкритий злочин?! Депутати вимагають пояснення від силових міністрів, ті запевняють, що це фальшивка і провокація, що такого майора взагалі не існує. Одразу ж газети публікують фото, де цей майор стоїть в охороні за плечем президента. Ще й кружечком обвели, щоб краще було роздивитись.

Люди не витримують. Селеві потоки брехні заливають суспільство. З брудної піни дезінформації виринають уламки правди. Демонстранти несуть емблему голови Ґонґадзе і транспаранти: «Георгій, ти з нами!» А Ґеоргій чи не Ґеоргій лежить у морзі на вулиці Оранжерейній, експертиза за експертизою, і жодна не достовірна. Вдалися вже навіть до політико-психологічної експертизи, і ось ця остання дала вражаючу презумпцію невинуватості влади. Виявляється, Ґонґадзе не був аж таким опозиційним журналістом, щоб влада могла його вбити. Отже, якби був, то могла б?!

— Могла б, — не сумнівається дружина. — У кожної влади в генах — знищити журналіста, придушити письменника, перехапати всіх, хто бачить її наскрізь.

То вже інша річ, що спонукало майора, з погляду інспірацій і стимулів, — тут уже дружина цитує іншого майора, гоголівського, у якого були проблеми з носом: «Извините... если на это смотреть сообразно с правилами долга и чести... вы сами можете понять...»

Завтра закриють Чорнобильську атомну станцію.

Номінально ще діючий президент Клінтон звернувся до українського народу. Він сказав: Америка на вашому боці. Слава Україні. Все буде о'кей.

450 років тому з'явилася книга Нострадамуса.

15 грудня. Закрили ЧАЕС. Але чомусь закривали не на самій станції, а в палаці культури «Україна», в постановці народного артиста, диригував теж народний артист. Зал був переповнений. «Україна посідає перше місце у світі за смертністю чоловіків до 60 років». А, це з іншого файла. «Віртуальна проститутка Карлотта», теж з іншого. Третій блок таки встигли вчора відкрити, щоб було що сьогодні закрити. Президент підійшов до трибуни. Транслювалося на увесь світ. «Дивіться, всі народи, вся плането!» — урочисто закликав соковитий дикторський баритон. Співав хор хлопчиків: «Чом, чом, земле моя?» Зненацька прогримів вибух — чи салют, чи вибухнув третій блок, — теща злякалася: криваве сонце на півекрана і покорчене дерево. Слава Богу, це документальні кадри. Закрити атомну станцію, виявляється, дуже просто. Директор у прямому ефірі сказав: «Ґаспадін прєзідєнт Украіни! Рєактор к аканчатєльному астанову ґатов». Президент дав команду: «Заґлушіть рєак-

тор ключом аварійной защіти АЗ-5». «Рєактор заґлушон ключом АЗ-5, — доповів директор. — Начато расхолождєніє блока, замєчаній нєт». «Спасібо!» — сказав президент. Заграла музика, усі встали. Над залом урочисто пролунав дикторський баритон: «Дамоклів меч, який висів над нами усі ці роки, відходить у небуття!» Публіка зааплодувала. Було дуже радісно і приємно. Прикрим контрастом виглядали тільки обличчя хлопців у білих халатах, працівників станції, вони були чомусь дуже похмурі. Президент пообіцяв подбати про їхній соціальний захист, у оператора було обличчя мов кам'яне. Музика гриміла, усі зітхнули з полегкістю: Чорнобильську атомну, нарешті, закрито.

Дивно було читати у пресі наступного дня, що це ж тільки називається — закрити, а ще ж треба вивести з експлуатації. Котельня недобудована, «саркофаг» небезпечний. Сховищ для ядерних відходів не вистачає, щось треба побудувати, щось добудувати, — так що дамоклів меч нікуди не дівся — як хитав його чорнобильський вітер над нашими головами, так і хитатиме.

Якісь там пікети були під палацом, хтось там обурювався, але суспільство уже не чуло. Всім сподобався новий кліп «Чорнобиль forever», себто назавжди. І як же було не повірити на такій хвилі піднесення, що справді почалася постчорнобильська ера? Партія зелених з «Таврійськими іграми» відзначила це благодійним концертом. Ридали клавіші й струни, децибели рвали перетинки, дівчатка шаліли в екстазі, гопали на плечах у хлопців. Моторошні документальні кадри тільки заважали радіти, їх просто вимкнули: «Кончай, надоєло!» Все завершилося дискотекою, класно провели врем'я. Хотіли поспівати ще і в Лондоні, але щось не вдалося. Європа нас не зрозуміла.

Сьогодні чув на Майдані дивний звук — наче забивали віко труни.

Я знаю цей звук, це забивають кілочки для наметів. На тому ж граніті, де голодували студенти одинадцять років тому.

«Гранітні плити знову стали полігоном протесту», — пишуть газети. Брезентові хвилі наметів накрили Майдан. Люди мітингують, кричать, обурюються. Атмосфера непримиренна й розпечена. Але чомусь мені тепер тут самотньо. Може, тому, що то була моя молодість. І то була революція, хай локальна, лише на цьому граніті, але повстали студенти, голодували студенти, то було перше таке повстання, ще ж за радянських часів. Може, й назва Майдан Незалежності пішла від цього.

Тут я вперше побачив свою майбутню дружину з білою пов'язкою на голові. Вона була худенька, аж чорна, на восьмий день голодування, але мені здалася прекрасною, як сама Україна. Я ступив до неї як заворожений, перечепившись через огорожку. Вона засміялася. Ми кілька днів дивилися одне на одного, я теж голодував, ми всі голодували, декого навіть забрала швидка допомога, а кияни тісним солідарним колом усі ті дні обступали нас.

Тепер не так. Нема того співчуття й солідарності. Опозиція легальна, ніхто нічим особливо не ризикує. Хоча хтозна. Є одна зловісна відмінність: тоді домінували білі пов'язки, тепер — чорні трикутники на обличчях. Молодь не вірить владі, молодь опустила забрало.

Друга відмінність — прапори. Неприродне поєднання комуністичних, червоних, з національними. Вперше в Україні така політична ідилія: об'єдналися ліві й праві, сірі, білі й волохаті, всі вимагають правди, всі несуть транспаранти. Дружина просить мене туди не йти. Вона не боїться, вона не вірить.

— Надто багато червоної свитки, — каже вона. — Солопій Черевик би злякався.

І третя відмінність: намет, символічний намет Ґонґадзе, з тим уже знаковим силуетом його голови. Там живе Ґія. Так його звали друзі, а тепер уже й вся Україна.

Погано виходимо на фініш століття. В біді, в конфліктах, у кошмарі нерозкритого злочину. В бенкетах цинізму в нашому Домі Буття.

Але наш нетиповий Прем'єр сказав, що все це — екзамен для нашої державності і що з цього треба виходити чесно. «Тоді ми вийдемо сильніші, а не як поранені звірі», — сказав він.

Люди виходять чесно, люди складають екзамен, — а екзаменатори хто? Люди вимагають правди — їм сервірують брехню. Люди вимагають відставки одного з головних фігурантів злочину, — а його, навпаки, нагороджують орденом святого рівноапостольного князя Володимира «За великі заслуги в духовному розвитку України».

Дружина дала тещі читати «Крістіну, дочку Лауранса».

З Москви приїхали депутати Ґосдуми, провели з нашими шаховий турнір. Виграли російські нардепи. А один чомусь одламав голову ферзю.

Зима бере своє. То дощ зі снігом, то ожеледиця. Намети обледеніли. Протестувальники задубіли. Приїжджі сплять у спальних мішках під двома ковдрами. Пікетники б'ють нога об ногу. П'ють гарячий бульйон із термосів. Дехто збирається голодувати, аж до безстрокового голодування. У таборі багато застуджених, у когось температура. Занепокоєні канадійці українського походження чемно просять президента добровільно піти у відставку, бо ж «українська молодь змушена ризикувати своїм здоров'ям».

Тим часом найневибагливіші імпрези розважають суспільство. «Золотий ґусь» по телевізору править свої анекдоти. Вигарцьовує московська попса. Гримлять нічні клуби, світяться казино. У підземному переході кишить хрещатицька тусовка. Втім, і тоді, коли ми голодували на граніті, тут же, у цій підземній трубі, бринькала на гітарі всяка шпана. Шастали підозрілі типи, провокували сутички. Але студентська молодь була така красива, енергетика гніву така чиста, що ніхто нас не міг зламати. Якось швидко усе міняється. Через десяток років тут товклася уже зовсім інша молодь — якісь галасливі дівчатка і круті парубки, що пили пиво з горла́, яким уже ніякого діла не було ні до нас, ні до України.

«Душа Крещатика — Тоша и Гаррик».

Висвистіло нашу Незалежність у підземну трубу.

А час іде.

Мадонна вийшла заміж за Ґая Річчі. Вінчала їх вікарійжінка. Весілля справили у старовинному шотландському замку.

Десь у лісах Північної чи Східної Європи виявили слід снігової людини. Якийсь німецький вчений шукав сім років, і таки знайшов. Мало чого буває. Один еколог на Тянь-Шані бачив синього кажана. У нас під Кобеляками теж бачили снігову людину. Навіть хотіли вибрати у парламент.

У Києві раптом об'явився орден тамплієрів, ліквідований у Франції ще років шістсот тому, а він візьми і об'явись тут у нас, на території православного монастиря, та ще й зареєстрований Мін'юстом. Одягнуті дивно, моляться не по-наськи. Їхній пріор спирається на меч, подарований, кажуть, кимось із наших силових міністрів. Одна матушка як укмітила, в монастирі почалася паніка, благочестиві черниці мліли. Одній привидівся у келії портрет Антихриста. Тамплієри зникли.

Але навіщо я все це записую? Бо воно було. Воно ж для чогось було. А завтра забудеться, наче його й не було.

То хай хоч сидить в електронній пам'яті мого комп'ютера.

Крім того, останній місяць століття — це ж не просто місяць, це — зріз, це анамнез, це як в археології — культурний шар. Його не можна бульдозером, не можна лопатою, його знімають по міліметру, просіюють, розглядають крізь лупу — кожну дрібку, кожну грудочку, кожну деталь.

Звичайно, аж так не вийде, у мене ж не електронний мозок. Але принаймні хоч п'яте через десяте, що дозволяє мені моя людська пам'ять.

Батальйон наших миротворців вилетів у Сьєрра-Леоне розміновувати сьєрра-леонські поля.

Дружину Ґонґадзе нарешті допустили до опізнання «таращанського тіла», але воно вже не надається до опізнання.

На орбітальній станції «Мир» нештатна ситуація — станція кружляє навколо Землі безконтрольно.

Росія вперше визнала, що Валленберґ був жертвою політичних репресій і що його розстріляли. Але де і коли на її безмежних просторах, вона, як завжди, не знає.

Із Коста-Ріки висилають якогось діда за злочини ще часів Другої світової війни. Весь вік до маразму кантувався десь по світах, тепер надумали видворяти його в Україну. В Англії пройшов фільм про нацистських поплічників, знову прокотилася каламутна антиукраїнська хвиля.

Але чому?! Хто має право ідентифікувати націю з її відламками й виродками? Українців у тій війні кожний шостий загинув. Не оминуло й мій рід. По українцях доля стріляє дуплетом. Один дід загинув на фронті, другий на Колимі. І, між іншим, комуністичних карателів ніхто ніде не карає і не видворяє. Вони собі доживають віку на персональних пенсіях, пишуть мемуари, та ще й претендують на почесний суспільний статус.

Непокаране зло реґенерує себе.

З тим і підемо у XXI століття?!

— А якби, як у «Страшній помсті», земля заворушилася, — каже дружина, — і «одни только кости поднялись высоко над землею»? Кості всіх репресованих, закатованих і вбитих комуністами у XX столітті. Уявляєш, який густий ліс стояв би над рікою Часу?

— Думайте в хорошу сторону, — каже теща. — Сьогодні Миколая Угодника.

Напекла миколайчиків, розповідає малому, який чемний хлопчик був святий Миколай. Немовлям уже постував, приймав таїнство хрещення стоячки. А в Отечественну войну виводив поранених бійців з оточення. У них там на Поліссі рятував заблуканих на болоті. Один чоловік крикнув: «Рятуйте!» — святий Миколай нахилив до нього березу і врятував. Теща у нас — як Мері Поппінс, занесена радіоактивним вітром, тільки що з деревами не розмовляє, бо десятий поверх, і про танцюючу корову не розказує, бо у неї в селі собаку роздер вовк.

Борьці святий Миколай подарував пістолет, і тепер Борька цілими днями стріляє.

— Нащо вони йому купують агресивні іграшки? — питаю я.

— Хлопець, — каже дружина. — Не купи йому пістолет, він із пальця вистрелить.

Наш малий знайшов під подушкою нову комп'ютерну гру «Живі іграшки». Сподіваюся, що хоч іграшки не вбиватимуть одне одного.

На Одещині в зоні стихійного лиха за святого Миколая був контр-адмірал, який звелів розконсервувати дизельні електрогенератори і встановити у школах-інтернатах, щоб діти не мерзли.

Російський президент помилував Едмонда Поула, засудженого на 20 років рекомо за шпигунство, і той повернувся у свій штат Ореґон.

Білл Клінтон дириґував у Нью-Йорку симфонічним оркестром.

А ще в цей день народилася Едіт Піаф, давним-давно, у 1915 році. Століття ще не закінчилось, але я вже відчуваю його як минуле. Я думав, що я його не люблю, а чомусь таки сумно. У мене таке відчуття, що я відчалюю від якогось дуже рідного берега на якомусь великому кораблі, — а може, він «Титанік», і напевно «Титанік», — а на березі стоять дорогі мені люди. І моя мати. І мої молодші від мене теперішнього, невідомо де поховані, на Заході й на Сході, діди. І Едіт Піаф — «горобчик» — махає мені рукавом недов'язаного светрика. І Генріх Бьолль. І Камю. І Маленький Принц з Екзюпері. Вони мені всі махають руками, і я сам махаю собі рукою, і хочеться кожний день затримати, і роздивитись, і провести очима...

До кінця століття 10 днів.

По київських вулицях марширують Діди Морози.

На ялинкових базарах продаються жертви санітарних порубок. Справжніх лісових красунь везуть і підвозять, жваво торгують у підворіттях, на перонах приміських електричок. Ялинки пахнуть свіжістю давно неходжених лісів, мерехтять радіоактивним інеєм. Їх тягнуть звідусіль — з Чорнобильської зони, з ботанічних садів і парків. Бомжі і бабульки обчухрують рідкісні породи дерев.

З поштової скриньки вивалюються якісь привітання, листівки, знижки, анонси святкових імпрез. «Новорічна акція Sim-Sim», реклами новорічних турів. Мальдіви, Сейшели, Сінґапур. Гірськолижні курорти в Альпах.

Новий рік у Марокко. Карнавал у Венеції. Канари теж.

Заклопотаний люд бігає по магазинах, прокладаючи шлях навпрошки через Майдан. Влади хвилюються. Мер вважає, що намети псують імідж столиці, заважатимуть киянам святкувати Новий рік.

— Нічого, знайдемо вітер, який їх здмухне, — обіцяють йому його ушкуйники.

Головну ялинку держави принципово споруджують саме тут. Монтують металевий каркас. Звозять сотні ялинок. Шум, брязк, скреготіння. Над головами демонстрантів нависає гігантський кран, мов залізна чапля, що хоче повикльовувати їх з Майдану. Розгойдуються бетонні брили і фраґменти важких конструкцій. Протестуючих просять посунутися, згорнути намети з міркувань безпеки. Насправді ж їх просто витісняють з Майдану. Влада ніби натякає, що може їх стерти з лиця землі. Розмазати.

Однак опозиція не здається. Вона збирається тут і зустріти Новий рік. «Суспільство не може змиритися!» — волають транспаранти. «Справа Ґонґадзе — остання крапля, що переповнила чашу терпіння».

— Але у нас така глибока чаша терпіння, що, здається, уже без дна, — каже дружина.

Її скепсис мене добиває. Кажу їй: — Дивися! Навіть «Ліберасьйон» пише, що за всі посттоталітарні роки такого ще не було. Дві тисячі демонстрантів, усі протестують, усі вимагають, щоб президент подав у відставку!

— Так він тобі й подасть, — каже вона. — Для цього треба мати поняття честі.

Справді, з поняттям честі у наших політиків дефіцит.

У пресі мигтять означення: «лівий реванш», «всеукраїнський шухер». Суспільство мало того, що хворе, воно ще й виразно плебейське. Насамперед воно хоче хліба й видовищ.

А видовища будуть. Готується грандіозне новорічне шоу. Буде «Міленіум на Хрещатику» й «Міст тисячоліть», флеш-лампи й прожектори, китайські ліхтарики і світлодіодний дизайн. Ялинка буде висока, сорок метрів заввишки, на неї піде 450 сосен. «Такої ще ніде не було й не буде!» — з гордістю заявив наш мер. Ну, це він даремно. У Вільнюсі, наприклад, буде ще вища, і сосен рубати не треба — там прикрасять телевізійну вежу, яку десять років тому штурмом брав російський омон, а тепер вона засяє 25 грудня, як тільки задзвонять дзвони, звістуючи про народження Ісуса Христа. А найвища буде у Бразилії — супер-ялинка, 76 метрів, і теж не рубатимуть живе дерево — поставлять штучну, самої гірлянди неміряно, сім тисяч лампочок, сяятиме на двадцять кілометрів довкруж.

Словом, увесь світ святкуватиме, весь світ радітиме.

Помолились би за Вифлеєм, де народився Син Божий. Там на Різдво буде темно й безлюдно. Там не до свята. Там говорить війна.

22 грудня. Найкоротший день року. І найдовша ніч. Дружина спить, я дивлюся у стелю. Втім, вона, здається, теж не спить, чекає, поки я засну, щоб теж дивитися у стелю.

На Майдані протистояння сягає апогею. Розпечена спіраль обурення обвуглюється у слові «ГЕТЬ!» Альтернативний натовп вигукує супротилежні гасла. Хлопці у чорних масках, наче корсари, грізно дивляться крізь вузькі прорізи для очей. Вже якась бабця підштовхує іншу. Вже якийсь люмпен потирає руки: «Щас што-то будєт сєрйозноє».

Але політологи вважають, що ніяких особливих подій не буде, позаяк у нас немає громадянського суспільства.

Одначе події є. Одному лідеру розсікли брову. Міліціонера побили прапором. Подекуди локальні сутички переходять у вуличні бої.

Уже мало хто розуміє, де які проводяться експертизи, де майор, де касети, де фраґменти «таращанського тіла». Навіть у генпрокуратурі одні вважають, що це на 100% Ґонґадзе, інші — що на 200% не він. Роздають ті шматочки на експертизу в Росію, Європу, Америку. Сваряться, пересмикують факти, одне одного звинувачують.

«Це ж треба так не любити Україну, щоб зробити таку провокацію!» — сказав президент. І слушно. Бо таки провокація. І таки дуже багато хто не любить Україну.

Гетьман українського козацтва підтримав президента морально. Від імені нащадків козацької слави надав йому звання почесного гетьмана. А також, відповідно до його заслуг і атмосфери в суспільстві, вручив йому орден Відродження №1. Вчена рада університету одноголосно обрала його ще й почесним професором. Очевидно, за заслуги в розвитку української словесності. Так що він тепер у нас і професор, і гетьман. В бонеті і з булавою.

Телебачення на всю потужність своїх проданих і перепроданих каналів демонструє палку відданість владі, лає опозицію, показує підставних осіб з обличчям то провокатора, то дебіла, експонуючи їх як студентів, що мітингували за гроші, — буцімто всі підкуплені, всім платили. Але я не вірю, бо якби знав, хто є хто, хто за що й проти чого, я примкнув би до них безплатно.

От хто у нас має чітку позитивну програму, то це Федерація альпінізму і скелелазіння. До Десятої річниці Незалежності наші альпіністи збираються підкорити одну з найвищих вершин Гімалаїв у Королівстві Непал, встановити на ній наш державний прапор і назвати її —

Україна. Так що у Королівстві Непал України буде більше, ніж тут.

До кінця століття 8 днів.

Араби вважають цей день сприятливим для викриття ворогів. І справді, всі всіх викривають. Опозиція — президента, президент — опозицію, теща — усе, що робиться, а моя дружина — мене.

25 грудня. Католицьке Різдво. Папа Римський запалив у своєму вікні символічну свічку миру.

На Балканах війна. У Чечні війна. Майже скрізь жарина конфлікту пропалює карту світу.

У нас теж бої місцевого значення. Міська влада таки придумала вітер. Він налетів у міліцейських формах, брутально змів намети разом з державними прапорами, жужмом покидав у вантажівки і вивіз у невідомому напрямку. Дехто з протестувальників зазнав тілесних ушкоджень і травм. Одна депутатка зі струсом мозку втрапила до лікарні.

Коли держава говорить кийками, сперечатися з нею важко.

Нове століття уже от-от.

Мусульманам продовжили Рамадан, бо їм ще не вдалося побачити молодого місяця.

Пуерторіканцям привезли триста тонн снігу з Канади, щоб вони мали уявлення, що таке Біле Різдво.

У Нідерландах двоє перестрілялися через жінку. Так що, незважаючи на звабливу можливість одностатевих шлюбів, хтось ще когось кохає і в спосіб звичний, і навіть викликає на дуель. Що то як багато тюльпанів і вітряки.

Цей рік був високосний, та ще й Дракона. Наступний буде — Змії. Але ніби якоїсь такої Змії позитивної, що сприятиме людям у їхніх культурних інтенціях. ЮНЕСКО проголошує наступний рік Роком Культури. Отже, і Змії, і Культури. Головні кольори — синій, зелений та срібний.

Моїй дружині всі кольори до лиця, однак вона збайдужіла й до себе, ходить у вицвілих джинсах і непрасованій блузі, і я заплющую очі, щоб пригадати, якою вона була колись.

На шахті Краснолиманській вибухнув метан.

В італійських Альпах загинули десять альпіністів.

У горах біля Берґамо розбився вертоліт, у якому лікарі везли донорське серце на пересадку. Не довезли.

Я не катастрофіст. Я хотів би думати в хорошу сторону. Але, на жаль, не вона домінує у загальному балансі подій.

А надто чомусь під кінець року. Та й місяця. Не кажучи вже про кінець століття.

В Одесі поховали екіпаж літака, що розбився в Анґолі. Власне, не сам екіпаж, а чотири урни з прахом, бо загинуло там п'ятдесят чотири людини, розпізнати, де хто, було неможливо, тож спалили у крематорії, прах розділили на п'ятдесят чотири частини і розіслали родичам. Чого той літак розбився, невідомо. Хто каже — зіткнувся з птахом, хто — через технічну несправність. Вибухнули баки з пальним, дим був дуже жовтий.

То вже інше питання, чому доля закинула наших пілотів у далеку африканську країну. Як і наших моряків плавати на чужих кораблях під чужими прапорами. А під якими ж їм плавати? Свій торговельний флот влада роздерибанила, от і плавають на чужому.

Замість снігу йде дощ. Діди Морози перевзулися з валянок у черевики.

Фраґменти решток «таращанського тіла» відправлені на експертизу в Росію. Вже навіть не тіла, а його решток! А також генетичний матеріал матері. Тобто з цієї жінки знову пили кров.

Американський посол сказав, що «від результатів розслідування цієї справи залежить майбутнє України». А наш нетиповий Прем'єр-міністр казав, що від енергетики. То від чого ж воно не залежить, майбутнє України?!

І взагалі — світу. Глобалізація глобалізує всі проблеми, і ні одної не зменшить. Зменшиться тільки роль держав, деякі скотяться по цьому глобусу, як сльоза. Синоптики від політики прогнозують всілякі потрясіння й теракти. Вчені — парниковий ефект, дефіцит води, техногенні й природні катастрофи. Папа Римський у своєму посланні «Urbi et orbi» застерігає, що наступне століття може піти під знаком культури смерті.

Закономірно. Коли починається смерть культури, настає культура смерті.

Дружина каже: «Піди купи ялинку. Хоч би перед Новим роком не читав газет!» Я кажу: «Коли інтеґруєш факти, бачиш загальну картину людства». «Далося тобі це людство, — каже вона. — Тут хоч би вижити самим». Але ж якщо я не виживу, то людство й не помітить, а якщо людство не виживе, то й мені гаплик. — І взагалі, — сказав я дружині, — у Мексиці замість ялинок прикрашають кактуси.

Вона покрутила пальцем біля скроні.

Завтра Новий рік.

У штаті Флорида врятували крокодила, що застряг у дренажній трубі.

В Росії знайшли яйце динозавра.

Бенгальському тигру запломбували зуб.

У США відбувся безпрецедентний суд: якийсь чоловік покусав собаку.

На фермах Великобританії виявили коров'ячий сказ. Дим залоскотав ніздрі Європи — в Туманному Альбіоні спалюють десятки тисяч корів.

Так що не виключено, що рік Змії може піти під знаком Скаженої Корови.

Санта-Клаус їде з Лапландії.

Всім хотілося якось незвичайно зустріти Міленіум. 87-річна американка стрибнула з парашутом. Уральський пенсіонер зробив 2001 присідання. Мексиканець узяв шлюб з нареченою на кораловому рифі у Карибському морі біля острова Косумель. Лахмітник в Аллахабаді станцював з чотирма запаленими свічками у вусах. Американський ілюзіоніст Девід Блейн просидів майже три доби у крижаній брилі, звідки потрапив до шпиталю і до Книги Ґіннеса. Одеські аквалангісти зустріли Міленіум на дні моря у товаристві пропливаючих риб.

Не знаю, як на Канарах, а на острові Балі спекли довжелезного пляцка з кольорового рису. Італійці викидали старі меблі. Британці споглядали феєрверки над Темзою і слухали свій Біґ-Бен. Норвежці почастували гномиків. Австралійці засмагали на пляжах. Голландці стрибали у крижану воду. На Кубі поєднали Міленіум з 42-ою річницею кубинської революції. У Північній Кореї закликали співвітчизників ще трохи потерпіти в ім'я майбутнього. Хорватський президент перебув новорічну ніч з бездомними у церкві святого Франциска в Загребі. У Японії дзвін ударив 108 разів, за кількістю людських гріхів, зазначених у буддизмі, з кожним ударом відпускаючи по гріху. В Нью-Йорку з найвищого хмарочоса спустився символ земної кулі — гігантський кришталевий глобус. У Парижі в Центрі сучасного мистецтва майже тисяча барабанників зі всієї Європи відбивали секунди, що залишалися до Нового Тисячоліття.

Деякі наші співвітчизники увійшли в XXI століття при свічках.

Зате столиця сяяла й мерехтіла, гейби коштовний діамант на грудях нації. Наймобільніші з киян віддали перевагу масовим дійствам, зустрічали Міленіум на Майдані, у новорічній феєрії Моста Тисячоліть.

Склад моєї сім'ї не схиляв до фантазійних проектів. Ми зустріли нове століття у себе вдома. Потім вийшли на гору біля Андріївської церкви. Може, на тому місці, де колись Андрій Первозванний встановив свій апостольський хрест, ми стояли, як душі над панорамою міста, нас пронизував вітер і відчуття свободи. Центр був увесь перед нами, головна ялинка держави пливла, мов сяюча щогла. Вирував Майдан Незалежності, фонтанував шампанським, — люди урочисто й радісно переходили у нове століття. Я обняв дружину за плечі, цілував прохолодні губи, потім теж відкоркував шампанське, і ми випили з усіма, і водночас наодинці самі з собою.

Теща вже спала, і малий спав, ми увійшли навшпиньки — у нас було відчуття, що ми входимо у новий вимір Історії. Але вранці прорвало воду, я таки мусив викликати сантехніка, сантехнік перепився і не прийшов, я перекрив крани, приніс воду з бювету, вода тхнула сірководнем, і теща варила обід, затуляючи носа. Інтернет не працював, бо провайдери теж розслабились. До того ж зникла електрика, дружина раділа, що якийсь час я не читатиму газет. Але на кухні бубонів репродуктор. Ті ж самі голоси, той самий «касетний скандал», ті ж дебільні ситуації у верхніх ешелонах влади. Я тільки не знаю, чому це зветься політикою. Політика, строго з грецької, це мистецтво керувати державою. Натомість тільки й чуєш: «політика — це мистецтво компромісів», «політика — це брудна справа», «бардак», «дерибан» і т.д.

По-моєму, тут уже потрібні не політологи, а політпатологи.

Новорічна ніч проминула без інцидентів. Хтось потрапив у витверезник, когось поранило петардою. В одному з кафедральних соборів розпиляли замки і вкрали ікону. В якійсь кав'ярні підлітки потрощили меблі. В Одесі на Дерибасівській побилися шість фотографів, не поділивши сфери впливу.

Усі всім щось дарували. Дружина знайшла під ялинкою подарунок від мене, який сама ж і купила, сказала: «Дякую», кинувши на мене сумний іронічний погляд. Я отримав нову краватку, теща традиційно — хустину, яку тут же оптимістично й схвалила: — Добра буде на смерть.

Малому я подарував глобус. Не все ж комп'ютерні ігри. Я подарував йому невеличкий блакитно-зелений глобус, такий був у мене в дитинстві. Хай покрутить, поторкає материки й океани. Але він сказав: — Фіґня. Купи пістолет.

Борьці батько подарував японську магнітолу, а його мамі новесеньку сріблясту «Хонду», — бізнесмени вміють балувати своїх дружин, не те що я, інтелектуал-одиночка в умовах дикого ринку.

Першому немовляті, що народилося в Харкові у новорічну ніч, міська влада подарувала п'ять тисяч гривень на виріст.

Дітям, потерпілим від Чорнобиля, видали вітаміни.

Але найкращий подарунок отримали ветерани та інваліди війни — віднині їх ховатимуть безплатно.

В Тулі на честь Року Змії пройшов Міжнародний конкурс краси серед гадюк: 34 гадючі красуні претендували на звання міс. Перемогла королівська змія-альбінос із Каліфорнії, друге місце посіла гадюка російська чорна.

У Детройті відкрили «Капсулу часу» — послання нащадкам ще з початку минулого століття. Тепер обдумують своє послання в майбутнє. У Канзас-Сіті теж відкрили, теж обдумують. Може б, і нам звернутись у наступне століття? Що ми українці, що ми були.

На світанку нової ери вдарив новий шквал демонстрацій. Людей було навіть більше, ніж на ґала-концерті у новорічну ніч. Отже, баланс між громадянською совістю й порожнечею ще не остаточно порушений. Люди з'їжджаються звідусіль. Столиця клекоче мітингами. Дипломати дивляться з вікон посольств. Інвестори пакують валізи.

Так почався наш Рік Культури, і водночас Змії. На голубих екранах мигтить і пульсує зозулястий маркер епохи — цифра XXI. Нагадує, що ми вже в новому столітті. А більше нічого не нагадує. Ті ж самі бомжі порпаються у смітниках. Ті ж самі нардепи просторікують тією ж мовою, від якої хочеться на Канари. Так само «таращанське тіло» лежить у морзі. Ще одна експертиза, цього разу російська, ще раз остаточно підтвердила, що це таки Ґонґадзе, після чого генпрокуратура зробила заяву, що цей труп може бути біологічною дитиною Лесі Ґонґадзе. Теща як це почула, їй стало зле. Вона стара людина, а такого зроду не чула, щоб труп міг бути біологічною дитиною. «Таращанське тіло» вже хочуть віддати біологічній матері, але мати просить віддати й голову, бо християнський звичай не дозволяє ховати без голови.

Тим часом емблема цієї голови, як чорний непроявлений негатив, пропливає над колонами демонстрантів. А десь регоче диявол, тримаючи одрубану голову, мов кат на ешафоті Історії.

Мітинги й демонстрації уже щодня. Я не ходжу. Не тому, що чогось боюся чи остерігаюсь, а тому, що знаю — знову все закінчиться нічим, знову обведуть усіх круг пальця. Це не моя орбіта.

Бо коли у Празі збунтувалися телевізійники, то вони таки збунтувалися. Захищають свій інформаційний простір, проганяють нав'язану їм креатуру. І проженуть. А наші нікого не проженуть. Поклекотять і стихнуть. Нація дуже хвора, швидко втомлюється. Цій нації кров уже не вдаряє в голову, вже виступає тільки холодний піт.

Вперше у цьому столітті провідав батька. Він тепер живе далеко, по той бік Дніпра. Бачимось рідко, у нього нова родина.

Мій батько шістдесятник, з тих менш помітних тихих пасіонаріїв, яких не згадують у обоймах. Він досить відомий перекладач, тобто як відомий? У нас всі невідомі. Або, як казав один дотепник: «широко відомі у вузькому колі». Коло те було, може, й вузьке, зате добірне, воно потроху розтануло в часі, я їх ще пам'ятаю, тих батькових друзів, це були дивовижні люди. Наступне покоління на них озирнулося, а ще наступніше хвицнуло ратицями й забуло.

У нього тепер нова дружина, живуть вони добре, не знаю, що особливого він у ній знайшов. Моя мати була висока, ставна, вродлива, з буйним смоляним волоссям, яке вона приборкувала в тугий вузол або в косу. Співала у хоровій капелі, у неї було глибоке оксамитове меццо. Але найбільше я любив її акапельний спів. Коли сталася Чорнобильська катастрофа, їх посилали туди з концертами. Виступали в полі, з бортових машин — солдатики сиділи на траві просто неба, зсунувши з облич респіратори, вона їм співала «Сміються, плачуть солов'ї». Солов'ї і сміялись, і плакали, цвіли сади. Ліквідатори йшли у пекло, приходили інші, прожовклий поролон респіраторів звисав їм з обличчя клаптями, а вона ж без респіратора, в легкій сукенці, у босоніжках. Полковник сказав: «Що ви робите? Хто вас сюди прислав?!» Вона ще навіть образилась. Людей вивозили, силоміць заганяли в автобуси, жінки голосили, то був акапельний плач народу до самого Бога. Вона ще не раз туди їздила, коли вже й не посилали, коли ті села були вже мертві. Співала у клубі вахтового містечка і в самому Чорнобилі. Потім у неї сів голос, вона тяжко захворіла, від неї залишилися тільки коси, потім уже й кіс не залишилось, сама лиш горстка кісток. Їй ставили ухильні діагнози, тоді ж усе йшло під грифом «таємно», вона померла в муках, не доживши року до Незалежності. Є записи її пісень, часом передають по радіо, я ніяк не можу збагнути — голос живий, а вона мертва, дивлюсь на фото у вишневій рамочці, з тим її буйним волоссям, з високими бровами.

А в цієї коротка стрижка, вона маленького зросту, і волосся русяве, і вся вона — а ля паж. Працює кардіологом у клініці, де батько лежав з інфарктом, потім провідувала його ще й вдома. Потім він несподівано переїхав до неї.

Мені важко це зрозуміти. Батько дуже любив мою матір, стоїчно і віддано її доглядав. Здавалося, він не переживе її смерть. У нього був широкий інфаркт, він потрапив до реанімації. І ось там зустрілася йому ця жінка. Вона значно молодша від нього, я думав, це ненадовго, коли ж ні. Син у неї від першого шлюбу, вчиться у восьмому класі, вундеркінд, їздить на олімпіади, має вже якийсь ґрант, цей довго тут не затримається, швидко кудись переманять, на юних комп'ютерних геніїв тепер попит. Годинами сидить в інтернеті. Грає в японську інтелектуальну гру Ґо. Як не як, ми тепер родичі, це ж, вважай, мій зведений брат, а нічого рідного, спокійний, іронічний, дивиться на мене, як із космосу, і жодних позивних.

Подружжя з них дивне, батько вже сивий, обличчя досить-таки пооране втомою, а вона худенька і зграбна, здалеку можна подумати, що дівчинка. Мабуть, теж після якоїсь своєї катастрофи, прихилились одне до одного, як двоє поранених, і живуть ось уже сьомий рік.

У моєї дружини з нею гарні стосунки, вона каже, що тепер тільки й можна витримати, що старшого чоловіка — він має долю, він має досвід, не те, що молоді невропати, на нього можна спертися.

Не знаю. На мене теж можна спертися, якийсь досвід я маю теж. Але, як кожна людина, і сам я потребую підтримки. Ну, хоча б тої аури, яку несе ця жінка моєму батькові. Може, саме цього я й не можу йому простити. Шостим чуттям знаю, що йому добре з нею. Я навіть розумію, що можна закохатися, можна втратити голову й за шістдесят, але між нами стоїть тінь матері, в буквальному сенсі тінь, так вимучила її хвороба, — між нами стоїть тінь матері і зграбний силует цієї жінки.

І все ж час від часу я буваю у них. Тим паче, нове століття, дехто з його ровесників не переступив цей рубіж. Сьогодні приходжу — він сидить і читає газету. Підняв окуляри на лоб, усміхнувся: — Ти не читав? Подивися. «Смерть шістдесятництва».

Я глянув, справді стаття так і називається: «Смерть шістдесятництва». І газета ж ніби пристойна, і автор, я його знав колись, ще під час студентської революції, хороший був хлопець, а теж не втримався, хвицнув шістдесятників, тепер це модно.

Батько вже відклав газету, вже розпитував мене про моїх, а я дивився на нього і думав: «Боже, він може померти! Не шістдесятництво, ні, те явище вже збулося. А от саме він, мій батько, він може померти, і що тоді отой мій жаль до нього, і моя ревність, так, признайся собі, це ревність, — що тоді оце все, коли його не стане?!»

Несподівано для себе я нахилився до нього і поцілував.

Він подивився на мене вдячно й сказав:

— А наш такий нелагідний, дружина переживає. Як їжачок, весь у собі.

Потім ми сіли до столу, пили чай, і я вперше подумав, що це теж моя родина, навіть цей мій зведений брат, який сидів з плеєром у навушниках і тільки й чекав нагоди піти й засісти за свій комп'ютер.

— Знаєш, — сказав батько, — не в тому жах, що тепер жити важко, а в тому, що образливо. Я звик, щоб мене забороняли. Але я не звик, щоб мене ображали.

— Ти не звертай уваги, — кажу я йому. — Ти працюй.

— Та я працюю, — каже батько. — Але ж дивись — і показав мені прегарний томик скандинавських казок. Я пам'ятаю ці казки ще з дитинства, в його перекладах, в сіреньких тодішніх виданнях. А це на крейдяному папері, в суперобкладинці, з ілюстраціями, а хто переклав — не вказано. Наче воно саме переклалося. — Певно, думають, що мене вже нема, — сумно усміхнувся батько. — І гонорар платити не треба. Тепер так.

Я хотів йому порадити, щоб він подав до суду. Але ж тепер усі на всіх подають, за образу честі й гідності. Судів більше, ніж честі і гідності. Він не подасть.

По дорозі додому заскочив на Майдан Незалежності. Кілька наметів таки вціліло. Відкинуті наузбіч, у квашу почорнілого снігу, стоять, як погаслі сопки. Але стоять. Центр міста все ще святковий, з ялинкою і вогнями. Над Майданом у ритмах музики хилитаються й пританцьовують велетенські надувні клоуни — люди під ними здаються маленькими й сірими. Народ святкує, розважається, палить бенгальські вогні, сидить під тентами, попиває винце, навертає бутерброди. А ці, як циганський табір, сирітська наша опозиція, — мерзнуть, розігрівають в алюмінієвих мисках вівсянку. Дехто навіть голодував.

Проривається сніг. Може, й у нас буде Біле Різдво.

Вікна моєї квартири світяться. Знадвору вони тепліші, ніж зсередини. Будинок багатоповерховий, облицьований керамічною плиткою, плитка місцями пообпадала. У дворі натулено гаражів. Машини, в'їжджаючи, маневрують між сміттєвим контейнером і трансформаторною будкою. Зі сміттєвого бака стирчать ноги у подертих взувачках, це щось там бомж добуває на самому дні.

Борька з матір'ю й охоронцем вигулюють собаку. Мати у Борьки стильна — спідничка міні і чорне шкіряне пальто до п'ят. Охоронець вже ідентифікував мене як сусіда, навіть вітається. У них два охоронці — цей крутий, а той другий, що охороняє батька, взагалі Термінатор. У нього дивна статура кіборґа, коли коліна й лікті згинаються під прямим кутом, аномальна лінія підборіддя й надбрівних дуг. Він ніколи не дивиться на людину, але коли я недавно перетнувся з ними у під'їзді, то відчув, що реакція у нього блискавична, — очі його, як свинцеві кульки, перекотилися по обличчю, і він мене бачить, навіть не повертаючи голови. Такими очима можна заряджати пістолет.

Цей в пом'якшеному варіанті, але типаж той самий. Він супроводжує Борьку і його стильну маму в її приватних маршрутах і вигулює з ними собаку. Я навіть не знаю, що то за пес, — величезний, бійцівський, ротвейлер чи що, чорної масті з рудими підпалинами.

Коли я приходжу додому, мимоволі згадую новелу одного норвезького автора — «Нічиї очі не чекають мене». А втім, чому ж? Теща завжди привітна. І зустріне, і розпитає, і вечерю подасть. Дружина теж вийде, але вона вже дивиться повз мене.

Часто перед телевізором сиджу один. Є такий вид самотності — сидіти перед телевізором, не вмикаючи світла. Втупишся в екран і сидиш. А тобі все розказують, показують — де газ, де сказ, де війни, де катастрофи. Часом ловлю себе на думці: а нащо мені вся ця інформація, у мене що, три життя? Те, що діється тепер у світі, — це кошмар, що приснився людству. Потім його назвуть Історією і приплюсують до попередніх кошмарів. Чи не краще дивитися свої власні сни?

Але їх у нас відібрали. Нам нав'язали антилюдську модель життя. Тут, у цій точці планети, де ніколи не було громадянського суспільства, кожен чомусь мусить бути громадянином і анґажуватися в перманентний кошмар.

Чехи молодці, у них і президент достойний, і Словаччину відпустили з миром. Телевізійники страйкують і досі. Припинили мовлення — і переможуть. Вчора у Празі був стотисячний мітинг, сьогодні уже вся Чехія вимагає відставки того нав'язаного їм гендиректора. Всього лише гендиректора! А тут ідеться про долю цілої держави — одні мерзнуть у наметах, а іншим по барабану.

Дійсність, у якій ми живемо, патологічна. І та, в якій жили, патологічна теж. Але цікаво, що люди і до тієї, і до цієї звикли. Найгірше в нашому народі те, що він до всього звикає. Оце звик, змирився, і нічого не хоче міняти. Фактично він навіть не любить змін, і ніколи до них не готовий.

— Та так і не так, і не буде лучче, — каже моя теща.

Отримав листівку від друга з Каліфорнії, вперше не електронною поштою, а написану від руки. Почерк у нього нервовий, як електрокардіограма. Така чудесна різдвяна листівка зі звістуючим радість янголом, наче з якогось іншого світу. Зате я, ідіот, нікуди не виїхав. Я надійна одиниця електорату, по таких, як я, ще не одна мавпа видереться на верхні гілки влади.

Сидять по три каденції, і ще хочуть.

Знову насуваються вибори. У нас же вибори починаються задовго до виборів. Заздалегідь готують електоральне поле, засівають його гречкою і обіцянками. Усувають конкурентів. Піаряться. Від компроматів тхне, як від розлюченого тхора.

Зараз обливають віце-прем'єр-міністра. Це у нас молода гарна жінка, «газова принцеса» леді Ю. Щойно вона взялася за цю нежіночу справу, паливно-енергетичний комплекс, зробила перші рішучі кроки, як одразу ж її почали викликати в прокуратуру, інкримінувати ретроспективні гріхи. То чого ж її тоді не судили? Чого з неї роблять «Соньку золотую ручку» вже аж тепер? Чи не тому, що вона завжди в опозиції, хоч і при владі, а все одно в опозиції, і в протестних акціях завжди у перших рядах?

Моя дружина сказала, що буде голосувати за неї. Я утримаюсь. Все-таки на мене діє чорний піар. Я ж не знаю, вона леді чи вона міледі. Голосуватиму за нашого нетипового Прем'єра.

— Чим же він нетиповий? — каже дружина. — Цілком типовий український мужчина. Високий, вродливий, позитивно налаштований на компроміс.

— Йому немає на кого спертися, — кажу я.

— Така велика нація, і нема на кого спертися?! — вибухає дружина. — Хай не оточує себе чортзна-ким.

Через це у нас теж конфлікт. Я не посилю її переконати, вона — мене. Бог дав жінці розум, щоб було два полюси правди.

Але, якщо відверто, вона має рацію. У маленького кримсько-татарського народу лідери є, а у такого великого, як наш, самі лише керівники та голови фракцій.

Партій тих розвелося, вискакують, як прищі, на незрілому обличчі демократії. Часом їх назви складаються в непристойну абревіатуру, мало не з трьох букв, або в щось однозначно тваринне. Приміром, був СЛОН, а тепер уже з'явився ЗУБР, себто — за Україну, Білорусь і Росію, за їхній знову нерушимий союз. Звісили червоний прапор з балкона, махали ним під час сесії, депутати знавісніли в дискусіях, було велике мордолупцювання. Тягали одне одного за краватки і били ногою в зад.

Але це ніякий не ексклюзив у теперішньому цивілізованому світі. Навіть у японському парламенті билися. В російській Думі депутатку тягали за коси, зі священика зірвали хрест. Не кажучи вже про темпераментніші народи. У венесуельському парламенті депутата врепіжили палицею по голові. У Туреччині один депутат після такого побоїща вмер.

А що б узяти приклад зі старих демократій. В Англії, кажуть, сидить лорд у благородній сивій перуці, і всі дискусії йдуть через нього. Він амортизує пристрасті і надає інвективам коректної форми.

Наприклад, я кажу: — Ах, ти ж гад! Та я тобі морду поб'ю! — А той лорд перекладає: — Такий-то пан зволив віднести такого-то високодостойного пана до класу земноводних і виявив бажання відкоригувати ту частину його тіла, яка не відповідає Божому задуму.

Втім, і в їхнього прем'єра недавно полетів помідор.

Свят-вечір ми посиділи тихо, після першої зірки. Теща зварила кутю з товченої пшениці, узвар. Ми з малим натерли маку її раритетним макогоном. Було дванадцять страв, рахуючи з кетчупом і гірчицею. Теща засвітила свічку в хлібині, обкурила квартиру пахучими травами, ще своїми, з Полісся, і погукала з балкона: «Всі душі нашого роду, йдіть з нами кутю їсти!» Я увімкнув магнітофон, і прийшла моя мати, і заколядувала нам своїм оксамитовим голосом.

На Різдво ходили школярики, колядувати вони не вміли, лузали насіння через губу і посівали пшоном.

Увечері пройшов цілий гурт із Козою, Звіздою, дзвониками й калатальцями. Ламкий хлоп'ячий голос вигукував у дворі: — Голову стинаю! Голову стинаю! — Боже ти мій, ще й він стинає голову, цей недорослий костюмований Ірод!

Знеструмлені села сиділи у темряві, їли кутю навпомацки. На Рівненщині замовкло три тисячі радіоточок через крадіжку дротів.

А тещин репродуктор на кухні бубонить без упину. Мабуть, такого на весь Київ нема — чорне кругле одоробло, ще з довоєнних. Малий його вже й футболив, і штрикав виделкою. У нас є маленький зручний транзистор, але вона не хоче, вона звикла до цього свого, ще зі своєї поліської хати. Я розумію ці сентименти старих, їм це було єдине вухо у світ.

Відразу ж після Різдва було перше місячне затемнення у новому столітті. Ми з дружиною стояли на балконі, не знаю, що на неї найшло, вона до мене пригорнулась, та так, що я забув про затемнення, мені самому в очах потемніло, я обняв її всім собою, як тоді, в найперші ночі любові, це було непритомно, як струм, як сонячний удар. При затемненні Місяця.

Читав колись у Ромена Роллана: «Безумна пристрасть змінилася безумною ніжністю». А в мене вдячністю. Ніжністю теж, але найперше вдячністю. Це жінка, про яку мрієш, навіть якщо вона вже твоя.

Заздрю своєму другові, який тепер в Каліфорнії, — у нього там повен двір троянд. А тут купиш одненьку, урвеш від тої зарплати, а дружина тільки очима поведе: «Ну, навіщо? Краще б малому щось купив». — І вся романтика. А наступне місячне затемнення обіцяють аж у 2003 році.

Огидна річ — наша терплячість. Наша звичка відмовляти собі у всьому. Так все може відмовитися від нас.

От і настало нове століття, і що? Й нічого, ніяких змін. Люди як бігли, так і біжать, кожен у своєму напрямку. На обличчях написана хронічна втома, роздратування, часом пересмикнутий нервами інтелект, або й нічого не написано. Суспільство наче затягнуте тванню. І лише кілька ропух дмуться на купині, кумкають зі всіх телеканалів.

Почуваюся ехолотом у болоті. Ловлю сигнали зі світу, а вони дедалі глухіші й зловісніші.

Зненацька в кількох країнах похворіли миротворці, що були на Балканах. Виявляється, там використовували зброю, що містила в собі збіднений уран. Дозиметристи міряють радіацію, беруть проби з бомбових вирв. Подекуди радіаційний фон у десятки разів перевищує допустимі норми. А діти грались осколками. Худоба жумрала траву. До всіх синдромів людства додався ще й Балканський синдром. У Франції госпіталізовано кілька солдатів, а також у Бельгії і в Голландії. Наших не зачепило, у наших імунітет. Чорнобильський.

Бог з вами, люди! Може, ви хоч за старим стилем отямитесь? Хоч під старий Новий рік, чому ні? Отямитись ніколи не пізно.

Був на Майдані. Хлющить дощ. Головна ялинка держави обмокла й обвисла. Кілька тих наметів шарпає вітер. Люди втомлені й перемучені, але тримаються. Усі в чеканні нової експертизи — німецької. І от уже цій можна буде вірити, бо трупний матеріал передано автентичний, не з прокуратури, не з моргу, де могли б підмінити, а завбачливо вкраяний колегою від самого «таращанського тіла» і конспіративно прибережений в холодильнику.

Я не знаю, як можна тримати суспільство в режимі таких повідомлень, — тут уже треба ставити діагноз і суспільству, і владі.

Але влада у нас товстошкіра. По такій шкірі мороз не піде. Генпрокурор наполягає, щоб сім'я вже забрала «таращанське тіло», сам же його називаючи «трупом невідомого чоловіка» і навіть припускаючи, що Ґонґадзе живий. То щоб не вийшло чого в разі чого, від матері вимагають письмово підтвердити, що це він, а мати вимагає, щоб вони їй підтвердили. Бо повинна ж людина знати, кого вона поховає біля рідних могил. На неї у Львові летіло авто, ледве встигла відскочити. Пресконференції вже відбуваються просто неба. Чутки курсують несосвітенні. Що тіло підмінене, труп розчленований і фраґменти не ті. В якомусь яру знайшли якусь голову, але то голова від іншого трупа. А цей був перепохований, прикраси Ґонґадзе йому підкинуті, так що, може, це ще й не він. Є навіть припущення, що журналіста вкрали і вбили, щоб потім знайти.

Єдине, у чому генпрокуратура впевнена, — це те, що голову йому одрубали вже мертвому «гострим предметом типу сокири».

Словом, Україну запустили в майбутнє під знаком одрубаної голови.

Надії на те, що Ґонґадзе живий, вже практично немає. Дехто уже готовий похилити жалобні прапори. Ще тільки не дійшли згоди, де має відбутися похорон — у його рідному Львові чи тут, у столиці, де прощання буде велелюдніше й привселюдніше. Щоб увесь світ побачив, що у нас робиться, яка у нас злочинна влада!

Наївні люди, вони думають, що це їм як за радянської влади, яка боялася негативної інформації про себе. Ця навпаки, цій тільки й потрібна негативна інформація про Україну, вона її навмисно продукує сама, щоб в очах світу існування такої держави втрачало сенс.

Ось уже й останній щабель до нової ери — старий Новий рік.

Тещі приснилось, що вона спіткнулася об ведмедя. Зайшла у свій двір, думала — стіжок сіна, а воно як загарчить! Що було далі, не знає, бо з переляку прокинулась. — Ведмідь — це на добро, — сказав я (наче я щось тямлю у снах). — От якби вовк, то гірше.

Кілька областей усе ще без електрики. Метиковані діти заливають у лампи солярку, дивляться телевізор на акумуляторі. На екранах суцільний московський розгуляй. Ноу-хау нашої влади: почали відключати електроенергію за борги. Отак десь відключили, у лікарні вимкнувся дихальний апарат, і помер 73-річний пацієнт.

Це ж тільки у столиці така ілюмінація. Вирує нічне життя, світяться елітні клуби. Танцює молодь золота і срібна. Транслюються еротичні шоу. Соціальний накип столиці ловить свій кайф.

В одному з нічних клубів обрали Міс Міленіум. Під'їжджали мерси і хонди, видовище було для крутих. Обрали класну дівку в сексуальному прикиді, що так здетонувало з її козацьким прізвищем Крук, аж у дворі на приморожeній горобині її пернатий однофамілець каркнув: «Nevermore!» Чи це означало, що української України надалі nevermore не буде, чи у мене якісь аберації слуху, в кожному разі Крук уже каркнув, — може й на краще принаймні останні ілюзії скинуть із себе шаровари і зроблять стриптиз через голову.

А чехи таки перемогли. Той небажаний їм гендиректор подав у відставку. Це ж не те, що ми, — кого не нав'яжуть, терпимо. Цілковита громадянська анемія. Навіть колінного рефлексу нема.

На півночі Індії свято Кумбх-Меле. Тисячі паломників збираються на берегах ріки Ґодаварі. Може, десь там і моя сестра, кришнаїтка, а може, й ні, я ж не знаю, які ритуали у кришнаїтів. Але чомусь уявляю її серед тих схудлих, обпалених сонцем людей, що заходять у ріку по груди і виходять звідти омиті й очищені від гріхів. Хоча які у неї гріхи? Вона молодша за мене, тиха й беззахисна перед світом. Вчилася в інституті східних мов. Дуже важко пережила смерть матері. Раптом почала читати якісь дивні книги, поринула в медитації, перейшла на рослинну їжу, вдягла білу одіж і пішла з кришнаїтами. Один тільки раз верталася додому, з тяжким запаленням легенів, і знову пішла.

Ми мовчимо про неї. Особливо при батькові, він її дуже любив. Може, він тоді й переїхав до тієї жінки, щоб нам тут було просторіше, — альтруїзм батьків не має меж. Але ж ні, його не впізнати, він аж помолодшав, знову багато перекладає. Вони скрізь разом, якісь взаємно доповнені, навіть носять шлюбні обручки, — в совкові часи це було не прийнято, ми з дружиною так і не зібралися, а вони носять. По-своєму вони прегарна пара: наче який граф зійшов зі старовинного портрета і при ньому його вірний паж. Вони буквально світяться одне до одного. От тільки син у неї, Тінейджер, якийсь відчужений. У своїх навушниках, зі своїм сіді-плеєром, він сидить як гість із моєї зірки Альґерат. Стриманий, мовчазний, а як щось скаже — гумор суто програмістський, похмурий і незворушний, не розбереш, всерйоз він чи жартує. Інші в його віці танцюють на дискотеках, а він увесь там, в електронному задзеркаллі. Відкрив свою веб-сторінку, створює якісь програми. Я часом думаю — може, він дитина індиґо? Все схоплює на льоту, я вже не долітаю. Це вже покоління, яке слухає музику індастріал і абстрактне техно, і вся його культурна інформація з інтернету. А я все ще читаю газети і люблю «Шляхетні вальси» Равеля.

Для малого Тінейджер найбільший авторитет. Він

йому скидає на мило різні меседжі, вчить користуватися аською для зв'язку. Малий вже сидить у чатах, кнюпає на клаві як заправський юзер, а часом трапиться якийсь ґлюк, звертається до нього, а не до мене. Борька відходить на другий план.

Я хотів би цю дружбу засейвити — час летить, малому потрібен старший товариш. Бо Борька це Борька, я не скажу: ідіот, у Швеції педагоги коректно сказали б: «дитина прихованого потенціалу». Потенціал настільки прихований, що хтозна, що з того Борьки виросте. А Тінейджер іде з випередженням на кілька порядків. Добре вчиться. Багато читає. Їздить на олімпіади з математики. У нього вже є лазерний принтер і портативний комп'ютер з доступом до інтернету. Як на мене, вони його балують. Захотів сканер — купили. Наймодерніший сідіплеєр — будь ласка. Хоч і мишку з червоного дерева, вони все йому куплять.

Мені здається, батько до мене не був такий уважний, як до цього Тінейджера. Ворухнулася заздрість? Ні. Просто в мого покоління ще є відчуття змарнованого життя, а в цього, можливо, вже не буде. А втім, хтозна. Кожному поколінню сняться свої кошмари.

Що з того, що йому ні в чому не відмовляють, що в нього є те, чого не було у мене, що чимдалі досконаліші технології і прецизійніша апаратура? Культура буде блювати кров'ю, літати на крилах скандальних сенсацій, — а це такі сумнівні Еринії, що самі себе роздеруть.

Старий Новий рік ми зустріли невесело: помер один мій знайомий, разом вчилися в університеті. Теж працював не за фахом, рекламував пральні машини, раптом усе покинув, узяв бандуру і заспівав. З українцями це буває. Чого помер, невідомо, ніколи не хворів. У нас тепер часто помирають раптово.

А поза тим цієї ночі теж нічого особливого не сталося. Знову десь побилися підлітки. Когось підсмалило петардою.

Навіть якісь колядники ходили. Але таких колядників, як у моєму дитинстві, уже не буде. Вони готувалися на Чорній горі, у художній майстерні Алли Горської, — фантастичні були костюми й маски. І Маланка, й Циганка, і Чорт у вивернутому кожусі. Моя мати ходила з колядниками, і ми вже здалеку чули, що вони йдуть, — яскравий голосистий гурт з різдвяною Звіздою. І коли вони входили, оббиваючи ноги від снігу, молоді, рум'яні з морозу, мені головне було упізнати серед них маму. Над нею стояла Смерть з косою, блискучою від фольги, мати була закутана у квітчасту хустку, я впізнавав її з голосу і кидався до неї на руки, я був гордий, що вона така красива Циганка, а вона ворожила по моїй маленькій долоньці мені велику долю.

Чогось тепер на моїй великій долоні ця лінія долі майже непомітна.

Відразу ж після старого Нового року відбулося дуже багато подій.

Депутат-поет відпустив бороду.

Депутат-юрист заявив, що життя в Україні його дістало, і він еміґрує.

Зі швейцарського аеропорту не міг вилетіти літак — пілоти цілу ніч ловили у салоні мишу.

Держсекретар Росії та Білорусі Павєл Бородін чомусь потрапив до бруклінської в'язниці.

У столиці Індії Делі в урядових приміщеннях завелися мавпи. Політичне життя паралізоване, мавпи бігають коридорами влади, засідають у кабінетах, корчать усім гримаси, стрибають по столах, шматують папери і дощенту з'їдають усе в буфетах. А припинити це неможливо, бо у них там ці тварини недоторканні.

Так що вже й за старим стилем XXI століття.

.

Ворони каркають хрипко, на відлигу. А надто одна, ну такий голос, наче вона зі всіма свариться, малий називає її Каркарона — певно, їй років триста, вона ще каркала на моїх предків. Перший звук удосвіта — те її нестерпне каркання, двірник уже з рогатки стріляв.

Грип на підході. Хто каже «Сичуань», хто «Нова Каледонія». Дружина застудилася, кашляє, але таки пішла на якийсь жіночий Форум, де йдеться про ґендерну рівність як шлях до гармонізації суспільства. Тут хоч би дома щось гармонізувати, а вони — суспільство.

Касетний серпентарій у рік Змії.

Ще одна порція майорських плівок.

Генпрокуратура стоїть на своєму, що ці касети — фальшивка. Водночас не відкидає припущення, що записи таки велися, але не з-під дивана у президентському кабінеті, а дистанційно, з офісу однієї партії, через телевізійний пульт. Оскільки ж лідер партії та сама «газова принцеса» леді Ю, — вона така, вона може й через мікропроцесор у середньому вусі, — почали курсувати чутки про її арешт. Справи проти неї порушують перманентно, під кожні вибори, потім знов закривають і знову порушують, то чи не час би їх давно вже розглянути або остаточно закрити? Бо якщо майбутнє України залежить від енергетики, то не заважайте ж людині працювати у такій складній галузі, а то вона вже їздить на роботу в Кабмін з валізкою на випадок арешту.

Реформи буксують, енергетику лихоманить, віцепрем'єра от-от посадять. Це мені нагадує анекдот про курку, яку обпатрали і вона лежить. Лежить-лежить, і вже не витримує — то ви мене вже або засуньте в піч і спечіть, або поверніть пір'я!

У нас обпатрані всі. Це ще метода з радянських часів — щоб всі були у підвішеному стані. Ось ви думаєте, що ви люди, а щомиті вас можуть підсмажити. Кого чуткою, кого пліткою — крутнуть рожен компромату, і зашкварчить чорний піар.

Духовний канібалізм. Так схопили суспільство за горлянку, як люди витримують? Я особисто вже не можу. Хтось із нас хворий — чи ця влада, чи я. Недарма у Севастополі відкрили той заклад для психічно з'їханих з глузду. Щодалі їх усе більше.

Важко жити у такому суспільстві, а в якому легше? Це ж не тільки у нас, це всесвітній дурдом. Тільки різна національна специфіка.

Специфіки я не люблю. Національної теж. Одне діло — своєрідність і зовсім інше — специфіка. Але ж ми обсоталися нею. Чи вона обсотала нас. І за яку ниточку потягти, щоб вийти із цього кокона? Окрема людина може. Той же Гоголь. Але в іншу культуру, а час би вже у свою.

Добре, що я не гуманітарій. А то б закрутило у чорториях цих проблем.

Розумію, чому дружина така нервова. День у день, з року в рік, все життя одне й те ж — становище мови, яка гине, література, яка занепадає, історія, яку не можна читати без брому. Часом бачу, що вона в ступорі. А я в цих питаннях невеликий порадник. Вона більше ділиться з моїм батьком. А сьогодні вранці каже: «Мені снилося, що я займаюсь фламандським фольклором. І стою у величезній черзі за ґрантом. Мене питають: — Ви знаєте фламандську мову? — Кажу: — Не знаю. Але я вивчу!»

І раптом заплакала: «Ти маєш рацію. На Канари!»

Це вже відчай. Я обняв її й пригорнув, і ми посиділи в такій пронизливій близькості, як у наші кращі роки, тільки тоді не було такої печалі.

Ми з нею дуже різні. Я закодований на сумарне охоплення явищ, вона — на конкретику фактів. Я фіксую проблеми, вона бачить нюанси. Недарма ж Фур'є вважав, що в жінок сильніше розвинута інтуїція, а в мужчин — розум. Через те жінка швидше здогадується, а чоловік глибше аналізує. Хоча Вернадський вважав, що інтуїція — це інформація згори.

Я системний програміст. У мене в голові добрий процесор. Люди, як правило, бачать світ у діапазоні своїх проблем. Ну, ще в радіусі родини, країни, свого фаху, своїх інтересів. А якщо подивитися на світ у комплексі різних подій і явищ, виникає зовсім інша картина. Бачиш критичну масу катастроф. До того ж при такій глобальній оптиці кореґуються пропорції власних проблем.

— Дар одночасного бачення, — каже дружина, — це страшна річ. Може розірвати зсередини, ніхто й не зрозуміє, що з людиною сталось.

Вона даремно боїться. Я не перекрою плащ на мантію і не підпишуся: Фердинанд VIII.

Туман. Хляпа. Ворона сидить на дереві і страшенно регоче. Мабуть, розповідає своєму ворону, як поцупила у бомжа шматочок сиру.

Бомжі у нашому дворі дуже колоритні. Двоє постійно порпаються у сміттєвому контейнері. Ходять як на роботу, щоранку. Один старий, другий молодший, обидва з фіолетовими носами. Поки один сортує і розпихає по торбах результати своїх розкопок, другий часом навіть гортає якийсь журнал, щойно добутий зі смітника. Зіпреться спиною об сміттєвий бак, нога за ногу, і гортає.

Бомжі між собою мирять, не б'ються. А це з певного часу порушила їхню гармонію бомжиха, не так стара, як самознищена, теж з фіолетовим носом. Вони її спробували відігнати від свого джерела існування. — Люди, помогітє! — так відчайдушно зарепетувала вона, що всі кинулися до вікон, перехилилися з балконів, думали: грабують, убивають. — Хлєб отнімают! — несамовито репетує обвішана торбами бомжиха, спокійнісінько собі йдучи.

А за нею двоє бомжів, теж обвішані торбами, вона тримає їх на дистанції своїм лементом. Але час від часу озирається і, вже маючи глядачів зі всіх вікон, завдає бомжам остаточного морального удару: — Кучмовскіє ублюдкі! — І от саме це допекло їм найбільше. — Ах, ми кучмовскіє! — і вони наддали ходи. Тут вона вже зрозуміла, що буде бита за образу честі, і теж наддала.

Взагалі голоси нашого двору — це окрема тема. Колись, у моєму дитинстві, дзвеніли чудесні дитячі голоси, жили тут переважно інтелігентні українські родини, і яка це була радість гратися з тими дітьми! Ігри були гарні, натепер уже цілком забуті, — в піжмурки, в гилки, у квача. Потім відбулися всілякі обміни, продаж, родинні передислокації, хтось помер, хтось переїхав, і так швидко до невпізнанності інша стихія затопила наш двір. Тепер побільшости чутно лайку, дефективний суржик і мат. Часом виє чиясь іномарка. Двоє глухих ветеранів бесідують про політику. Гавкають пси. Ревуть мотори. Скреготять залізні двері гаражів. П'яна компанія варнякає на балконі, порожні пляшки брязкають об асфальт. І щороку в одному й тому ж місці вигризає яму бульдозер, шукають якусь трубу, торік уже так-сяк полатану, паліативно латають і знову, до наступного разу, наглухо утрамбовують катком.

Дітей без дорослих уже не випустиш на подвір'я, хіба що зграйкою пройдуть школярі. Ось і зараз: ідуть, розхристані, за плечима ранці, зовсім ще діти, роти позатикувані сигаретами, мат-перемат. І все чужі. Власне, хто мені тепер не чужий? Старі чужі, бо консервативні. Молоді, бо дуже продвинуті. Найменші, бо вже матюкаються.

Цього ж року і наш малий піде до школи. З Борькою в один клас. Може, пошукати якусь іншу школу? Але ж і там буде якийсь Борька.

До речі, цей рік — це ще й Рік Дитини, «рік реалізації всіх прав дітей усього світу». Добре сказано: всіх прав і всіх дітей.

В Ліберії діти стрибають на милицях, підірвавшись на мінах.

В Африці мруть від голоду, сухі, як стручечки.

Експлуатується дитячий труд. Розцвітає педофілія. У Москві розкрили організаторів сайту «Голуба орхідея», що продукували дитяче порно.

Вже й у нас, у нашій колись патріархальній нації, де материнство й дитинство цінувалося понад усе, є увесь цивілізаційний набір сучасності — і покинуті діти, і продані, і вкрадені, й наркозалежні, і народжені від хворих на СНІД матерів, і безпритульні, що тиняються по вокзалах, повтікавши від батьків-алкоголіків. Тисячі безпритульних дітей — більше хіба що у Бразилії.

Нарешті прийшли сантехніки. Один з одірваним рукавом, другий з розстебнутою ширінькою. Щось там крутили, прикручували. Одремонтували. На третій день знову потекло.

— Бо мужчина повинен уміти все сам, — сказала дружина.

Мудрість мужчини — промовчати, коли говорять стихії.

Теща любить астрологічні прогнози, вичитала про Риб: «Бережіть нервову систему». Дружина у мене Риба, інтуїтивістка. Реагує на кожну дрібницю. Теща попереджає мене: «Над вами скупчуються хмари, тому в першій половині тижня не беріть на себе роль громовідводу». А в другій можна.

Хмари наді мною справді скупчуються. Чутка, що на

фірмі будуть великі скорочення, можу втратити роботу. Дружині не кажу, бережу її нервову систему.

На Водохреща вони з тещею пішли святити воду — теща боїться вулиці, машин, світлофорів, сама не виходить. Думаю, що й найбезстрашніший середньовічний лицар, у всіх своїх обладунках, якби опинився тепер десь на перехресті сучасного мегаполіса, то брязнувся б, непритомний, на проїжджій частині від того шуму, гуркоту й миготіння, і викидних газів.

Із церкви прийшли просвітлені, теща позначила крейдою хрестики на всіх дверях. Але сказала, що свячена вода тільки для малого. Дорослі можуть і таку. Наслухалася по радіо, яку ми воду п'ємо. Я вже на це не зважаю. Бо що ж рефлектувати, що ми п'ємо, що їмо, яким повітрям дихаємо, — все одно іншого у нас нема. Вся Україна фактично у зоні ризику. П'ять атомних станцій, безліч техногенно небезпечних об'єктів, військових складів, сміттєзвалищ, абияк прикопаних відходів. Може, ми вже й м'яса скаженого спожили. Воно тепер в Європі дешевше, знайдуться спритники, що завезуть всяку убоїну. Контроль ненадійний, діагностичних систем нема. Втім, один заступник міністра сказав, що ящур нам не страшний — ми його з'їмо.

Пора переходити на овочі. Морква, ріпа і артишок, як писала гоголівська собачка Меджі. У нас тут є сусідка з одинадцятого поверху, вдова якогось професора, правда, її собачку звуть Альма, а не Меджі. Вдова виводить її на прогулянку, завжди з нею розмовляє, — така субтельна старенька, з дивним головним убором зі старовинною шпилькою, не позбавлена свого шарму, — кажуть, у неї був закоханий Фейєрбах, що їй додає загадковості в очах сусідів. Собачка доглянутий, і сама вона дуже мила, завжди чемно вітається — мабуть, самотня людина, і ця Альма для неї все.

Той божевільний у Гоголя боявся, що Земля сяде на Місяць. А я боюся, що на Місяці ховатимуть мерців, — є вже й такі футурологічні прожекти. А один футуролог навіть пропонує запускати їх на орбіту.

Будемо як Хома Брут, тільки над ним один гроб літав, а над нами буде багато, з космічним свистом.

Тісно робиться на планеті, людство витісняє саме себе.

Детективів можна вже не читати, досить читати хроніку світових подій. Поплавати в інтернеті, увімкнути телевізор. Я вже починаю боятися наступного дня, бо він може бути ще гірший. Або його може не бути взагалі.

Читав, що якісь австралійські вчені випадково вивели вірус, здатний знищити життя на землі. Хотіли винайти цілком безневинний засіб проти мишей, а з пробірки вискочив смертоносний джин і вищирився на все людство. Добре, якщо вдалося загнати назад і міцно закоркувати.

Краще б не зачіпали Природи — десь щось розпореться й загримить.

А може, вже й розпоролось, бо скрізь по світу якісь аномалії.

Колись на Йордань були йорданські морози. Тепер відлига.

У Європі нечувані повені. В Китаї снігові бурі. На Венецію налетів шквальний вітер, Палац Дожів притопило, ґондоли порозкидало, мармурові леви сидять по ніздрі у воді.

В Арктиці розколовся айсберг.

Кіліманджаро тане.

Співає якась пташка. Сподіваюся, це ще не соловей.

20 січня. Сьогодні у США інавґурація нового президента. Клінтон зустрів його на сходах Білого дому, разом з'їли яблучний пиріг. І, не був би то Клінтон, він зіграв нації на саксофоні.

Наша політика у своєму репертуарі.

Пройшла чутка, що заарештували леді Ю. Потім з'ясувалося, що лише звільнили з посади. Хоча в її випадку це може бути й преамбула до арешту. Колеги-міністри поставили їй на прощання два кошики чудових троянд.

— То якщо вона винувата, чого ж ви ставите їй троянди? — сказала моя дружина. — А якщо не винувата, то чого ж ви її не захистили?

Дивним чином це питання стосувалося ніби й мене. Але я не зміг їй пояснити цей феномен чоловічої амбівалентності, і дружина вийшла, грюкнувши дверима.

Це, ясно, жіноча прерогатива — грюкати дверима. Я теж міг би грюкнути, але раз — що злякаю, два — що стеля посиплеться, три — син подивиться, та й собі грюкне.

Друг мій пише з Каліфорнії, що метелики «монархи» вже міґрують після зимівлі. Феєричне видовище, коли вони летять і сідають перепочити на евкаліпти, — наче облітають пелюстки з якоїсь екзотичної квітки. Вчора він зі своїми їздив у ландшафтний заповідник, дивилися на метеликів у бінокль.

Зроду не чув, щоб метелики міґрували. Птахи. Люди. А щоб метелики?!

Друг озивається дедалі частіше. Турбується про матір, просить її провідувати. Влаштований він там дуже добре. Котедж, «Тойота», басейн у дворі. Орхідеї біля басейну ростуть. Теща каже, що у неї теж був басейн — ставочок біля самого двору, човен до верби був прив'язаний.

22 січня. День соборності. Усі всіх до чогось закликають. Президент закликає до злагоди «в цей критично-вирішальний період для України».

Періоди у нас всі критичні, але ніколи не вирішальні.

Втім, на цей раз опозиція обіцяє щось вирішальне.

25 січня. Тетянин день. Якби мою дружину звали Тетяною, я мав би підстави її поцілувати. Інших підстав у мене, схоже, нема.

У Києві дощ, шість градусів вище нуля.

В Англії коров'яча інквізиція, корів уже спалюють напалмом.

У нас на митниці затримали м'ясо сумнівної якості, задеклароване як гіпс.

У Європі вилучають з продажу цукерки «Мамбо», бо вони на желатині з яловичих кісток і хрящів.

У Римі фермери вийшли на демонстрацію. Попереду пустили теля з плакатом на шиї: «Це не в корів сказ, це люди сказилися!»

І вже аж тепер за східним календарем — рік Змії. А то все ще було Дракона. Не люблю гігантських рептилій, не гігантських — теж. Хоч кажуть, що змії знімають стрес, — в приймальнях у психотерапевтів навіть бувають тераріуми. Зрештою, у медичній емблемі теж є змія.

І все ж невипадково диявол прикидався Змієм. Пам'ятаю, підлітком бачив відбиток з картини, здається, Брука, — «Гріх». Там велетенський лукавий Змій обвиває стегна стуманілої жінки. Я тоді ще не тямив, про що це, тепер дійшло. Особливо коли дружина приходить пізно і помітно ухиляється від моїх обіймів.

Одначе на Сході Змія символізує добро і мудрість, так що у рік Змії обіцяють всілякі позитивні події — реформи, новації, а то й глобальні зміни на краще в житті людей і держав.

Що ж, зіщулимося у чеканні позитивних змін.

В Одесі обвалився будинок.

У Москві щось вибухнуло в метро на станції «Білоруська—Кільцева». На щастя, поїзд трохи спізнився, вбитих немає. Але багато поранених.

Біля Ґалапаґосів зазнав аварії танкер «Джессіка». Моржики викидаються на сушу. Гинуть гігантські черепахи. Сотні тонн нафти витекло в море. Птиці волочать крила, як обсмоктані чортом. Риба тіпається в мазуті.

Трохи забагато як для позитивної Змії.

В Індії землетрус, перший такий потужний у новому столітті, дев'ять балів за Ріхтером. Якраз на їхнє велике свято, День республіки, був військовий парад, і раптом задвигтіла земля, в Бомбеї розтріскувались будинки, люди в паніці вибігали на вулицю. Найбільше трясло у штаті Ґуджарат, загинуло десятки тисяч людей. Півмільйона залишилось без даху над головою.

Цього ж місяця перед тим трясло Японію, двічі трусило Сальвадор. Земля не витримує. Вони таки зрушать її з орбіти своїми бомбами і терактами.

В Індію вилітають рятувальні загони, «Лікарі без кордонів», Міжнародний Червоний Хрест. Пакистан надіслав літаки з наметами й ковдрами. І навіть повстанці, що хочуть одломити Кашмір і Джамму, висловили співчуття й передали свою кров для потерпілих. І коли вже не залишалося жодних надій знайти когось під руїнами і рятувальні роботи були припинені, — російські рятувальники продовжили пошук і таки витягли з-під завалів живу людину.

Під кінець місяця події стрімко наростають, наче отримавши зловісний імпульс прискорення. У Чорному морі затонув теплохід «Пам'ять Меркурія», навіть не подавши сигналу SOS через несправність радіостанції. Людей виловлюють у морі, примерзлих до рятувальних плотів. Щойно злетівши, розбився російський військово-транспортний літак, — упав на засніжене поле, фюзеляж хруснув навпіл. У нас поховали депутата, якраз одного з кращих, ще зовсім молодого, загинув у автокатастрофі. Дорога була слизька, ніч, їхав на великій швидкості — машина врізалася в дерево, уламки розкидало на сто метрів. І тоді ж привезли тіло Сергія Кудрі, якого застрелив польський поліціянт майже на кордоні з Україною, на очах у його вагітної дружини. Так що й ненароджена іще дитина реалізувала свої права.

Індію знову трясе, у землі вже якась епілепсія.

І над усім цим звучить «Реквієм» Верді. У Києві проходить фестиваль «Ave Verdi» до сторіччя з дня смерті композитора. Приїхали італійці, щовечора в оперному театрі виконуються його твори, але найбільше я люблю «Реквієм», а в ньому «Dies irae» — «День гніву». Могутня музика, крізь яку проривається клекіт барикад.

І я раптом подумав: якщо українці ще здатні на День гніву, то Україна буде. А якщо не здатні, то вже ні.

1 лютого. Сніг мокрий, налипає, тричі буксував, поки доїхав додому. Дружина сердиться, взяла квитки на «Маленьку ніжну сонату для жінки, чоловіка і троля», а я спізнився. Нам би не зайво і ніжності, і сонати. Натомість убили вечір за телевізором, і я з жахом подумав: «Боже! Нам може бути нудно удвох!» — Не тому, що нема про що говорити, а тому, що магія зникла, магія дотику, магія погляду. Зникло все.

Живемо, як ті двоє на картині Мунка «Розлучення» — жінка, що віддаляється, і чоловік, що дивиться їй вслід, затискаючи скривавлене серце, а вона вже як сяйвом написаний силует.

Удосвіта двірники шкребуть лопатами. Гупають бурульки з дахів. За ніч попідмерзало, тепер відтає. У місті справжнісінький льодопад.

І епідемія грипу. Школи й дитячі садки закриті на карантин. Малий наш вкрай задоволений, сидить дома, не випускає джойстика з рук. Дістали мене ці комп'ютерні забавлянки. Вже на що безневинну гру подарував йому святий Миколай — «Живі іграшки», а й вони теж стріляють і ганяються одне за одним.

— Ну, як гра? — питаю.

— Важкий рівень, — заклопотано каже малий. — Якщо цей не уб'є того, то його уб'є той.

Краще б він читав «Вінні-Пуха». Втім, психологи з якоїсь медичної установи дійшли висновку, що Вінні-Пух шизофренік, бо у нього нав'язливі ідеї та неадекватна поведінка. А в кого вона тепер адекватна? Читав, що вже сьогодні кожна третя людина у світі має порушення психіки. А років через тридцять, то й узагалі вже годі буде знайти цілком психічно здорову людину.

От хто у нас нормальний, то це теща.

— Що ви лущите ці піґулки, як суху квасолю? — гримає вона. — Хіба це ліки? Крейда на язиці. — Повикидала антибіотики і всілякі імпортні панацеї, заварює чай з калиною. Запарила соснових бруньок з шалфеєм. Звіробій, журавлина, липовий цвіт — у неї є все од всього. Ще б гарячого молока з медом. А головне — часник, він помічний навіть проти упирів.

Сніг іде, кості ломить, вона таємно від нас постогнує. — Ви б лягли, мамо, — каже дружина. — Е, дитино, — каже вона, — якщо я ляжу, то вже не встану.

Ще один східний Новий рік — Тибетський. Там, на тому нагір'ї, у срібному ореолі вершин, калатають у бубни і танцюють до впаду, у страхітливих масках, у кожухах навиворіт, — виганяють злих духів. Час би вже й нам. Але наших злих духів не так просто вигнати. Роками треба було калатати в бубни. І дуже голосно.

У Бразилії карнавал. Феєрія музики й пристрасті.

У Венеції теж карнавал. Маски білі, містичні, як з потойбічного світу. Все таке старовинне, фантастично прекрасне — застиглий чар Міста Дожів, вигнуті над водою лебедині шиї ґондол. А на одній ґондолі вже сучасний дизайн — голова божевільної корови.

Нова сенсація. Експертиза з Німеччини не підтвердила, що це Ґонґадзе. І тепер вже ніхто не знає, що й думати. Виходить, що або диявол підмінив фраґмент тіла у холодильнику, або це зовсім різні тіла? Та ще й депутат-юрист скликав прес-конференцію і заявив, що... Я так і не зрозумів, що він заявив. Що це шматок не од того тіла, чи те тіло не од цього шматка?

То так ми й будемо жити в макабрі цих експертиз, з яких одна заперечує іншу, генпрокурори міняються, і кожен обіцяє розпочати справу з нуля?!

Знову клекочуть вулиці. Знову пливуть транспаранти над головами.

Знову намети накочуються на Майдан, як брезентові хвилі прибою.

Але влада знайшла спосіб покласти цьому край.

Перекрили рух. Нагнали техніки. Обгородилися зеленим щитом парканів. Починається реконструкція Майдану. Риють глибочезний котлован. До 10-ліття Незалежності тут буде споруджено монумент, хоч завершеного проекту ще немає, в процесі додумають. Відомо тільки, що це буде колона, а на ній — символ України у вигляді жінки.

Довкола заллють ковзанку, а всуціль під Майданом залізні кроти цивілізації вириють триярусний бункер для підземної барахолки загальною площею в три стадіони. Так що наметів уже не поставиш. Саму згадку про них стирають з лиця землі. А заодно вже й історичний центр старовинного міста.

Це щось нове у практиці містобудування. Корбюзьє не повірив би своїм очам. Городецький схопився б за голову.

Але, відкинуті на марґінеси Майдану, намети все одно ростуть. Маніфестації не вщухають. Люди їдуть і йдуть зі всіх кінців України. Їм не дають автобусів, міняють графіки поїздів. То оголошують у рупор, що вагон замінований, то що розлита ртуть. Однак вони добираються, ночують на станціях, у придорожних селах, і знову йдуть. Опозиція обіцяла вирішальну акцію, і вона буде.

Схарапуджена влада прищулюється і випускає кігті. Міліція напоготові. Дядьки з військовою виправкою читають газети під снігопадом. Зненацька налетіли анархісти у чорних масках, з чорними прапорами, все потрощили, поваляли, зчинили бійку і зникли. Щоправда, кажуть, то були не анархісти, а перевдягнуті курсанти, і керували ними правоохоронці у цивільному.

Однак вирішальна акція таки відбулася. Тисячі демонстрантів переможною ходою пройшли центром міста, скандуючи: «Правди!» і «Убивць до суду!» Несли прапори, плакати і емблеми голови Ґонґадзе. Спалили опудало президента. Співали патріотичних пісень. На чолі маніфестації монолітно йшли депутати і лідери опозиції. Дорогою в ряди демонстрантів вливалися перехожі.

Я теж хотів влитися, але коли побачив декого з депутатів, передумав.

Опозиція в захваті, їй привиділась перемога. Гарант таки зважив на протести і звільнив свого улюбленого «рівноапостольного» генерала. Окрилені демонстранти пройшли біля похмурої споруди, що була колись твердинею тоталітаризму, і поставили вінок з написом «Капут №1».

— Не буде Галя, буде другая, — сказала теща, кидаючи в каструлю лавровий лист.

До чого ж зорі тепер розумні! І то не в категоріях

космічних, а цілком земних. Навіть про грип зорі знають. Вчора застерегли вустами астролога, що «через можливість зараження грипом небажано перебувати в місцях великого скупчення». Це, по-моєму, зорі переморгнулися з міліцією.

Зовні все виглядає пристойно. Але досить пройти дворами й завулками — скрізь зачаїлися спецназівці, сидять у закритих автобусах, їм тільки дай знак, вмент зроблять Україну без українців.

9 лютого. Опозиція створила Фронт національного порятунку. Сильно сказано: Фронт. Та ще й національного порятунку. Але поки дійшло до діла, перейменували його на Форум. Залишилась тільки літера Фе. Бо фронт це фронт, це треба боротися. А Форум якось м'якше, комфортніше — побалакали, сіли та й заплакали. Тим паче, що сіли дуже різні люди. Серед них є й такі, поруч з якими перший псалом не рекомендує сідати.

Зманеврували у слові, зманеврують і в ділі.

Лінію фронту національного порятунку у нас давно вже тримають мертві. А перемогти можна, лише коли її тримають живі.

Все ж таки іноді підходжу до тих наметів. Тягне. Так би й переступив огорожку, як одинадцять років тому. Однак щось мене стримує. Опозиція якась дивна, альянс неприродний. Ліві, праві, соціалісти, комуністи. Ще б мені не вистачало крокувати під червоними прапорами. Під змішаними тим більше. Не вірю я в такі альянси. Політиків і на це стане, а людині негоже.

Маніфестанти теж різні. Хто ліві, хто праві, хто «червоні», не розбереш. Усі сині від холоду. Сухий закон, не п'ють. Бігають до підземного переходу, цідять з автоматів гарячу каву і чай. Якийсь чоловік приїхав на велосипеді з передмістя, збирає автографи на пам'ять про вирішальну акцію.

Опівночі всі починають розходитись. Я теж розійшовся. Залишаються лише чергові. Все-таки демократія у нас є. За радянської влади всіх би згребли й посадили оптом.

А так посадили тільки леді Ю. Ізолювали. Елімінували з процесу.

Тепер в народі піднесення, скандують її ім'я, носять її портрети.

Найбільше мені сподобався портрет у стилі «Матери-родины» з пронизливим поглядом і указуючим перстом: «Я не зломилась, а ти?»

Ще трохи — і я зломлюся. І пошлю всіх теперішніх незламних.

Фронт національної гідності теж тримають мертві.

Коли вже його триматимуть живі?!

Тоскно. Голова болить, в очах темніє, у м'язах блукаючий біль.

— Що це ти, зроду не кородився на печінку, а такий жовтий? — питає теща. Заварює мені липовий чай. Загадує малому лускати горіхи. Чую: тихенько лає на кухні мою дружину, що зла, що неуважна до мене, що я вже як сам не свій.

— Пий таїтянський сік «Супер-Ноні», — каже дружина. — Допомагає від стресу.

Мене ображає цей іронічний і поблажливий тон. Я перестаю бути сильною статтю в її очах, вона — слабкою в моїх. Я замикаюся в собі, вона виходить із себе.

— Ти якийсь загальмований, — каже вона. — Емоційно глухий. — І це, мабуть, правда.

Ясно, що жінка тонша. Жінка — інструмент, а я — прилад. Навіть найдосконаліший прилад поступається інструменту. Це як комп'ютер і скрипка. Як піаніно і агрегат.

Щоправда, агрегат з мене теж із ґанджем, — наче мені всередину, в самий мотор вмонтовано щось таке, що вібрує і деренчить. А дружина моя, навпаки, вона як Марґарет Тетчер — така гарна леді, аж не віриться, що залізна.

У театрі прем'єра — «Записки маркізи де Сад». Не маркіза, а саме маркізи. Правильно. Всі жінки — садистки.

Тим часом на Майдані кипить робота. Бульдозери вгризаються в землю. Електрозварка сипле іскрами демократії. Хрущить археологія у залізних щелепах. Стоїть густий виробничий мат.

Тут Історія ходить навшпиньки, а вони риють, довбають, зварюють. Зрізають схили, демонтують фонтани. Ломами підважують гранітні плити. Спиляли сім пухнастих ялинок, що росли тут на пагорбах. Підгризли їх бензопилами і вивезли на звалище. Знищили й самі пагорби, зарівняли рельєфи, знівелювали ландшафт.

«Скоро Майдан Незалежності стане пласким, як млинець», — написав хтось із журналістів. От хто у нас є, це журналісти. Очі суспільства, яке спить.

А ті все «соображают на трьох». То троє генерал-лейтенантів підписали якесь звернення, закликають не допустити кровопролиття. То три колишні прем'єри колишніх урядів волають до президента, що держава у небезпеці і щоб він використав усі надані йому права (тобто: пусти на них танки? Введи надзвичайний стан?). То народні обранці звертаються до народу, — наче не знають, що народ їх давно розкусив і ніхто вже тих звернень не чує. Навіть наш нетиповий Прем'єр підписав щось типово паскудне.

— Може, він підписав, не читавши? — сказав я.

— Краще б прочитав, не підписавши, — сказала вона.

Окрилений підтримкою таких тріумвіратів, наш гарант, уже не добираючи слів, договорився до того, чого не дозволив би собі жоден президент жодної країни щодо своїх співвітчизників. Він заявив, що ці акції нагадують йому «пивний путч» і «мюнхенський шабаш». А запопадливі акули пера, треновані в каламутних політичних океанаріях, підхопили сказане на льоту і як уже потім не обзивали ті мітинги у жовтій пресі — і «націоналістичне збіговисько», і «політичний тераріум, що вже кілька тижнів ворушиться на Хрещатику».

Як на мене, то політичний тераріум ворушиться деінде. І крім наших тутешніх плазунів, не посліднє у ньому місце посідає гадюка російська чорна.

Рік Змії, зміїні сюжети.

Африканська гримуча змія проковтнула дикобраза.

У Преторії на якогось африканця напав здоровенний пітон. Обкрутив його тугою спіраллю і почав душити. Бідолашний африканець заціпенів, а потім уп'явся в того пітона зубами і не відпустив, аж доки пітон не одвалився. Затим приволік його додому і з його зміїної шкіри наробив дамських сумочок. Висновок з цього один: якщо тебе хтось душить, треба його адекватно вкусити.

— Ти не зможеш, — каже дружина. — Тебе штовхнуть, ти вибачишся.

В її очах я безнадійний лох. У своїх теж. Я не належу до господарів життя. Я не належу до гамадрилів. Ні до тої популяції з кульчиком у вусі. Але кожен такий, як є. Люди всі неоднакові. Я сам на себе не схожий щодня.

— Ти мені снився, — сказала дружина. — Ти танцював на пустирі.

Я взагалі не танцюю. Можливість бути розкутим і веселим загнана у мене в підпілля. Я й за студентських років не ходив на танці. Навіть на нашому весіллі, граціозна, вся в білому, вона танцювала з іншими, і я трохи ревнував. Уві сні вона підгледіла правду — я танцюю на пустирі.

14 лютого. День святого Валентина. Прилучаємось до Європи й Америки, переймаємо їхні свята. Дивно, що ще не святкуємо святого Патрика і в День Подяки не їмо індичку.

У вітринах бантики й валентинки, відбитки малинових вуст, звірятка з написами «I love you». І це при таких святощах і канонах, де шануються хрестики, ладанки й проскурки, де є свої святі й преподобні, приміром, Петро і Февронія, що жили в молитвах і подвигах, зреґнувавши з плотських утіх. А як же гарно б звучало для православного вуха — Петра і Февронії! Так ні ж, уподобали собі католицького єпископа, прижився у нас цей святий без аскези, що колись таємно вінчав римських леґіонерів всупереч наказу імператора Клавдія, за що й був страчений, йому відрубали голову. Знову голова. І в III столітті, і у XX, все комусь відрубують голову. Добре, що символом стало серце. Маленьке й велике, мальоване і штамповане, пришпилене до жіночих блузок і чоловічих краваток. Навіть біля наметів хтось водить на ниточці пурпурове надувне серце.

Вдалий день для комерції. Швидко розходяться сувенірчики. Флористи збувають букети. А одна винахідлива фірма на Малій Арнаутській в Одесі навіть вийшла на позаземний рівень — жваво торгує зірками, можна вибрати яку хоч, залежно від гаманця, і назвати ім'ям своєї коханої.

Моя дружина отримала валентинку без підпису, зміненим почерком, вони ж усі так пишуться, але мені прикро. Не питаю, від кого, і вона не каже. Часом думаю: може, у неї є якесь таємне, окреме від мене життя, і мені вже не Валентина, а святого Корнелія треба празнувати, — це ж він, здається, покровитель рогатих тварин?

Я подарував їй високу червону троянду — вичитав з інтернету, що саме таку святий Валентин підніс двом закоханим, які сварилися. І сказав їм, щоб узяли обережно, бо троянда — як кохання, може завдати болю, якщо не вмієш її узяти.

Я, мабуть, не вмію. У мене вже й руки поколоті, і серце.

А що мені подарувала дружина, — не знаю, ображатись чи ні. Елегантний пакетик з яскравою етикеткою: «Презервативи КОЗАЦЬКІ, особливо тонкі». «Зберігають природність відчуттів, не зменшуючи рівня захисту», «Стоп СНІД», дійсні до 2009 року, зареєстровані в Міністерстві охорони здоров'я, перевірені за допомогою електроніки. Може, вона випробовує моє почуття гумору? На етикетці козарлюга з вусами, як на варениках. І така крилата сентенція: «З давніх давен у козака було три сили: шабля, кінь та широкий степ. Але була й четверта сила — сила кохання. Презервативи КОЗАЦЬКІ — козацька сила кохання саме для Вас».

Яка шабля? Який кінь? У мене комп'ютерна мишка і непрезентабельне авто, яке завжди потребує ремонту. І який широкий степ? Мені на моїй землі у моїй країні нічого не належить. Навіть тещині кілька соток, і ті в радіоактивному бур'яні. Немає у мене четвертої сили, і трьох попередніх теж.

Отакий з мене тепер козак. Дивуюся, що вона обрала мене, нудного технаря, інтроверта. А втім, усе правильно. Я громовідвід, у який має вдаряти ця блискавка.

От уже й середина лютого. Стрітення. — Зима з весною стрічається, — каже теща. — Хоч на день, щоб півень встиг з калюжки напитися.

Але ж півень у неї тільки вишитий на її поліському рушнику.

Ніч. За вікном хтось пускає у небо ракети.

Корпоратив? Гуляють круті?

А, згадав. Це ж 12-та річниця виведення радянських військ з Афганістану.

Але до чого тут свято і феєрверк? Чи святкують, що та біда таки закінчилася, чи справді думають, що виконували «интернациональный долг»? Що вони кому заборгували? Хто їм що позичав? Ті маразматики, що їх туди посилали, в гробі не перевернуться. А ланцюгова реакція історії гримить і гримить.

Помер Стенлі Крамер, не доживши трьох років до дев'яноста. Ще коли він зняв той свій фільм — «Цей шалений, шалений, шалений світ», а світ все шаленіший і шаленіший.

На півночі Іспанії знову рвонуло. Баски.

В Ольстері на вулицях горить і стріляє.

Таліби в Афганістані підірвали дві стародавні велетенські статуї Будди, і тепер лише його незбагненна усмішка блукає у скелях.

Якийсь перебіжчик з Іраку повідомив у Штатах, що Ірак уже має дві ядерні бомби і нібито матиме ще, бо на це працюють скількись там заводів.

Не люблю перебіжчиків, завжди щось набалакають.

Жалію біженців, під якими горить земля.

Східні наші кордони прозорі, кривавий протяг етнічних воєн несе, як обвуглене листя, різні народи через нашу країну. Одні долітають до Заходу, інші осідають тут, їх доганяють їхні нещастя, скоро і у нас тут буде та ж сама біда, що й скрізь.

Гортаю стоси газет, заходжу на сайти, читаю інтернет-видання, купую часом навіть якусь жовту пресу — просію, прошеретую, може, й добуду з того інформаційного мотлоху який об'єктивний факт.

— Ти газетний наркоман, — каже дружина. — Я колись повикидаю усі ці газети. Якби ти так любив жити, як ти їх любиш читати!

Вона не має рації. Якраз я не люблю їх читати.

Я проламуюсь крізь абсурд.

— Можеш ти не брати до серця? — гнівається дружина. — Все ж одно нічого не зміниш.

Згребла всі газети й викинула. На якийсь час навіть полегшало. А потім знову. Бо вже як знаєш цю топографію аномалій, як уже йдеш по цих болотах, то так вже й збираєш ту «клюкву».

Колись я читав багато книжок, тепер переважно пресу. Тінейджер каже, що у майбутньому взагалі книжок не буде. Вся світова література вміститься на компакт-дисках. Увесь компендіум знань можна буде взяти через інтернет. І ліси не переводити на папір. Квартири будуть просторі, люди не вдихатимуть книжковий пил.

Мене така перспектива не радує. Я людина XX століття принаймні півмене залишилося там. Я люблю книжку, том, фоліант. Квартира наша заставлена стелажами, книги у два ряди, ще й в закапелку стосик. Це наші найголовніші меблі. У серванті сирітськи поблискує кришталь, якого ще не добив наш малий.

Знову під кінець місяця набирається критична маса подій. На якомусь африканському стадіоні обвалилась трибуна, привалило 130 вболівальників. У Косовому загинув албанський підліток, спалахнули етнічні сутички. Щойно відгримів землетрус в Ґуджараті, як вже й у Сієтлі, сім балів. Під Вінницею вибухнув бензовоз. У Херсонському пологовому будинку зайнявся кисень, ледве встигли вихопити з полум'я двох немовлят. В Англії якийсь лікар звів зі світу до півста пацієнтів, і тепер він у розшуку, його називають Доктор Смерть.

Отакий кліп одного дня.

Не вистачає тільки диявольської пластики Майкла Джексона. І щоб гігантський кіборґ вдарив сонцем об місяць, як у мідні литаври.

А й справді, мій дім — моя фортеця, тепер я це зрозумів. Зачинитися й нічого не чути! Хранителька нашого домашнього вогнища — теща. Плита у нас електрична, дві конфорки несправні, а теща пече і смажить млинці, деруни й налисники, на те ж воно й свято Масниці. — Спочиньте, мамо, — каже дружина. — Куди там, ліпить вареники, всілякі вертутики й кнедлики. Миски у неї полив'яні, ложки й товкачики дерев'яні, дивно те все виглядає серед наших міських начинь — іспанської каструлі, яку ми звемо «хабанерою», і чайника зі свистком, на такі перейшов колись військовий завод по конверсії. А то все вона привезла зі своєї поліської хати. І старовинну іконку Божої Матері, яку нема де приткнути у нашому інтер'єрі. Вона стоїть на холодильнику і час від часу, коли він починає гурчати, здригається разом з ним.

А вранці в неділю теща вклонилася раптом низенько і попросила прощення. Ми з дружиною остовпіли: — Та що ви, мамо, за що ж прощення?! — Так Прощена ж Неділя, — сказала теща. — Всі у всіх повинні просити прощення. За вдіяне, сказане й за подумане. — Я подивився на дружину, вона на мене. Чи ми були б здатні так просто і так природно попросити прощення одне в одного? За вдіяне. За сказане. А головне — за подумане.

Потім почався Великий Піст. Але теща і в Піст готує пресмачні страви. Пісні борщі, супи монастирські з квасолею і з грибами. Ці сушені гриби ще з її Полісся, малому не даємо. Наче на нас тут не дихнув Чорнобиль, наче у нас тут немає цезієвих плям. І у дворі, і на розі нашої вулиці, якраз там, де магазин, де ми купуємо овочі. Моркву, ріпу і артишок.

Теща вночі стогнала: приснилася радіація.
Ходила, каже, з косою і косила село.

Але щойно виступив президент і запевнив, що чорнобильської проблеми більше не існує. Треба тільки добудувати компенсуючі потужності, тобто ще два блоки на двох атомних станціях, бо після закриття ЧАЕС нам не вистачає електроенергії.

З якогось часу ці «компенсуючі потужності» стали лейтмотивом його політичних лебединих пісень.

1 березня. Наметове містечко ліквідували. Цього разу навіть вітер не винаходили. Приїхали, погромили, брутально скрутили руки.

Бульдозери й екскаватори заглушують клекіт протесту.

«Опозиція звернулася до світу». Так він її й почув.

Друг мій у Каліфорнії дивиться у бінокль на метеликів. А я тут дивлюся на ці розтоптані намети.

Львівські студенти оголосили траур по демократії.

Стояли зі свічками, втикали свічки вогниками у сніг.

Весна календарна, аж тепер морози. Горобці попримерзали до тополь. Снігоочисні машини ліктями розгрібають замети.

А в Каліфорнії тепло, друг пише: усе цвіте. Груша цвіте, персик цвіте. Миґдаль уже одцвів. Їздили в пустелю дивитися, як цвітуть кактуси. У нас теж є кактус, у тещі на підвіконні. Але він не цвіте. Теща нудьгує за своїм городом, все щось садить і поливає, щоб «проізростало», як казала довженківська мати. Полила цибулину в слоїку — вже й пустила стрілки. Ткнула кісточку фініка у вазон — пальма вигналась на півметра. А тут зима.

Але вона каже, що й раніше всього було. І в маю сніг, і на Різдво дощ. З дистанції віку їй видніше.

Тещі, звичайно, у нас погано. Вона звикла до стежки з порога, до садка, до кринички. А тут десятий поверх, балкон, у голові паморочиться. Ліфт, який весь час застряє. У вестибюлі темно, завжди хтось викручує лампочку. Поряд базар, у під'їзд забігають якісь підозрілі типи, торгують наркотиками, обмочують стіни, як приблудні пси. Вночі на сходах верещать дівки, вранці біля під'їзду шприци валяються. То вона й сидить у чотирьох стінах. Одно плаче, що на Проводи не може поїхати на гробки у своє село. Хоч побути, хоч подивитися, чоловікову могилу доглянути. Я обіцяю, аякже, поїдемо, неодмінно, ось піду у відпустку, знову не вийшло, поїдемо наступного літа. А насправді я не можу її туди повезти, я там був, село мертве, все розграбоване, у хаті сволок упав, на горищі росте трава. Кладовище все в бур'янах, ледве знайшов могилу тестя. То навіть не була зона безумовного відселення, але наїжджали якісь комісії, міряли радіацію, радили відселитись, то молоді знялися та й поїхали, трохи старих лишилося, село почало відмирати. Кілька років перебули, без пошти, без електрики. Собаку вночі вовк роздер, то ми тещу й забрали, бо далі вже ніяк було залишати її саму. Тепер там уже ніхто не живе. Вогонь лісових пожеж перекидається на кладовища, горять хрести — наче йде по тих покинутих селах якийсь невидимий Ку-клукс-клан. Нащо їй бачити ту остаточну розруху? Те село у її пам'яті садами цвіте. Хай цвіте.

І дружині легше. Може, колись допише свою дисертацію. Навіть хоч так, для себе, щоб не занидіти в побуті. Бо щось вона дуже занепадає. Ходить у халаті, непричесана, мені боляче, що їй байдуже, що я бачу її такою. Схудла, змарніла, під очима кола, наче вона з чорно-білого кіно. На жаль, не з німого.

Я теж, мабуть, не відповідаю її уявленням про мужчину. Вчора прийшов з роботи зморений, заснув у кріслі, прикрившись газетою. Син мені свиснув, як на Канарах, і показав очима на маму. Вона якраз пролітала на мітлі.

Жіночий імператив завше один: ти винен і ти повинен. Добре, що я все це слухаю впіввуха, а то й упівсвідомості. Якби ще й жінка говорила впівголоса. Але ні, науково доведено: якщо вже жінка говорить, то на всі свої психоемоційні потужності. Сама сказала, сама ж тим і отруїлась. — Я ненавиджу тебе! Ти людина без амбіцій. — Можливо й так. Без амбіцій. Про кар'єру ніколи не дбав. За грошима не гнався. Дачі не маю. Привілеїв і звань теж. Машина не престижна. Кандидатську й ту писав на не вельми виграшну тему: «Елементи пам'яті аморфних напівпровідників».

У нас все суспільство — аморфні напівпровідники. З елементами пам'яті. Навіть не з пам'яттю, а всього лиш з її елементами. І я не виняток.

Рід свій знаю від сили до третього коліна. Історію в інтерпретаціях, які взаємно виключають одна одну. Мову — тією мірою, щоб не виглядати дебілом. Світову культуру настільки, наскільки це вдалося розгледіти крізь залізну завісу.

Ми ушкоджене покоління. Ще від предків щось узяли, а нащадкам вже не маємо чого передати.

А втім, покоління — це дуже відносна одиниця виміру. В кожному поколінні є свої антиподи. І потім — інволюція в часі. Час — великий карикатурист.

Професорська вдова вивела свою Альму в комбінезончику з рюшами. І сама вона вкутана у пальтечко зі старомодним горжетом і потертою муфтою, в яку вона ховає свої посинілі, в перстенях, руки.

Щоб не їхати у ліфті мовчки, я похвалив собачку і сказав, що в Нью-Йорку на П'ятій авеню, у відділі чоловічої парфюмерії, продається парфум для собак. А також собачий шампунь. Вона була приємно здивована.

8 березня, Міжнародний жіночий день. Не знаю, як

бути, дружина цього свята не визнає. Я розумію, до чого тут Клара Цеткін? Але ж усе чоловіцтво несе додому букетики, я теж хотів би якусь гілочку мімози.

— За православним календарем, — каже теща, — сьогодні Преподобної Ґорґонії.

— А що це за Преподобна? — питаю я.

— Сестра святителя Григорія Богослова.

— Йоана Богослова я знаю. А Григорій хто?

— Господь святий його знає. Мабуть, хороший чоловік, — каже теща.

Привітання з днем преподобної Ґорґонії моя дружина сприйняла прихильно. Так що проблема з Кларою Цеткін для мене вирішена.

Леді Ю усе ще під арештом. І поки генпрокуратура інкримінує їй туманно сформульовані злочини, намагаючись якнайдовше протримати в ізоляції, поки сімдесят депутатів збираються взяти її на поруки, — тисячі людей прийшли під мури в'язниці привітати її з Міжнародним жіночим днем. Кричать, скандують, надихаються драматизмом моменту, докидають їй проліски і простягають руки, а вона виглядає з-за ґрат і на очах ошелешеної влади, яка так і не зрозуміла законів жанру, перетворюється з колишньої бізнес-леді на Жанну д'Арк.

Ще одна хвиля протесту. Опозиція знову ставить намети. Але вже не де, а в самому серці нації, біля пам'ятника Шевченку, напередодні шевченківських свят, у непохитній своїй певності, що вже звідси ніхто їх не витіснить, не посміє! Українці з тих націй, які ще вірять у заступництво своїх геніїв, у свої національні символи, у непорушність своїх святинь.

Вдосвіта налетіла міліція і вщент змела ті намети, оскільки тут має покладати квіти президент. Опозиція заявила, що не допустить, щоб такий президент поклав квіти нашому національному генію. На що влади резонно відповіли, що квіти має право покласти кожен громадянин.

— Тільки не Кучма! — обурилася громада. — Геть Кучму! Будемо стояти на смерть.

Цей день увійде в нашу історію як 9 мартобря.

До пам'ятника прошкує урядова делегація на чолі з президентом. Попереду, за ритуалом, гопакедія в шароварах, у віночках і плахтах, несе кошики з квітами. Затим поважно виступають перші особи держави, половина з яких того Кобзаря не читали і мова його їм до фені. Але ритуал є ритуал, щорічна церемонія. Кобзар кам'яний, від казенної риторики захистити себе не може. Президент підходить до постаменту, перед ним несуть кошик з квітами, весь у національній символіці, у синьо-жовтих стрічках.

Ех, як схопив же патріот ту символіку, що Тарасу від недостойного президента, як роздер же він її у гніві, перегнавши здоровий глузд! — ще й підпалив, щоб згоріла, щоб всі побачили правду. Та хтось на когось наткнувся, перечепився, штовхнув. І почалося.

Священний гнів переповнив душі, збурений натовп посунув до урядових твердинь. Міліція стояла стіною, нап'явши каски на лоба, виставивши перед собою щити. А хлопці у нас хоробрі, схопили що було під рукою, хитнули кордон міліції, зударились, розлютувались, когось уперіщили дрюком, а кого й металевим прутом. Хтось кинув щось палахтюче. Хтось крикнув: «Провокація!» Але було вже пізно. Репортажі вже зняті, кадри швиденько змонтовані й запущені по всіх каналах з відповідним коментарем — хай дивиться Європа й Америка, які у нас націоналісти бандити!

Так, наче там не буває подібних сутичок, наче там не літають пляшки зі всілякою сумішшю, і поліція не пригинається за щитами під градом каміння. Так ні ж, у нас це сенсація, у нас це вияв не чогось там, а «фашизму». Сам гарант про це заявляє з гіркотою і пафосом, залякуючи суспільство «ознаками коричневої чуми». Хоча, як на мене, найкоричневіше у цій країні — це диван в його кабінеті.

А того ж вечора на вокзалі міліція перехапає студентів, що повертались до Львова, вирізнивши їх із людської маси лише за тією ознакою, що вони розмовляли українською мовою. Кине їх обличчями на асфальт, заломить і поскручує руки — от уже й сидять, «націоналісти», за ґратами у своїй незалежній державі.

А патріоти чубляться — хто зробив провокацію? Неодмінно сама міліція, перевдягнувшись, пішла на себе. Виламала турнікети, врепіжила себе дрюком, швиргонула димову шашку. А ми, ми люди свідомі, ми завжди за мир і злагоду, ми борці помірковані, ми прагнемо компромісу. Це нас підбили зловмисники, підбурили провокатори, внідрилися комуняки, — ну, словом, рука Москви.

Якби кобзар із бандурою заспівав про це славне побоїще, то й кобзар би заплакав, і люди, і всі козаки з того світу. То ви ж як взялися боротись, то вже боріться, панове. Боріться або не беріться. Вирішуйте — фронт чи форум?

От ми й вийшли з цього, як поранені звірі. Навіть рани не треба зализувати. Атрофувались.

Лінію фронту знову тримають мертві.

А я уже був подумав. Мені уже був причувся «День гніву». Я вже ладен був кинутись у вир подій. Але події не завирували. Захлинулися в нерішучості й резиґнаціях. Як завжди.

Сумно все ж, коли твоя нація така безпорадна. Ледь що, зразу у відчай. А що, у світі все так ідеально? А живуть, «шахсей-вахсей» собі не роблять. А ми чого думаєм, що ми такі унікальні, або такі погані, або такі хороші, що такого, як оце у нас відбувається, і світ не бачив?

А вбивство Кеннеді? Америка й не похитнулась. А Індіра Ґанді, а Раджив? А в Італії Альдо Моро, у Швеції Улаф Пальме? А пастор Кінґ, а принцеса Діана? Теж невеселі сюжети, а чому такі резонансні? Тому що є резонанс. А ми душимось у резервації. В резерваціях резонансу нема.

Ну, події 9 березня. Теж мені, здивували світ. Такі-сякі націоналісти, на міліцію з камінням пішли. Не витримали, то й пішли. Нарешті розсердились. Бо коли спецназівці били людей на Софійській площі при розверстій могилі Патріарха, — страшно було за націю, що вона це стерпіла. Пам'ятаю, одна жінка простягала руки до омонів, благала: — Хлопці, невже ви не любите Україну? — А вони їй іржали в обличчя: «Любім, только без украінцев».

І ніхто у світі не обурився, і не назвав це фашизмом.

По Москві промчаться бритоголові, у Швеції блиснуть тім'ям, у Німеччині єврейським студентам пригрозять новим Холокостом по електронній пошті, ще й підпишуться: Adolf@Hitler. Недавно таке збіговисько екстремалів у одній з федеральних земель ледве розігнала поліція, а вони ще й забарикадувалися намертво у якійсь будівлі. А у нас які бритоголові? Максимум з вусами.

«Злагода! Єдність!» — товчуть, як у ступі, а де ж та єдність? Перегризлися між собою. Хочуть збудувати державу. Так державу ж треба будувати з підмурка, щоб кожен свою цеглинку поклав. А з того каміння, що за пазухою, держави не збудуєш.

Який Хічкок зі своїми «Птахами»? У нас свої своїх заклювали.

Настала якась собача старість ідей. Ніхто нічого не

хоче. Ніхто ні за що не бореться. Тільки наші політики за владу над нами.

А так же гарно звучало — Фронт національного порятунку!

Абстрагуватися і не знати.

Жити своїм життям.

Але свого життя теж немає. Додому хоч не вертайся. Дружина, як електричний скат. Різка, роздратована. Я вже боюся до неї заговорити. Вчора кажу: — Як ти думаєш, чому українці ніяк не можуть ідентифікувати себе як націю, навіть уже у власній державі?

— А чайка, яку зварили в каші, може себе ідентифікувати з собою? Тільки з кашею, — сказала вона.

От і поговорили.

Її характер перемелює мене, як жорна. Я стаю легкий, сипкий і сам для себе непереконливий. Мені хочеться звіятись і полетіти.

Як там у Гоголя: «Взвейтесь, кони, и несите меня с этого света!»

Друг мій пише з Каліфорнії: «Приїжджай. Попрацюєш у нормальних умовах». А може, й справді? Я втомився тут жити. У мене відняли Батьківщину.

Диктат приматів. Куди подітись людині?!

Транслюють акцію «Бізнес-Олімп». Те, що у нас зветься елітою, роздає саме собі національну премію «Прометей-престиж». Але чому національну, все ж таки і Прометей, і Олімп — це антична Греція. І який престиж? Невже їм здається, що бути прикутим до скелі, з печінкою, заклльованою орлом, це престижно? Може, вони думають, що Прометей сидів на Бізнес-Олімпі? Чи їм що промоутер, що Прометей?

Уявляю собі, як ті люди в далеких вимираючих селах, де вже ні школи, ні клубу, ні бодай фельдшерського пункту, як у кого є старенький телевізор, — дивляться, наче з іншої планети, ці трансляції зі столиці, — як тут жирує бомонд, на їхній біді розпаношіле свинство, в блиску й розкошах нічних клубів, ресторанів, світських вечірок.

А в цей же час відбувається незрима і нечувана трагедія. Матір Ґонґадзе вже теж допустили до опізнання. Сім годин вона дивилася на ті рештки, в яких годі було когось упізнати. Машина швидкої допомоги стояла під моргом. Кілька разів її виводили попідруки до тої машини, вона хапала ковток повітря і знову йшла впізнавати. Кажуть, принесла з собою черевик, прикладала до зотлілої стопи, розмір не співпадає.

Ніоба оплакувала своїх дітей. Але їхні кісточки вона в руках не тримала.

А ця мати — цю матір не могли б написати навіть грецькі трагіки!

У ставленні цієї влади до людей є щось зоологічне.

Вже не тільки дружина й мати, вже ціле суспільство — потерпіла сторона.

Таке враження, що ми уже всім народом приміряємо черевик до мертвої стопи. Куди далі піде ця нація?

Прочитав статтю в інтернеті з британської «Файненшел таймс»: «Втрачена країна». Страшно. Я не хочу її втрачати. Я хочу тримати лінію фронту, але де ж ті, хто здатен на День гніву?!

Мужчини імперських націй мислять категорією сили.

Мужчини поневолених, але гордих, націй мислять категоріями свободи.

А такі, як оце ми, все надіються, що якось воно буде.

Не буде. Люди, які пережили критичну масу принижень (і стерпіли!), не можуть бути повноцінними громадянами. Фактично я теж неповноцінний громадянин, бо я терплю.

По суті, я давно вже по-справжньому не обурююсь, я знаю, що від мене нічого не залежить. За радянської влади людину хоч вважали ґвинтиком тієї системи. А тепер повипадали і ґвинтики, і шурупчики, і мотор забарахлив.

Я ніхто. Я виборець. Я одиниця електорату. Я такий-то номер у списку. «Світ належить першим». Я стонадцятий.

Теща на кухні читає астрологічний прогноз. Мені — фінансові труднощі, дружині — що їй зіграють вальс Мендельсона на цьому тижні.

Втрачу роботу — от і будуть фінансові труднощі. Та вже й так живемо «на рівні мінімального рівня», як казав один депутат. Ціни ростуть неспівмірно з зарплатою. Ось потрапив у тисняву на дорозі, погнули мені бампер не мого «Опеля», змотався на техстанцію — і вже тріщина у сімейному бюджеті.

— У тебе туго з копійкою? — питає теща. — На ось, візьми. — І потай від дружини віддала мені свою пенсію. І я взяв. Я, мужчина, я, доросла людина, батько і чоловік! — я заплатив за квартиру з тещиної пенсії.

Мені на ногу впав кактус. Тепер ходжу з паличкою, кульгаю. Дружина навіть не помітила, що на мене вже кактуси падають.

Мені здається, наш малий заздрить Борьці. У Борьки собака, у Борьки магнітола. У Борьки тачка крута, і папа крутий, і охоронець, як Термінатор з фантастичного трилера.

А я, хто я в очах малого, з моїми вічними проблемами, з непрестижною машиною і постійною тривогою за завтрашній день?

Мій батько ще коли сказав: — Між мною і тобою буде дистанція, між тобою і твоїм сином — прірва.

Все знав старий. Я тоді думав, що він старий. Тепер іноді почуваюся старшим від нього. І дистанція зменшилась, часто передзвонюємось.

— Ну, як там ви? — питаю. — Як ваш Тінейджер?

— Сидить в інтернеті. Дружина хвилюється. Хтозна, де він там візитує, ще натрапить на якусь Лоліту. Ти ж знаєш, який там контент. Уже ж кожна шльондра може відкрити свій персональний сайт. Або щось таке інсталюється, чому й назви нема. Недавно якийсь підліток із Техаса оголосив на себе аукціон в інтернеті, член подушкою прикрило, обіцяє класний секс.

— Ну якщо він вже вийшов у Мережу, ти теж мусиш вчитися веб-серфінґу. Обмеж доступ до тих програм, де дітям до шістнадцяти, — порадив я. — Зроби список веб-сайтів, які він може відвідувати, а які не повинен.

— Так він і послухає, — сказав батько. — У тебе он ще зовсім малий, а дуже ти можеш ним покерувати? — І то.

Сидять зараз з Борькою, грають у нову електронну гру. Суть її в тому, що ворога треба уникати. Але його важко уникнути — він ворог у великому темпі. Він відбирає життя. Між дітьми відбувається цілком загадковий для мене діалог.

— Скільки життів ще залишилося? — питає малий.

— Ще п'ять, — каже Борька.

— Я її врятую, маленьку мишку, — каже малий. — А змію треба рятувати?

— Проведи одну атаку.

— А тоді що?

— Він тобі зніме трішки життя.

— А якщо нападе, як вбивати?

— Просто натиснути кнопку.

Отак просто. «Натиснути кнопку», «він тобі зніме трішки життя».

Мені щодня щось знімає трішки життя. В сумі вже знято більше, ніж, може, вже залишилось.

У дружини день народження, вона собі подарувала обручку. Тоненьку золоту шлюбну обручку. Мені в серце кольнуло — це ж повинен був зробити я. І не подарувати, а одягти їй на палець, ще коли ми одружувались. Але ж ми не вінчались, а просто розписалися в ЗАГСі, та й грошей не було на дві золоті обручки, і якось не подумалось. Звідки ж я міг знати, що це для неї важливо, вона ж не сказала. А тепер же як? Я маю докупити собі обручку, чи вона мені купить, чи так і будемо жити — вона заміжня, а я ніби як нежонатий?

Відчуваю себе перекресленим.

Виправити становище не знаю як.

Настає такий момент у житті, коли нічого вже не можеш виправити. Ні в стосунках, ні в обставинах. Ні в самому собі.

Учора йду в підземному переході, чую по радіо: «34-літній японець здійснив стриптиз на телевізійній вишці». Це вже якщо у японця крівля поїхала, така мудра нація, то що ж тоді нам?

Може, вибратися на якусь вишку і звідти стрибнути?

Теща читає Жюль Верна, а я вже хочу Петрарку.

Щоправда, моя Лаура не тягне на створений ним взірець. Та була лагідна й загадкова, а моя вже, як кобра, просто сичить.

Шкода, що в жінках так швидко вмирає Ассоль.

У нас є секретарка, офіс-менеджер, фея фуршетів. Ну, така лялечка, спідничка фру-фру, ноги від шиї, декольте до пояса, йде — все на ній двигтить. Одурманює парфумами, обдаровує усмішками, голосочок — сирена, прив'яжіть мене до комп'ютерного столика, бо зірвусь. Або одягне блузочку без нічого, пуп'янки випинаються, а вона дивиться такими небесними очима, ніби й не розуміє, що у мужчин шок.

Чорт забирай, може, піти наліво? Трохи адреналіну, бо я вже задубів. Дружина мене ігнорує, син не слухається, фірма згортає діяльність. А секретарка — як сон.

А зорі й справді, мабуть, усе знають. Теща читає гороскоп на мій знак: «Уникайте неофіційних стосунків і грішних помислів. Зорі хочуть використати вас для інтриг». Ніколи б не подумав, що зорі такі інтриганки.

У подружньому житті пристрасть з часом вщухає, натомість приходить постійна невщухаюча ніжність. І я не знаю, що краще — феєрверки любовного шалу чи надійне родинне вогнище? Все-таки родинне вогнище у нас є. А всі оці негаразди — це у нас тимчасово, ось трохи полегшає, і дружина моя зміниться. Буде така, як раніше. Вона ж мене любить, ну безперечно любить. Як там у тієї польської поетеси: «Ти ж сам казав... минулого року».

Теща моя притихла, читає «Собаку Баскервілів». Дружина зі мною не розмовляє, і слава Богу. У неї тепер такі інтонації, особливо ж дістається українським мужчинам. Вже навіть не лише депутатам, а всім підряд. Безвольні і безпорадні, дурні й сентиментальні, до чого довели Україну, гидко дивитися на таких мужчин.

Щось мені вже й Записок писати не хочеться. То ж я дні перебирав, як вервиці, прощався з епохою, а тепер відкидаю десятками, як на рахівниці. Тижнями не записую, хіба що станеться щось важливе.

В Единбурзькому замку завелися привиди. Шепіт,

шурхіт, зітхання. У закритих приміщеннях гуляє протяг. Може, це ходять герої Шекспіра? Може, чиїсь душі щось забули на цьому світі? Може, у павутинні заплутались кажани? Вчені залягли за портьєрами, слухають.

У нас у політиці теж повно привидів. Всуціль спіритичні сеанси минулого. Колись один привид ходив по Європі, тепер їх тут безліч вештається. Невловимі майори підслуховують президентів. Упирі й перевертні викрадають журналістів. Нечиста сила скуповує голоси. Нашого нетипового Прем'єра збираються з'їсти. З леді Ю роблять леді Макбет.

Сьогодні її вже судять. Навіть показали кілька кадрів по телебаченню. От хто б мені що не казав, а не схожа вона на ту підлу й підступну леді Макбет, у якої «мозок повен скорпіонів». Худенька змучена жінка, введена під конвоєм. Мабуть, у камері холодно, — сірий светрик грубої в'язки під саме підборіддя. Дуже змарніла. Кажуть, перехворіла на грип. Я так і не зрозумів, чого її тримали за ґратами півтора місяці. Інкримінували злочин за злочином, а в підсумку тихо відпустили — виправдали, на поруки, чи як?

— Якби була винувата, не відпустили б, — сказала дружина.

Хлопці з 9-го мартобря все ще сидять. Їх і не судять, і не відпускають, і ніхто за них не заступиться. Ні міжнародна «Амністія», ні достойні співгромадяни. Вийшли протестувати лише студенти з плакатом: «Руки геть від студентів!» Тут же проти них кинули купку осатанілих бабусь, які поривалися проспівати: «Ето єсть наш послєдній і рєшітєльний бой!». І якийсь дідуган одноосібно вийшов з плакатом: «Ющенка — к ядреной фене!»

Крилате гасло, треба сказати.

Знову під кінець місяця – це що вже, закономірність? – набирається критична маса катастроф. У Закарпатті нечувана повінь. У Японії землетрус. Третій за три місяці землетрус у Сальвадорі. В Угорщині стихійне лихо. У Португалії обвалився міст. У Кенії два автобуси упали в річку. У Бельгії зіткнулися приміські поїзди, аж локомотив одного опинився на даху другого. Десь виявили хворого цапа. Десь навіть кішка захворіла на коров'ячий сказ.

– Як ти витримуєш у голові цей всесвітній бедлам? – питає дружина. – Навіщо ти все це записуєш?

Не знаю. Звичка. Може, теж якийсь психоз.

Світ живе, увібравши голову в плечі: росіяни збираються спустити свою станцію «Мир» з орбіти, – невідомо, де хрясне. Була розрахована на три роки, а літала п'ятнадцять. Важить 140 тонн. Мала б згоріти в атмосфері, але не виключено, що тонн двадцять уламків може впасти у Тихий океан, десь на схід від Нової Зеландії. А якщо якийсь збій? Вона вже ж літала безконтрольно.

Але й з цього роблять шоу. Якийсь бізнесмен пропонує за грубі бабки приватний авіалайнер для охочих подивитися, як згоратиме в небі російська орбітальна станція. У Москві вже поставили мюзикл «Гибель «Мира». Хочуть привезти нам на гастролі.

– Не грались би вони з такими поняттями, – каже дружина, – а то ще накличуть. Слово ж як заклинання, воно притягує.

23 березня. Вранці станція «Мир» булькнула в Тихому океані. Все обійшлося, станція потонула. Зварилося кілька акул.

Цієї ж ночі годинники перевели на літній час.

Мороз йорданський. Сніг. Завірюха. «Март за всіх варт», — каже теща.

Але вже 1-го квітня попустило й заплакало, і усміхнулось крізь сльози. Може, тому, що в цей день народився Гоголь, за новим, правда, стилем, у минулому столітті. Ні, вже в позаминулому. Це я народився в минулому столітті, і все людство народилося в минулому, крім тримісячних немовлят. А Гоголь — у позаминулому. І треба звикати, що як для нас XIX століття, так надалі XX буде вже для когось далеким, неактуальним і емоційно відмерлим.

Вранці передали, що на аукціоні Sotheby's виставлено досі невідомий «Політичний заповіт» Леніна, додаток до його «Квітневих тез», що досі зберігався в антиґуанському банку. Стартова ціна 10 тисяч фунтів стерлінґів, охочі придбати — Північна Корея та українські соціалісти. Однак хтось інкоґніто в чорній масці виклав зразу два мільйони, оскільки у заповіті є дуже цінна вказівка вождя, на жаль, не врахована його наступниками, що, перш ніж будувати соціалізм, треба випробувати його на дрозофілах.

Перед тим пізно увечері, — теж можна було б сприйняти як першоквітневий жарт, якби ж він не був у чоботях і з автоматами, — в лікарню, де лікувалася після в'язниці леді Ю, увірвався слідчий з трьома єпецназівцями, розкидали медперсонал, налякали хворих, заблокували всі входи й виходи, зробили в палаті обшук і зникли так само несподівано, як і з'явилися. Так ніхто й не зрозумів, що це було.

Взагалі день був рясний на екстраординарні сюжети.

В Югославії у своїй резиденції був заарештований Слободан Мілошевич — опору не чинив, зате його дочка стрельнула з пістолета.

З бруклінської тюрми втік Павел Бородін — і тепер він у Ґватемалі.

Якраз була неділя, і ми з малим пішли в університетський парк. А він оточений, перекритий, і міліція не пускає. Виявляється, під час земляних робіт хтось копнув і наткнувся на щось тверде. Добре хоч не вмазав бульдозером. Викликали саперів, ті знайшли снаряд часів Другої світової війни. Потім ще і ще, — схоже, там на малій глибині цілий склад боєприпасів. Тепер ходять солдатики з металевими щупами, обмацують кожний сантиметр.

Отже, ми тут півстоліття як по мінному полю ходили. Діти пересипалися пісочком, пенсіонери забивали козла, студенти призначали побачення — одна якась мить і все могло б злетіти в повітря. І дитячий майданчик, і молоді мами з візочками, і те наше маленьке фотоательє зі старою Мальвіною з блакитним волоссям, і університет зі всіма його студентами.

У дружини моєї стрес. Там знайшли уже 85 снарядів.

Теща вийшла на просценіум і сказала: «Оце як хочте, а колись було краще. Все скривали від народу, то народ і не знав».

Словом, на полегкість нам і не світить, ні за старим стилем, ні за новим.

Чи що на Сонці великі магнітні бурі, — у мене дуже болить голова. Щодалі більше хочеться на Канари.

У Закарпатті цвітуть абрикоси й персики. «Вода відступила, будинки падають», — пише газета. — «Відновлено зв'язок за тимчасовою схемою».

Життя це теж тимчасова схема. Після смерті матері я це зрозумів. А тепер, дивлячись на тих солдатиків з металевими щупами, ще більше.

А час летить. П'єр Рішар уже не блондин, а сивий. Мадонна вже двічі мама. Софі Лорен вже грає у дебютному фільмі свого дорослого сина. Шварценеґер хоче балотуватися в губернатори штату Каліфорнія.

Четвертий місяць нового століття, а що змінилось? Ті ж громадянські війни і міжетнічні сутички. Ті ж «зачистки» в Чечні. Хоч не дивися новин і не читай газет. В Одесі накрили банду, що викрадала старих і немічних і, відібравши у них квартири, топила їх у покинутому колодязі. У Биківнянському лісі, де світяться душі убитих, наркомани задушили приятеля, не поділивши «ширку». У лісосмузі під Києвом якийсь дядько побачив вогнище, підійшов ближче, а там догорає людське тіло, вже тільки підошви потріскують.

Файли моєї пам'яті хочуть струснути всі ці кошмари. На моніторі свідомості хочу малювати щось красиве і добре. Натомість у вічі лізе всіляка погань. Випари людських боліт, викиди атомних станцій, вихлопи політичних труб, — словом, всі мутагени на нашу психіку. Хто не задумався, той нормальний. Я задумався й остовпів. Ми ж, як «Сліпці» Брейґеля — куди йдемо?!

Шизоїдний сель свідомості заливає суспільство. Слово знецінилось. Мова втрачає пульс. Виникають якісь культи й культики. Речники порожнечі приколюються в епатаж. Увійшли в моду ялові молодички, що описують секс. Шибздики й симулякри викаблучуються в цинізмі. Той убрався в пір'я, рекламує презервативи. Той просторікує про оральний секс, той заповзявся писати виключно матом. А всі разом хочуть насюсяти на великих, витерти ноги об попередників, проголосивши у тональності язикатої Хвеськи: «Літератури у нас нема».

А якщо у вас нема літератури, і нема культури, і нема історії, — то чого ж я тут мучуся, ідіть ви під три чорти!

Це ж треба так скористатися свободою, щоб напродукувати стільки сміття! Потрібен якийсь літературознавчий Фройд, щоб поставив діагноз цій шизофренічній продукції. Література зробилася, як блошиний ринок — хто що має, несе на продаж. Хоч зі смітника витягне, а виставить на загальний показ. Як Моніка Левінські синеньке платтячко з підозрілими плямами. Воно, бідацтво, хвалиться, чим може. Розміром бюста, довжиною ніг, тим, що украло помаду, що переспало з іноземцем за заморську сукенку. Це вже навіть не епатажна література, а блювотна.

— Тутешній постмодернізм — це капітуляція, — сказала дружина. — Все post і post. Треба, щоб хтось уже вистрелив зі стартового пістолета.

Вона вже стоїчно вивчає і цей період, легенько згадається її науковому керівнику в Буркіна-Фасо. Двадцять років мали до диспозиції, творили нову літературу, і що ж? В'їхали у Міленіум на гарбі, а збиралися на реактивному лайнері. Підхопили постмодернізм, як вітрянку, розчухали до крові, ну, і яке ж тепер обличчя літератури?

Дивна жінка моя дружина. Мені здається, що вона завжди думає. Пише дисертацію — думає. Порається на кухні — думає. І водночас вона весь час почуває. У мужчин це роздільніше. Я якщо вже думаю, то я думаю. Гляну на неї — почуваю. А вона думає і почуває одночасно. Може, тому й така вибухова, бо в ній зразу два детонатори.

Вона з тих рідкісних жінок, які не вміють звикати. Ні до побуту, ні до любові, ні до ситуації у суспільстві. Ні до чого. Бунтує і все.

А ще в ній сильно розвинута, сказати б таке рідковживане слово, «антиципація» — вона переганяє суть. Вона наступає, ще не бачивши противника, вона розбиває мої контраргументи ще до того, як я їх висловив. Мені часто перепадає за все на світі. Іноді я її не розумію.

Втім, жінка — як музика, її можна любити, навіть не дуже розуміючи.

— До всіх перинатальних хвороб державності ще й така халепа — виросли покоління, яким усе по фіґ, — каже дружина.

— Чого ж ти заговорила їхньою мовою? — не витримую я. — Де це бачено, щоб жінка говорила матом?!

— А це не мат, — спокійно пояснює вона. — Це воровская фєня. І, мабуть, не випадково цьому суспільству прищеплено саме воровську фєню, мову блатних низів, — щось є у ньому глибоко жлобське і безкультурне.

Сподіваюсь, мій син, мій хлопчик, дитя моєї любові, переросте цю фєню і виросте інтелігентною людиною. Але ж поки він виросте, України може вже й не бути. Вся розчиниться у хамстві.

Наївний ми народ, українці. Мріємо про свободу в умовах глобалізації. Випустили свою гривню з князями й поетами, коли вже не треба ні історії, ні поезії. Любимо свою Україну, яка ще не вмерла, боремося за свою мову, яка вже вмирає. Залежні від усіх і від усього, будуємо незалежну державу. Та все дбаємо про злагоду в суспільстві, про консенсус і компроміс.

А тим часом хтось роздивляється нас, як в оптичний приціл.

І взагалі невідомо, як вони там зустрічаються, в краватках і без краваток, про що вони говорять, ті президенти, на тих своїх неформальних зустрічах, за зачиненими дверима, за що п'ють, про що домовляються. Може, Україну вже давно сторгували, а ми все лопочемо про незалежність. Стратегічні об'єкти приватизовуються, промислово-фінансовий капітал зрощується. Ми вже з тією Росією, як ті єгипетські близнюки, зрощені головами. Скоро буде єдина енергетична система. А там, дивись, і Єдиний Економічний Простір. Тобто простору вже не буде. Якогось ранку прокинемося в іншій державі. Бо проспали свою.

— Ненавиджу ці соковиті баритони українських мужчин! — сказала раптом дружина і вимкнула радіо.

Теща здивувалася: — Чого ти, вони ж так гарно співали.

Я справді забагато читаю газет. Крім передплати, часом ще й купую в кіосках, і тут же, переглянувши, викидаю в урну, щоб і додому не нести. Це як поганий наркотик, інформаційна ширка, настрій не піднімається, а голова болить. Дружина знизує плечима і все частіше крутить пальцем біля скроні. В принципі я не проти. Навіть у дурдом, будь ласка. А надто у лікарню Павлова. Там і Врубель сидів. Буду ходити у Кирилівську церкву, де з настінних розписів дивляться ті його божевільно прекрасні очі, розкриті ніби не у світ, а у Всесвіт.

Колись у неї були такі очі. Заворожували мене. А тепер бликне як вколе. Добре, що рідко й дивиться, не хотів би зустрітися з нею поглядом. Бо що я там прочитаю? Вирок моїй любові.

Вночі я вже боюся торкнутись до неї, вона одвертається або вдає, що спить. І я щоразу пізніше лягаю спати, щоб не зустрітися з нею в Льодовитому океані простирадел. У нас енергетична криза теж.

В суботу зайшов знайомий, дружина навіть не вийшла, і я раптом подумав: «Нап'юсь». Ми з ним не те щоб друзі, просто колеги, ще з аспірантури. Я його не дуже любив. Підкреслено елеґантний, підкреслено ввічливий, він завжди тримав дистанцію, яку не хотілося подолати. В ньому була якась нордична зверхність. Блискуче захистив дисертацію, працював у престижному інституті, навіть одружився перфектно — зняв з подіуму модельку, еталон краси. Бездоганний і незворушний, він мене не дуже цікавив. Мій друг, що тепер у Каліфорнії, той був худий, холеричний, з зовнішністю Паґаніні, у нього завжди були геніальні ідеї, які він ніколи не втілював, бо вони переганяли одна одну. З ним я дружив, а з цим — ні.

Але тепер, випадково зустрівшись, я і йому зрадів, зрештою, ми всі дуже самотні, дав йому телефон і адресу, і він зайшов. Тепер він уже не такий елеґантний, життя його помітно прим'яло, з наукою теж не склалося, престижний інститут занепав, тож він змушений працювати на принагідних роботах, наразі робить комп'ютерну верстку для видавництва, що видає українську літературу, відтак теж неплатоспроможне.

Він якийсь згірклий і знеохочений до всього. Каже, що Україна бананова республіка і що українці нездатні збудувати свою державу.

— Чого ж ти не виїхав? — запитав я.

— «Немає гавані для наших кораблів», — сказав він. — Ян Судрабкалн.

Що мені в ньому завжди подобалось — він любить і знає поезію. Такий сухий і скептичний, а поезію любить.

Розмова не клеїлась. Посиділи мовчки. Навіть випили. — Знаєш, як зловити лева в пустелі? — спитав він. — Дуже просто. — І розповів софістикований програмістський анекдот. Треба привезти клітку, поставити посеред пустелі, простір інвертувати так, щоб клітка стала пустелею, а пустеля з левом опинилася в клітці.

У мене враження, що він уже теж інвертований на пустелю.

У кожного своя пустеля. І свої міражі.

У мене вже й міражів немає.

Дружина дуже змінилася. Мружить очі і думає щось своє. Десь затримується вечорами. Чи не закохалася, не дай Боже. Цього ще нам не вистачало, і мені, і їй.

Ліг спати — дружина відсунулась. Уявив собі секретарку, а вона раптом ощирилась, як у фільмах про Дракулу. До ранку не міг заснути.

Дивився на дружину. Колись у неї личко було, як порцелянове, світилося в темряві. А тепер сіре і змучене, навіть на світанку.

Один астролог усе показує сиґнатури. Розтлумачує сни і прикмети, лінії на долонях, і де яка родимка про що свідчить. Його послухати, то моя дружина мала б бути дуже щасливою. У неї родимка саме там.

В університетському парку знайшли вже 305 снарядів і кілька гранат. Дружина дивиться на мене обезумілими очима: — Як ти міг водити туди дитину?!

А звідки я знав? І взагалі, куди тепер можна водити дитину?

В якійсь школі розлили ртуть.

В якомусь під'їзді підклали вибухівку.

В якомусь дитячому садку перетруїли дітей неякісними продуктами.

Але не треба думати, що це тільки у нас. У світі теж буває всього. У Європі вже дітей у школах навчають, як захищатися від бандитів. Дівчатка носять при собі газові балончики. Для жінок вже винайшли бюстгальтери з кишенькою для пістолета.

Зовсім не зайвий винахід. Якби де продавався, я подарував би дружині. На день преподобної Ґорґонії.

Не думаю, щоб вона закохалася. Вона тепер така жовчна й анемічна, її тільки й вистачає, що на зненависть до мужчин. Як заведеться — голос на п'ять реґістрів, а я сприймаю тільки три. Вимикаюсь автоматично.

Читав, що у Майямі якийсь мер запустив у дружину чайником для заварки. Мабуть, довела.

У нас посуд цілий, чайник на місці. «Кобєту не можна ударити навіть квіткою», — як каже моя теща. Тесть був поляк, там на Поліссі були цілі села польські, шляхта ходачкова так звана. Побут, звісно, відрізнявся, звичаї, імена. А так жили мирно, одружувались. Може, через те вона така й вибухова. Українці з поляками — це гримуча суміш.

Тепер ходжу з сином у Ботанічний сад, сподіваюся, що хоч там немає боєприпасів. Вивчаємо різні реґіони України — і степ, і лісостеп, і Полісся. Малий лазить по скелях, грає в піжмурки зі скіфською бабою. Шумлять карпатські смереки. Скоро зацвіте сиренґарій, тут є різні сорти, і кандидати в сорти, як і в людей.

Мені тільки прикро, що малий бачить, як по сміттєвих урнах порпаються алкаші. Часом навіть і не алкаші, а цілком пристойні старі люди. Одна бабуня все стоїть біля підземного переходу, просить. Сива, чистенька, схожа на нашу бабусю. Хлопчик на неї озирається, дивиться на мене. А як я йому це поясню?

Мабуть, знову спалах на Сонці. Почуваюся так, ніби мене розкрутили на центрифузі й випустили. Дуже болить голова. Хочеться тиші. Під вікном гарчить бурильна машина. В стіну вгризається перфоратор. У Борьки горлає магнітола. Виє, тьохкає і завиває сигналізація на чиїйсь машині, майже, як голос моєї дружини. Останнім часом у неї прорізаються такі інтонації, хоч фільтри на вуха став. Інколи мені здається, що я її зненавиджу.

Акції фірми впали. Фірма згортає свою діяльність. Країна не стабільна, інвестор не хоче ризикувати. «Опель» у мене вже забрали. Гарна була машина. Ясно, не «Лексус» і не «Мерседес», а все ж. Якщо порівняти з моєю, то був супер. Тепер їжджу на своїй, вона часто ламається, то сухарик летить, то не завелася, тягли на буксирі.

Вчора лежав під машиною, як переїханий, запізнився на роботу. Це мені теж зняло трішки життя.

Друг пише з Каліфорнії — у них там одночасно розцвіли всі троянди. Пурпурові, білі, рожеві, у діаметрі сантиметрів двадцять. Він як розповідає, наче малює по склу.

Біля будинку дерево пахне медом. Дерево, яке гуде.

«Тут вже немає екзотики, — пише він. — Тут все екзотика. Бувають такі екзоти, що не знаєш, воно рослина чи заворушиться».

У нас теж часом не знаєш — воно людина чи засичить.

На роботі дедалі важче. Всі знервовані. Кількох уже скоротили, кожен думає: хто наступний? Якщо я, то мали б попередити за два місяці, є ж якісь закони чи вже нема? Боса свого ми у вічі не бачили, він тут наїздами, живе за кордоном. А безпосередній наш шеф тутешній, права рука сатани, що захоче, те й зробить. Ми його називаємо «Спок», бо за кожним словом — «Спокійно», а то й скорочено: «Спок!». Виставить долоню вперед і з таким смаком, як іноземною: «Spok!» Рух ніби заспокійливий, а водночас принизливий, — ніби відсторонює, ставить на місце, усуває з дороги. Дуже неприємний тип. То була хоч профспілка, захищала хоч на словах, а тепер хто захистить твої права? Шеф залежний від боса, ми залежні від шефа, тепер же всі залежні від залежних. От і живеш, як обпечений, серед таких, як сам.

Великдень цього року ранній, у всіх християн одночасно, такий рідкісний збіг. Дзвони дзвонять на Володимирському соборі, ми христосуємося. Спасибі тещі, навертає до звичаїв. Малий б'ється з Борькою крашанками навбитки, Борька ляпає якусь гидоту щодо етимології яєць. — Це у них в сім'ї, чи в дитячому садку набрався?! — жахається дружина. Хочеться Борьку в шию вигнати, але ж він дитина. Затуляюсь від них газетами, там теж не пропускають нагоди двозначно скаламбурити. Що за схильність з'явилася у людей — неодмінно увернути якесь паскудство, натякнути, понизити.

Жертви бездарних рімейків і адаптацій, підсіли на серіали, як на наркотики, — щовечора прагнуть дізнатися, хто з ким спав і хто кого вбив. Йде якась планомірна лярвизація країни. У нас уже п'ятилітні дівчатка співають «Попитку №5» з репертуару «Віаґри». Тепер як не увернеш блатне словечко, то ти вже й не інтелектуал. Преса рясніє світською хронікою. Одній поп-зірці подарували «Мерседес» на Великдень, іншій — сіре щеня кавказької породи. Той носить куртку з памперсів, той від Юдашкіна, тому на антальському березі дві туркені п'яти чухали.

Шкірою чую, як тотальне жлобство свідомо прищеплюється людям, перетворюючи їх на масу. Масі не треба мистецтва, масі не треба культури — масі треба закласти у підсвідомість, і вона піде у спроектований бік.

Часом мені здається, що існує якийсь мозковий центр, що працює на самоліквідацію цієї держави, навіть не так руками її ворогів, як зусиллями власних тут ідіотів.

Теща боїться Дракули. Його показують на сон грядущий майже щовечора, в гармонійний час. Імпозантний граф вищиряє криваві ікла, вампіри кощавими пальцями піднімають віка гробів, їм заганяють кілки у груди, а вони все одно встають, торохтять кістками, трясуть зітлілим ґноттям, впиваються людям у шиї і сласно злизують кров. Все горить, все падає. Термінатор з квадратною головою, квадратно ступаючи, знищує все на своєму шляху. Когось б'ють, когось убивають, комусь здирають шкіру з обличчя, а там, під сподом, ведмежа шерсть. То теща хоч вдень кричала, а це вже стогне й уві сні. Ми виключили телевізор з її духовного раціону. Та й самі уникаєм дивитись, а надто у присутності сина. Бо крізь землю провалишся, суцільний автоматичний секс. А малий дивиться, як йому заброниш? Часом йому набридає, майструє якусь головоломку, гляне, прокоментує: «Кохання, кохання! Зараз попадають».

Це вже не телеекран, це іподроми сексу, де оголені вершниці мчать крізь ніч на розгнузданих жеребцях. Колись, на початку нашої Незалежності, день завершувався молитовно: «Боже великий, єдиний, нам Україну храни!», потім швидко допетрали, що українці стерплять, змінили формат, ніхто й не помітив. Почали демонструвати програму для потребуючих допінґу — Еротодром. Треновані дівчатка увихалися навколо жердин, імітуючи статевий акт, поки сексапільна ведуча, майже гола і в пряжках, зачитувала листи опівнічних глядачів з подякою, що їм підняли лібідо. Підупалі мужички почали трахати своїх жінок, підзаряджаючись від національних каналів. Але ж найсексуальніші сідниці від довгого споглядання починають приїдатися. Я вже знаю, хто як стогне у якій позі. Я вже знаю всі позиції, але не грецькі, греки напевне це робили інакше. І східні народи теж. У них танець живота, а в нас тут п'ятої точки. Як сказав би Борька: «Нє вставляєт». «Повне марабу», — як каже наш малий.

Словом, спасибі демократії. Зроду не знав, що у світі стільки халтури. Куди ж її й сплавити, як не в захланний пострадянський простір? Хорори й трилери, серіали і серії, рімейки й ремікси. Великий проект для сімейного балдіння. Враження таке, що ці фільми роблять патологічно нездарні режисери для патологічно тупих глядачів. Циніки для плебеїв. Дебіли для розумово відсталих. Особливо люблять посмакувати різновиди поцілунків. Якась femme fatale впивається йому в губи, раптом висолоплює язика, як жало, і всаджує йому до самої діафраґми. Трясуть пір'ям боа трансвестити, заклично посміхаються гомосексуалісти. Облизують одна одну лесбіянки.

Взагалі-то я толерантний до всіх, традиційних і не традиційних, хай собі люблятся хто як хоче, але для чого зчиняти такий галас? Секс це ж діло інтимне. А інтим, як не візьми, це глибоко особисте, внутрішнє, сокровенне. Навіщо ж ходити з фалом наперевіс?

Колись, ще коли радіо «Свобода» слухали конспіративно під ковдрою, серед всіляких одкровень демократії мене здивував один журналіст, що говорив про свободу звичаїв, як тоді казали, там, «за бугром». Він з такою іронією сказав, що якщо й далі так піде, то настане час, коли вчителі на уроках біології наочно демонструватимуть статевий акт, а школярі позіхатимуть і потай з-під парти читатимуть Верґілія.

Верґілія не Верґілія, а Гоголя я вже перечитую. Дарма, що писав давно, актуально і по сей день. А що, читати теперішніх пофіґістів? Ту письмачку, приміром, що назвала свою матір фриґідною, а мужчин своєї нації... Гидую повторити, як вона назвала мужчин своєї нації. Чи тих биндюжників слова, що допінґують свою нездарність цинізмом? Чи тих потасканих німфеток, що все вивертають свій «тілесний низ»?

Поверніть мені мій захват перед жінкою. Хоч трохи магії, загадки, недосяжності, а не щоб вона мені вивертала тим своїм «тілесним низом».

Купідон стріляв не в геніталії, а в серце.

Глядачі вже зійшли з дистанції, а ті все гарцюють. Якісь тваринки невідомої статі валять одна одну і верещать: «Секс революшн!» Якісь неапетитні дівулі імітують на екрані орґазм. З'явилася нова форма освідчення в коханні: «Давай займьомся любов'ю».

Якби я тоді на Майдані, у тому наметі, сказав їй щось

подібне, мав би доброго ляпаса. Ми на тому граніті, промерзлі, знесилені голодуванням, — я не знаю, що це було, я тримав її в'ялі рученята у своїх руках, боявся притягнути її до себе, мене на відстані било струмом. Торкнув губами її лоб, відчув смужку тепла під пов'язкою, досі обдає жаром, як згадаю.

А не скліщитись і розскочитись, як собаки.

Але що ж. Очевидно є люди, не талановиті до любові. І їх дедалі більше.

Знову зайшов Лев, інвертований на пустелю.

— О, ще один різновид мужчини, — коментує дружина його прихід. Вона його недолюблює.

У мене теж з ним не дуже складається. Він надто категоричний і жовчний. Він зневажає суспільство. Він не любить українців як націю. Сам національно не акцентований, ідентифікує себе зовсім з іншим спектром проблем. Інтелігент у третьому поколінні, як і я, але я гуманітарного кореня, а його дід був знаменитий мікробіолог, батько — хірург. Дід читав лекції українською мовою у найтяжчі часи сталінських репресій. А вже батько говорив мовою скальпеля, йому головне було точно діагностувати, прооперувати, усунути хворобу. Він успадкував, очевидно, це. Він препарує проблеми жорстко і без сентиментів, а якою мовою, це для нього не суттєво. Може українською, може російською. І так само англійською.

— В Третє тисячоліття українці в'їхали з тим самим возом проблем, — каже він, — з набором дрімучих стереотипів, з комплексом меншовартості. Світ приймає нові виклики, вирішує нагальні проблеми, а вони все борсаються в тих самих, старих, нецікавих і неактуальних для світу.

Я мовчу. Мені наші проблеми актуальні.

— Українські проблеми — це як чудовисько Амброза Бірса, — каже він. — Ти читав Амброза Бірса?

Я не читав Амброза Бірса, і він мені розповів. Був такий дивний американський письменник, попередник Едґара По, теж страшнуваті сюжети.

І є в нього оповідання, така психофантасмагорія, коли один чоловік страждав, мучився, а ніхто не розумів, чому, — думали, що, може, він божевільний. Бо він, коли йшов через вівсяне поле, раптом починав дивно поводитись: щось ніби відштовхував, з чимсь боровся, пручався, падав, підводився, то його було видно всього, то лиш наполовину, — так, ніби його перекривала якась незрима субстанція. Це були рухи борця у смертельному герці, але противника не було видно, тому здавалося, що його або зводить судома, або це якийсь напад безумства, — він бореться, а невідомо з чим. І падає мертвим на потолочене поле.

А річ уся в тому, що є субстанції, незримі для стороннього ока. І ось ця клята тварюка, це чудовисько Амброза Бірса — саме така субстанція. Як і наші, часом непідйомні для психіки, українські проблеми. Вони переслідують нас, терзають, вони шматують нас і виснажують, ми з ними боремося віками, але ж збоку їх не видно, і ми гинемо на своєму вівсяному полі, невідомо чим для світу розтерзані.

— Та ж українська мова, — каже Лев, інвертований на пустелю. — Маєте свою державу — говоріть. З ким і за що ви боретесь, світу не зрозуміло.

Та ж держава. Це не та, про яку ви мріяли? То побудуйте ту. Світу незрозумілі ваші нарікання. Він вас ідентифікує з цією.

Вам не подобається влада — оберіть собі іншу.

Або історія. Росіяни написали свою історію, де немає вас. Карамзін, як Колумб, за словами Пушкіна, відкрив їм їхню історію. То відкрийте собі свою! Чому ж у вас немає свого Колумба?

Той же Голодомор — то він геноцид чи не геноцид,

якщо інші держави його визнали геноцидом, а ваш власний парламент не визнає?

Ті ж чорноземи, ті багатства надр України — чому ж такий жебрацький її силует у світі?

Її інтелект, її таланти, що є гордістю інших націй, — а чому не своєї?

Стільки героїв було, стільки подвижників, — чому ж печать меншовартості?

Він має рацію, але мені прикро це слухати, мені не хочеться про це говорити. Для нього це точка зору, констатація стану речей, а для мене це те чудовисько, та невидима для світу субстанція, яка мене замучила, з якою я мушу боротися, і цілком можливо, що збоку це виглядає божевіллям.

У кожній нації є від чого збожеволіти. В різних обставинах, в різні епохи. Але є національна специфіка божевілля. Торквато Тассо бився головою об стіни. Ґельдерлін тихо занурювався в меланхолію. Ван Ґоґ відчикрижив собі вухо. А російський художник Федотов намагався перегризти ґрати. Що кому допекло.

Мені допекло приниження, ця одвічна дискримінація нації.

Росіянам теж багато що допекло, але вони — імперія, вони все одно певні, що Росія приречена на велич. А ми приречені на Росію. Ми завжди на когось або на щось приречені. Від того й комплекс меншовартості.

Манія величі — це хвороба.

Комплекс меншовартості — теж хвороба. Тільки ще гірша.

Бо від манії величі станеш іспанським королем, як Поприщін у Гоголя.

А від комплексу меншовартості відчуєш себе комахою і побіжиш по стіні, як Ґреґор у Кафки.

Але з дива не сходжу, як це можна було за такий короткий час довести Україну до такого стану?! Так її одурити, так обікрасти, збити з магістрального шляху, загребти під себе ресурси, прибрати до рук пресу, радіо й телебачення і фактично дати нашій історії зворотний хід?

— А ти знаєш, як пірати захоплювали корабель? — каже Лев, інвертований на пустелю. — Підкладали під штурвал сокиру, корабель збивався з курсу, і тоді вони його брали на абордаж.

Начитаний. На все має метафору. Мені після його візитів сняться кошмари. То чудовисько Амброза Бірса, з яким я борюкаюся. То пірати, що беруть Україну на абордаж.

Тещі снилося, що вона жала жито і недожала. Каже, що це навмируще. А я кажу їй, що навпаки, жити вам ще і жити.

Квітень якийсь дивний. Вночі заморозки на ґрунті, а морелька уже цвіте. Білесенький цвіт облітає на чорну землю, собачка Альма чмише у ньому носом, дошукується зелених віхтиків трави.

— Вітаміни, — усміхається мені професорська вдова.

Я на мить зупиняюсь, шукаю сказати їй щось приємне. У друга мого в Каліфорнії лабрадор, так що я в курсі собачих новин.

— У Лос-Анджелесі, — кажу я, — створили комп'ютерну іграшку для котів, для фізичної і розумової їхньої стимуляції. Обіцяють скоро й для собак.

Професорська вдова навіть трохи образилась — навіщо Альмі стимуляція? Альма й так розумна.

У якійсь європейській водоймі з'явилися хижі рибки піраньї, але чомусь дуже великі. Хтось, мабуть, звідкілясь привіз, та й виплеснув у водойму. То якщо маленькі налітають зграями і можуть умент залишити від тигра скелет, то що ж можуть залишити від людини ці?

У нас зараз їдять нашого нетипового Прем'єра. Міністра закордонних справ перед тим уже з'їли. Піраньї у нас нізвідкіль не завезені, у нас свої. Хоча завезених теж не бракує. І ті, й ті купаються на голубих екранах, плавають у коридорах влади, навіть у лампадках біля святих ікон.

Мені обридли конфесії з політичним підтекстом. Московський патріархат, Київський патріархат. Один всія України, і другий всія України. В очах двоїться — хто ж із них усіїший? А я хочу звертатися до Бога зі свого храму своєю мовою. Це моє право.

Але Бог, мабуть, уже не почує. Пізно ми заходилися будувати свою державу. Європа об'єднується, ми знов не такі. Сепаратисти, націоналісти, самостійники. Випадаємо з концепції «історично обґрунтованої інтеґрації Європи». Ми взагалі якісь історично не обґрунтовані для Європи. А даремно. Наші бренди відповідають європейським трендам.

Ми вже цілком глобалізувалися.

Нашого цвіту по всіх борделях світу.

Наші Синдбади плавають під чужими прапорами.

У нас уже є маркети й супермаркети. Холдинґи, лізинґи й консалтинґи. Рейтинґи, брифінґи, автобани й хабвеї. Жлоб-шоу, фаст-фуди і сендвич-бари. Рейдери, трейдери, рокери, брокери, кілери, ділери, трасти і педерасти. Все як у людей. Презервативи можна по телефону замовити. Кілера найняти через інтернет. Місце у парламенті купити.

Ми унікальна нація. У нас хліборобів морили голодом. Режисери ставили спектаклі у концтаборах. Поетів закопували у вічну мерзлоту. У кого ще є атомний саркофаг? А у нас є. Куди тим єгипетським фараонам, у них там у саркофагах мумії, а у нас в атомному живцем похований Валера Ходемчук. Хто сказав, що українці селянська нація? Натепер ми вже нація модернова, нація на атомному підігріві.

А ви думали, що Україна так просто. Україна — це супер. Україна — це ексклюзив. По ній пройшли всі катки історії. На ній відпрацьовані всі види випробувань. Вона загартована найвищим гартом. В умовах сучасного світу їй немає ціни.

Несподівано померла теща. Вона ніколи не хворіла, а якщо й хворіла, то до лікарів не зверталася. А тут раптом заточилася й прилягла. І поки приїхала швидка, її вже не стало. Зупинилося серце — і все. Я думаю, що це через десятий поверх. У своєму селі над ставочком вона б ще жила й жила. Хотіли поховати її коло тестя, але це ж фактично в зоні, я туди не наїжджусь, усе заросло, а далі, далі, далі у часі — що, наш син і його нащадки повинні доглядати могили предків у радіоактивних бур'янах? Ми її поховали на міському цвинтарі, вона там лежить самотня, серед чужих, зате в огорожці під квітами, а тесть серед своїх односельців, зате під обгорілим хрестом. Дружина плаче, звинувачує себе у всьому, картає. І, звичайно ж, мене. Що весь побут на мамі лежав. Може б, вона ще пожила, а ми її вік заїли. Тепер весь побут упав на дружину, теща все робила м'яко і лагідно, а дружина з роздратуванням. Через те у нас тепер все несмачне і невчасне, на кухні запахло смаленим, наче десь перехрестили чорта. Вона ще більше змарніла, фатально втрачає свій неповторний жіночий чар. В домі почали з'являтися якісь фурії, жінки різкі й рішучі, мені хоч тікай.

Нащо вона бореться за рівноправність зі мною, у мене ж немає ніяких прав, самі обов'язки. Ось втрачу роботу, як будемо жити?

Мало того, що приходить пізно, оголосила бойкот плиті, в холодильнику порожньо, стінки понамерзали. — Голодні? Хочете їсти? — грізно питає вона. — Будь ласка, в кафе «Печера», там кращі страви української кухні.

Чув, що на жінку треба подивитися лівим оком, щоб побачити її емоційний стан. Подивився лівим оком — люта, як сто чортів.

Добре іґуанам, вони можуть їсти лише двічі на тиждень. Я теж можу, але малого треба годувати щодня. Смажу якусь картоплю, варю якісь порошкові супи. Словом, «Маґґі» — додай родзинку!» Якось перетриваємо мамине емансипе.

Перебрав у пам'яті всіх евентуальних її адораторів, але через кого вона могла б втратити голову, не знайшов. Хоча... Я вже як той гоголівський чиновник, який зрозумів 86-го мартобря, що «жінка завжди закохана в чорта». Вчора повернулась опівночі, і від її одежі відгонило сигаретним димом. Невже почала палити? Наче ні. Буває у товаристві мужчин? Втім, тепер і жінки смалять без пам'яті.

Я страшно боюсь її втратити.

— Заведи мобільник, — каже вона, — щоб я завжди могла попередити, коли затримаюсь.

— Але мобільник — це ж посекундна тарифікація.

— Життя — це теж посекундна тарифікація, — відрізала вона. — Доводиться платити за кожну секунду.

А секунди летять. Отак можна вмерти й нічого не встигнути. Встигаєш тільки втомитися.

Вже навіть дружина помітила.

— Що ти сидиш, як пам'ятник Гоголя? — кричить вона. — Голова похнюплена, руки звішені, ніс, як обструганий. У тебе депресія. Піди до психоаналітика.

Не піду. Бо що він мені порадить? Релаксацію, спокій,

позитивні емоції? Буде блукати по лабіринтах моєї психіки, шукати базову травму. А що там шукати? Моя базова травма — Україна. І на це немає ради.

26 квітня, п'ятнадцята річниця Чорнобильської катастрофи.

Папа Римський благословив італійські родини, які прийняли й оздоровили за ці роки понад півмільйона bambini ucraini, чорнобильських дітей. Була пряма трансляція з Ватикану. Дружина дивилась і плакала. Інші діти їдуть в Італію, а наш ходить у дитячий садок, поганих слів набирається. Співав київський хор хлопчиків, добре співав — bellissimo canto! Малий наш сидів і підспівував. І тут я вперше помітив — у нього ж голосочок гарний, і слух чи не абсолютний, це ж спадкове від моєї матері, чого ж ми його не віддали у цю хорову капелу? От би й співав тепер Папі Римському, а не дивився тут дурні серіали.

Незабаром Іван Павло II вирушить у свою апостольську подорож, стопами апостола Павла. А може, він і сам апостол, чи тепер не буває? Потім приїде і в Україну. Каже, що йому хочеться обняти представників народу, такого любого його серцю.

Як же це так виходить із цим народом — сам собі не любий, а Папі Римському любий?

І саме в цей чорнобильський день нашого нетипового Прем'єра таки з'їли. Протести, мітинги, три мільйони підписів — нічого не допомогло. Багато хто сприйняв це як ще одну національну катастрофу.

Тисяч двадцять пікетувальників прийшли під стіни парламенту. Жінки ридали, обурювались. Одна депутатка покропила себе з пляшечки, хотіла самоспалитись. Але парламентська більшість проголосувала проти нього. Як сказав один депутат: «Сьогодні в єдиному оргазмі злилися комуністи і олігархи». Отакий політичний секс.

Так що якийсь час будемо без уряду. Тобто уряд лишився той самий, піраньям головне було з'їсти Прем'єра.

Але він сказав: «Я піду, щоб повернутися!»

Патріоти зраділи: «Сьогодні ми одержали лідера нації!»

Тепер політичні партії косять під нього, хочуть, щоб він їх очолив. А він іде, як по болоту, високий, вродливий, трохи схожий на Ґуллівера, ступає обережно-обережно, щоб нічого не розтоптати. З нього був би добрий Гарант.

— Не ідеалізуй, — каже дружина.

Їй більше подобається леді Ю.

Ні, я не проти жінок при владі. Розумна жінка, чого ж. Тепер жінки скрізь — і в бізнесі, і в науці, не кажучи вже про спорт. Є навіть дві жінки тореро. Жінки-сапери. Жінки-охоронці. Є навіть жіночий бокс, у вазі «Мухи» і «Супермухи». Мені навіть подобається, коли при владі розумна і вродлива жінка. Це ж не абищо, це обличчя нації. Марґарет Тетчер. Індіра Ґанді. Беназір Бхутто. Але...

— «Не может взойти донна на престол, — дружина, як завжди, цитує Гоголя. — Никак не может. На престоле должен быть король».

— У нас інші жінки. Інша традиція. Ми не звикли. Вона ж переакцентує всі пріоритети.

— Ваші чоловічі пріоритети давно вже треба переакцентувати, — сказала дружина.

Можливо. Справді. Хай настає їхній час, їхня ера, їхній Золотий Вік! — бо чоловіча цивілізація, що там казати, таки завела людство у глухий кут.

Але тут уже вона проти. Є в ній така непослідовність. При всіх її негаціях до мужчин, у неї культ мужчини сильного, мужчини-лицаря.

Багато я дав би, щоб у її очах бути таким. Але мій час втрачено, я не досяг себе. Хіба що мій син.

Хоча теж навряд. Тепер же хлопці — хоч косу заплітай, і у вусі сережка. Мужчина формується не тоді, коли затуляється щитом, а тоді, коли піднімає меч.

Квітень завершується сумно. Душа тещі озирнулася з першої відстані — дев'ять днів. Ми перенесли її іконку в кімнату, пошукали очима, де у нас покуть. Дикі ми люди, нема в нас покуття, є інтер'єр, є побутова техніка, стелажі й картини, а іконку нема де поставити. Прилаштували на поличці над телевізором, повісили тещин старовинний поліський рушник, запалили свічку з декоративного свічника. Дружина плакала, біля неї були ті її феміністки, одна ще нічого, у другої зуби у два ряди. Вони жестикулювали й по черзі виходили палити на балкон.

Прийшов батько зі своїми. Його дружина все приготувала і накрила стіл. А ті все курили і сперечалися, вони належать до різних жіночих організацій і все шукають консенсусу, дим валив у кімнату, малого почало канудити. Тінейджер, як і всі підлітки у товаристві дорослих, сидів мовчки і відсторонено, втупившись в одну точку. Боюся, що це точка якогось нового відліку. Я увімкнув магнітофон, щоб почути голос матері. Вони ж там уже зустрілися, дивляться на нас. Батько сидів темний як ніч, його дружина тихо гладила йому руку. Магнітофон клацнув, я пожалів батька, більше не вмикав. Настрій у всіх поганий, ми теж сприйняли відставку Прем'єра як національну катастрофу. Він для нас уособлював останню надію на те, що Україна стане саме такою державою, про яку ми мріяли. У нас же завжди, віками —

остання надія, останній шанс, потім виявляється, що все-таки передостанній, і все починається спочатку.

— Як жити далі?! — мимоволі вирвалося у мене.

— Адаптуватись і приготуватись, — сказав батько. — Може бути ще гірше.

Коли всі вже розходились, я хотів у передпокої сказати щось Тінейджеру — як не як родичі, хоч і зведений, але брат, слід би хоч словом перекинутись, незручно. Але чим його зацікавиш? Хотів сказати, що в Кіровограді відкрився новий комп'ютерний центр «Віртуаль», але ж він це, напевно, й без мене знає. І я йому раптом сказав:

— Тікай. Важко жити серед нас.

Він подивився на мене тим своїм дивним-наче-з-космосу-і-ніяких-позивних поглядом і нічого не сказав.

1 травня. День міжнародної солідарності трудящих. Що найбільше солідаризує наших трудящих — це те, що кілька днів можна буде не трудитися. Субота за понеділок, неділя за вівторок, і пішло-поїхало, п'ять вихідних. А там і День Перемоги, ще трохи цікавої арифметики. Лафа.

Я не люблю вихідних. Для мене вихідні — це репетиція безробіття. Фірма скорочує відділ. Скоро в мене будуть усі вихідні.

Свято іде по планеті. В центрі Берліна ліві перекинули автомобіль. У Відні антиглобалісти били вітрини. У Москві лідер комуністів роздавав авторучки, інший закликав «сломіть шею враґу». А у нас все спокійно. Ніхто нічого не перекинув, у наших лівих такий континґент, що не подужає. Поспівали, повигукували, походили під червоними прапорами. Поклали революційні гвоздики до пам'ятника вождю.

Промовисто і натхненно виступили лідери партій.

Хто лаяв уряд, хто президента, хто міжнародний імперіалізм. Один мікрофон вийшов з ладу — мабуть, перегрівся.

Театр історичного фехтування помахав шпагами. Декоративне козацтво ушкварило бойового гопака. У центрі міста пройшли народні гуляння.

Малий з'їв морозиво, покатався на поні, і ми прийшли додому, де моя дружина виголосила чергову порцію текстів про українських мужчин.

— У Макіївці вибухнув метан, шахтарів мертвих із шахти виносять, а у них свято солідарності! Ви хоч знаєте, що таке солідарність?!

Вона має рацію, а що я їй скажу?

Все цвіте, все буяє, поїхати б за місто, в ліс, на природу. Просто пройтися, подихати, але ж їй завжди ніколи, вона пише дисертацію. Підсмажила шашлик з ацетоном, переплутала спеції, від чого ще більше розлютувалася. Шпурнула нам на стіл сухим пайком. — Йо-мойо! — сказав малий. — Мама зовсім оборзіла. — Ми тихенько згребли той сухий пайок і евакуювалися в Ботанічний сад. Там сиділи на лаві під ліловими хмарами бузку, дивилися на «чуден Днепр при тихой погоде» і уминали сухі канапки. Ковбаса була жилава і з хрящами, ми поділилися з безпородним псом, що умостився навпроти і дивився на нас зачаровано. Двоє мужчин, великий і маленький, один уже хильнув свою чашу, другому — в перспективі. Ми вже й забули про той злощасний шашлик, але коли повернулися додому, дружина була усе ще знервована і заплакана. Жінки довше переживають образу, незалежно від того, вони образили чи їх ображено.

А бузок цвіте. Морелька недоламана вже одцвітає. Професорська вдова мені усміхається, ледве втримує на повідочку свою Альму. Весна.

Вітер змінних напрямків, як наша політика.

У шахтарській Макіївці ховають мертвих.

На північному заході Македонії убивають живих.

Папа Римський розпочав своє дев'яносто третє паломництво.

Сьогодні він прибув до Греції. Черниця піднесла йому чашу з землею, і він поцілував ту землю. І вибачився за кривди, які заподіяли тут хрестоносці. Ще коли вони були, ті хрестоносці! — а він вибачився. Торік він взагалі попросив у Бога прощення в Соборі святого Петра за всі гріхи католицької церкви протягом двох тисяч років.

Можна собі уявити московського патріарха, щоб він вибачився перед народами, які зазнали від Росії кривд? Можна собі уявити Росію, що визнала б свої провини і покаялася? За репресії, за депортації, за Голодомор? За ту колись пошматовану Польщу. За поневолену Україну. За «сторозтерзаний Київ». За кров'ю залитий Кавказ. За поневіряння кримських татар. За вторгнення в Афганістан. У Будапешт, у Прагу. За Берлінський мур. За Чорнобильську атомну, що отруїла наші й суміжні землі. Та, зрештою, перед своїм власним народом — за переслідування найдостойніших своїх громадян, за руйнування храмів, за всіх тих убитих хлопців у її неоголошених війнах.

Ні, вона вже покрикує на Німеччину, щоб хутчій платила остарбайтерам компенсацію. А що б подумати про свої власні борги — репресованим, депортованим, силоміць вивезеним народам. Їхнім спустошеним землям. Їхнім пограбованим поколінням.

У кожної нації свої хвороби. У Росії — невиліковна.

Та й в України свої мутації теж. Для чого їй, цікаво, була Незалежність? Щоб потрапити у нову залежність, вже не лише від чужих падлюк, а й від своїх власних негідників?! Щоб дивитися безпорадно, як її продають, розкрадають, компрометують в очах світу?

Щоправда, недавно один депутат запевняв по радіо, що все це тимчасові труднощі, перехідний період, і що вже через десять років ми будемо гідно співати «Ще не вмерла Україна». Господи! Ще й через десять років ми будемо радіти, що вона ще не вмерла!

Оптимістичний у нас Гімн. Тішимося, що Україна ще не вмерла. Сподіваємось, що наші воріженьки згинуть, як роса на сонці. Випаруються. Віримо, що нам ще усміхнеться доля. Ждемо, ждемо, а вона все чомусь не усміхається.

— Доля не усміхається рабам, — сказав Лев, інвертований на пустелю. — Доля усміхається людям.

Але не так мені його категоризми, як сумна батькова констатація:

— Якась Україна буде. А така, як мріялось, то вже ні.

Щоправда, у Непалі вона є. Там вона на висоті — шість тисяч метрів над рівнем моря. Наші альпіністи таки підкорили ту безіменну вершину і назвали її Україною. Хотіли взяти ще й вищу, але не вистачило кисневих масок. Нам усім не вистачає кисневих масок. Кожен узяв би свою висоту.

Сьогодні День свободи преси. У нас уже тих днів, майже щодня якийсь День. То шахтаря, то міліції, то митної служби. А це ось свободи преси. Свобода справді є. Пиши що хочеш. В тюрму не посадять, у психушку не запроторять. Але можуть убити.

Цензури немає. Натомість є її єзуїтський різновид — темники. Тобто інструкції зверху, списки рекомендованих тем. Щось навіть гірше, ніж заборона. Інтоксикація слова, внутрішньовенне вливання брехні.

А от кому тепер направду свобода — то це бульварній пресі і жовтій. Тиражі великі, поліграфія супер. І так якось приємно взяти до рук ці престижні видання — на обкладинці дівка зі спідницею на голові або голий зад московського педераста з ексклюзивним повідомленням, що йому «жопа министра не нужна». Культивується порно, приблатняк, матерщина. У нас тепер така свобода, наче сміттєпровід прорвало. Свобода хамства, свобода невігластва, свобода ненависті до України. Все, що є ницого й зловорожого, вигрівається під сонцем нашої демократії. Україною правлять люди, які її не люблять і яка їм чужа.

Що це? Плебейство, чорна діра свідомості? Наша нездатність побудувати свою державу? Виснаження нації до цілковитої втрати життєвих сил? Чи, може, це просто Страшна помста імперії — хотіли свою державу — маєте. Ось вам ваша культура, ось вам ваша свобода. Ось вам Троянський кінь, з нього повискакують усі ті парторги й комсорги, райкомівці і обкомівці, і директори військово-промислового комплексу. Вони й очолять вашу державу, вони її і розвалять.

Вічна парадигма історії: за свободу борються одні, а до влади приходять інші. І тоді настає лукава, найпідступніша форма несвободи, одягнута в національну символіку, зацитькана національним пафосом, вдекорована атрибутами демократії.

І хай би які там робили реконструкції на Майдані, хоч би який монумент воздвигали, і льодову ковзанку навколо того монумента — посковзнулась наша Незалежність на плювку Сатани.

У Великобританії пройшла конференція «Україна на роздоріжжі».

Я сказав би інакше: Україна на бездоріжжі.

Наш нетиповий екс-Прем'єр уже в лікарні, навздогін йому свист і улюлюкання: «Уходя, уході!» На його місце шукають «компромісну фігуру». Без компромісної фігури ми не можемо, у нас головний рушій прогресу — компроміс.

Президент так і сказав: «Нам потрібна лошадка, яка працювала б».

А цей Прем'єр не «лошадка», ним не можна поганяти, у нього гарне людське обличчя, він інтелігент, він любить мистецтво, він хотів збудувати справді Українську державу.

Ми ховрашки. Ми тушканчики. Ми не зуміли його відстояти. Походили з транспарантами, поскандували під Верховною Радою, спорудили символічні барикади з картонної тари, ящиків і коробок, одна була шафа, та й та упала на патріотку, — і розійшлись.

Ми гальванізовані трупи. Ми подриґуємо литками під могутні ритми «Запорозького маршу». Ми зблискуємо пригаслими очима, зачувши мажорні стрілецькі пісні, але самі не годні повстати. Наші жінки втомилися. Вони одсуваються від нас уночі. Жінкам потрібні лицарі, а не ховрашки.

Вернадський казав: «Треба мислити глобально, а діяти локально». А ми й не мислимо, і не діємо. Ні локально, ані глобально. Ми рефлектуємо. Нас обзивають націоналістами, націонал-патріотами. А де ж та нація, де патріоти? Цю ж націю вже фактично здали в історичний хоспіс. Хтось її ще провідує, а в більшості вже відсахнулись. Вона безнадійно хвора, вона так довго вмирає, декому вже й навкучило, тільки що не кажуть уголос: «Умираючи, умирай!»

Поки у нас лопотіли про виклики часу, час таки нас викликав. А ми не готові. Ми ніколи ні до чого не готові.

У нас на кожну проблему можна лягти й заснути. Прокинутись через сто років — а вона та сама.

Йдемо по колу, як сумирні конячки в топчаку історії, б'ючи у тій самій ступі ту ж саму олію.

Ми думаємо, що це у нас шляхетна толерантність, а це у нас воляче терпіння.

Папа Римський уже в Дамаску. Ступив на ту землю, де колись почав свій проповідницький шлях апостол Павло. Звернувся до народів Близького Сходу, закликав до миру і толерантності. Здійснив Літургію на стадіоні біля площі Аббасидів. Вклонився християнським святиням. Зустрівся з представниками усіх церков. І перший із Пап помолився в мечеті.

А у нас як у нас. Кликуші хвилюються, пікетують Верховну Раду. Московський патріархат проти приїзду Папи, він вбачає у цьому якийсь підкоп під православіє, закликає провести хресний хід.

Хресний хід — проти! Зроду такого не чув.

Щось у цьому є нелюдське і не-Боже.

У нас тепер багато і нелюдського, й не-Божого.

Прийшла ще одна експертиза «таращанського тіла», американська. Прямо протилежна німецькій. То якій же вірити?! Це Ґонґадзе все-таки чи не Ґонґадзе? Знову якийсь депутат зробив сенсаційну заяву: «Те, що досліджували американські експерти, і те, що німецькі, — це все різні тіла». Параноя. У когось. У мене чи в них.

Уже вся країна втягнута у це слідство. Вже не тільки слідчі органи, — вже громадські організації, політичні партії і окремі громадяни розслідують, хто убив Ґонґадзе. Уже американське розшукове агентство хочуть залучити до розкриття цієї справи. Уже радяться з послами іноземних держав!

— Та не буде воно розкрите, це вбивство, — каже дружина. — «Допоки при владі будуть вовки». Це ще у Біблії сказано.

Але люди не здаються, ходять з плакатами, протестують. Часом я не витримую і теж пориваюсь туди. Але я не люблю колективних емоцій, не люблю маси. В якійсь точці кипіння маса завжди може перетворитися на юрбу. І не вірю теперішнім лідерам — ні тим, у яких прапори міняються, ні тим, у яких вони стабільно червоні.

Журналістам вірю. Вони тепер як на передовій.

Днями поставили стелу на пам'ять про своїх загиблих колег. Вісімнадцять імен, викарбуваних у камені! Але стела відразу ж зникла. Диявол проговорився. Через два дні знайшли. Загадкові явища, прямо як в Единбурзькому замку. Тільки привиди в цивільному.

Папа Римський уже на Мальті, де колись висадився апостол Павло після корабельної катастрофи.

А що я знаю про Мальту? Мені що Мальта, що Майорка, знаю тільки, що острови. Але поґуґлив і здивувався. Крихітна держава, а яка велика історія! Хто там тільки не пройшов, хто не хотів загарбати! І фінікійці, і Карфаґен, і греки, й римляни, і сарацини. Мальтійський орден. Турки. Наполеон. І, звичайно ж, Велика Британія з її військово-морською базою. Бомбами по ній гатили у Другу світову війну. З кораблів стріляли. Таж тої Мальти кам'янистий клаптик, весь порізаний бухтами, населення менш як півмільйона. А вистояла! Здобула свою незалежність. Ще й отримала від Британії хрест Ґеоргія за мужність. Має статус розвинутої держави. А ми все про бром.

А от з чим наші нащадки читатимуть нашу нинішню історію?

Хіба що під пиво з горішками. Або вже й не читатимуть.

Знову серія вихідних. День Перемоги. Колись це було свято «со слезами на глазах», тепер, буває, і з піною на губах. Бо для одних це війна Вітчизняна, для інших — Друга світова. А чого, власне, сваритися? У світовому масштабі, ясно, що світова. А конкретно для кожного —

чом би й не Вітчизняна? Що, мій дід захищав хіба не Вітчизну?

Ветерани одягли ордени і медалі, але вони вже не співзвучні епосі. Війна уже десь там далеко, в минулому тисячолітті. «Нове покоління вибирає пепсі». Нове покоління багато що вибирає, пепсі чи не пепсі, воно вибирає своє життя. Це вже статисти іншої драми, до якої будуть байдужі вже колись інші покоління.

Тріпочуть на вітрі знамена, гримлять фронтові пісні. Йде пряма трансляція з вулиці. Телерепортер питає дівчину: «Кто победіл во Второй міровой войнє?» Дівчина морщить лоба, робить милу гримаску: «Нє знаю». Він ще раз питає, він уже майже підказує: «СССР ілі Ґерманія?» Дівчина відповідає: «По-моєму, Ґерманія». Чому вона так думає? По-перше, тому, що вона взагалі не думає. А по-друге, тому що знає: Німеччина заможна й цивілізована, там все є, а хто такий «СССР»? Як він міг перемогти, якщо він сам розвалився? Про Бухенвальд і Освєнцим вона взагалі не чула.

І що за цей Дніпро, де вона вивертається на пляжі, полягло сто тисяч солдатів, і що на передгір'ях Криму й досі знаходять черепи і смертельні медальйони — ця теперішня тьолка з голим пузом уже не знає. І не хоче знати. «Нє наґружай», — скаже вона. Моє покоління «нагружали». А це вже ні. Хоча й воно чимось «нагружене». Питання в тому, чим краще бути «нагруженим» — трагедіями чи сміттям?

На солдатських меморіалах кам'яні солдати схиляють кам'яні знамена. А реальні ветерани вже насилу долають бордюри на хідниках. Важко розпізнати в них колишніх героїв. Старі люди, як сушені гриби, всі однакові. Тим більше, що роздратовані, що бідують, що в переважній більшості ностальгують за СРСР. Але це їхній День, у цей день їм велика шана: 20 гривень до пенсії, 10 хвилин дармових телефонних розмов, а в одній із лазень безкоштовний вхід. Їх вітають, їм дякують, їх погодують солдатською кашею і видадуть фронтових 100 грам. А ввечері потривожать небо салютом.

На базарних розкладках продаються бойові ордени і медалі — чиїсь вдячні онуки хочуть заробити на славі своїх дідів.

І стара підрихтована каска з дірочкою від кулі. Для товарного вигляду хазяїн її пофарбував.

Тим часом війна говорить із-під землі. В університетському парку знайшли вже 460 артилерійських снарядів. Біля залізничного вокзалу — авіабомбу. Чомусь часто почали знаходити. Гранати, бомби, фаустпатрони, протипіхотні міни. То в землі залягло, то над пляжем в корчах зависло, то грибники у лісі надибали. Одна баба виявила у своїй власній призьбі.

Уся земля утикана чимсь, що вбиває.

— Уже ж є країни, які можна вивчати по карті мінних полів, — сказав я.

— Чоловіча цивілізація, — огризнулася дружина. — На що ж ви більше здатні?

Вона тепер завжди так зі мною розмовляє. Огризається, щоб огризнутись.

Часом не хочеться повертатись додому. Сиджу в сусідньому скверику, дихаю пахощами бузку. Спостерігаю дітей у пісочниці. Теж матюкаються.

Бомжі на лавах розпивають пиво, закушують здобиччю зі сміттєвих баків. Кидають риб'ячі скелети у давно висхлий фонтан. Професорська вдова виводить на дефіле свою Альму. Тут у Альми є подруга Рея, вони весело перегавкуються і виляють хвостиками. Зовсім, як Меджі й Фідель із «Записок сумасшедшего».

Смаленого вовка він не бачив, той гоголівський сумасшедший. У нього собачки листуються й розмовляють.

А у нас тут люди гавкають. Вчора обгавкала продавщиця. Обматюкав якийсь шоферюга. У нас тут такі бувають персонажі, хоч намордник їм на фізіономію одягай.

Живемо в дуже густому розчині хамства, скоро випадемо в кристал.

Забрів сьогодні на художню виставку. Проект двох французів і одного киянина. Попередній цикл називався «Сплячі принци», там за натуру правили мертві людські ембріони. Цей теж непоганий, називається «Ексґібіціон».

Предки були нудні, і мистецтво в них було одноманітне. Писали якісь ню, якісь досконалі чоловічі торси. Афродиту, що виходить з морської піни. Божественні обличчя Мадонн. Роками вимучували якісь шедеври. Чого вартий один той Давид у Флоренції? Той Мойсей. Та роденівська Муза. То уже все архаїка. Мертве мистецтво.

Молодь прагне живого. Кому тепер потрібні «Шляхетні вальси» Равеля? Ось приїхала група «Крейзі пеніс», всі фанати побігли. Виступив популярний співак з прикольним хітом «Убий свого батька!» — тіпалися в трансі. «Гоголь-борделло» теж добре. Головне, щоб побільше борделло.

Але до чого тут Гоголь?

Ще одну свою співвітчизницю провели ми очима і, мабуть, назавжди. Дружина Ґонґадзе виїхала з дітьми до Америки.

А мати, нещасна мати, — це вже навіть не антична трагедія. У Ніоби убили дітей, але ж не поглумилися з її горя. Боги її перетворили на скелю, з якої ринули сльози.

А тут плаче жива реальна людина, а президент, наче й не було нічого, вітає жіноцтво з Днем матері. Потім привітає з Днем сім'ї.

Моя сім'я розвалюється. Дружина вже уникає на мене дивитись. Я її розумію, вона занапастила свій вік. У неї був знайомий, закоханий в неї по вуха, тепер він консул у європейській країні, треба ж було мені підвернутись. Була б дружиною консула, а не якогось невдахи.

А може, це він і надіслав їй тоді валентинку? Я того консула один раз бачив. Коректний, підтягнутий. І очі зміїні. Мабуть, вся справа у тих очах — гіпнотизують.

Але якщо ми навіть розлучимось, що від цього зміниться? Важче буде сина виховувати, тепер же тещі немає, як же вона сама? А так, все-таки, мужчина в домі: кран підкрутити, гвіздок забити. «Ведь ты нуль, более ничего», — як сказав би гоголівський божевільний. Я справді нуль, я зведений до нуля, я вже в тому нулі, як у багетовій рамочці. Це її мучить і дратує. Треба пожаліти одне одного, а нема як. Людина для людини закритий світ.

Я вже давно не знаю, що таке дотик до жінки. Відчуваю, що вона очужіла, і вже й сам її сторонюсь. Нам головне — розминутися у власній квартирі, так більше шансів зберегти баланс толерантності й уникнути сімейних сцен. То хоч при тещі стримувалась, а тепер б'є в мене, як блискавка.

Я вже геть спопелів, а мовчу. Мій батько не гримав на мою матір. І я не гримну, хоч би вона й дисертацію в мене пожбурила.

А вона може. При всій її природній жіночності вона така вибухова, а часом навіть жорстока, я аж лякаюсь. Щоправда, й вона якось сказала, що при всій моїй екзистенційній мужності, — от просто так і сказала! — є в мені якась безпорадність, і це її лякає. Так ми й живемо, лякаючи одне одного.

Помічаю — я почав швидко говорити або ступорно мовчати.

Це її дратує: — Ти що, глухий, не чуєш?

Жінкам добре, вони можуть заплакати. А я тримаю глуху оборону.

— Ти як стіна, — каже дружина. — Ти черствий.

А що я їй скажу, крім того, що хотів би помовчати?

Один психолог писав, що чоловік і жінка — це дві різні цивілізації. У випадку моєї дружини — це інша галактика.

Я знаю, вона привертає увагу, об красиву жінку обпікається погляд. Я теж, між іншим, не «черепаха в мішку», як сказала б гоголівська собачка Меджі, і не раз ловив на собі мимолітні жіночі погляди. Та ж фея фуршетів, я ж бачу, як вона дивиться, ще не розучився приймати чуттєві імпульси.

Я скучив за сполохами жіночих очей. Але піти наліво я, мабуть, не зміг би. І не тому, що мав би на совісті.

Просто це для мене ситуація без знака якості.

Сьогодні ліквідували останній стратегічний бомбардувальник. Фюзеляж розпиляли на три частини, тепер він безголовий і безхвостий, як і належить бойовій машині позаблокової держави. І готовий до переплавки. Слухняна Україна, самороззброюється.

При тій екзекуції були присутні іноземні спостерігачі. Кошти на демонтаж дає нетутешній уряд. Читав, що ті кошти підуть на придбання квартир для льотчиків. Що ж, квартири для льотчиків це добре. Обживуться, обставляться. Будуть запускати з балконів паперові літачки.

Живемо ж ми, гей!

Армія вже стріляє по своїх. Авіація падає на голову. Хлопці уникають призову. Офіцери звільняються. Дезертири бігають по лісах. А президент скрушно хитає головою, констатує кризу української армії, бідкається, що вона вже стала небезпечною для власного народу, — холера ясна, як кажуть поляки, то він Головнокомандувач цієї армії чи хто?!

Та коли донецька футбольна команда програла австрійцям, то її тренер подав у відставку, хоч був у них ще зовсім недовго. Але це було справою честі — він узяв провину на себе. А тут скандал за скандалом, ганьба за ганьбою, а президент усе щось балакає, навіть заявляє, що «йдеться про честь і гідність і президента, і України».

На жаль, у нашому випадку це різні речі — честь президента і честь України.

18 травня. У кримських татар День скорботи, 57-ма річниця депортації. Російськомовне населення Криму висловило їм співчуття й солідарність, вийшло з ними на демонстрацію, поклало квіти до пам'ятника їхньому двічі Герою Радянського Союзу, льотчику Султану Ахмет-Хану. А чом би й не вийти? Австралійці ж виходили з аборигенами, просили у них пробачення за всі кривди і утиски від новонаселенців. О, солодкий туман утопій! Ніхто їх не пожалів, ніхто з ними не вийшов, хіба що битися за право торгувати на їхніх святинях. А хтось іще й осквернив пам'ятник Ісмаїлу Ґаспринському, їхньому просвітителю, що свого часу був нагороджений бухарським «Золотим орденом досвітньої Зірки», перським «Лева та Сонця» і навіть медаллю Санкт-Петербурзького імператорського Технічного товариства. Теперішнім же нащадкам «російської слави» тільки й вистачило розуму, що облити його смолою.

Ура! У нас уже є «лошадка». Тобто новий прем'єр-міністр, згідно з термінологією президента. Щоправда, я ніколи не чув, щоб десь у світі прем'єр-міністрів відносили до класу непарнокопитних.

Протести уже вщухають, енергетика вичахла. Всі потроху звикають, що знову нічого не вийшло. Потім впадуть в апатію, в роздуми, в резиґнацію, і знову все увійде у звичну свою колію.

В університетському парку розкопали останній набій. Принаймні так пишуть, що останній. Всього ж там знайшли понад півтисячі артилерійських снарядів, кілька гранат і мін. Непоганий арсенал як для університетського парку. Тепер сіють траву і розбивають клумби. Обновили дитячий майданчик, додали атракціонів. Посадили нові дерева, бо від старих уже була мертва тінь. Насипали пісочку в пісочницю. Гуляйте, дітки, не бійтесь, мін нєт.

Все-таки дружина просить мене туди з малим не ходити — ану ж як щось пропустили, чогось не помітили, і воно там причаїлося у землі.

Ми з малим сидимо на кухні. Може, це у нас пізній сніданок, може, ранній обід — у неділю ми, як завжди, заспали. Дружина нам подає, тут же бігає щось записувати, прибігає, вихоплює тарілки, щойно ми їх відсунули, миє посуд, зиркає, що ще подати, що прийняти. Я дуже не люблю, коли вона не сідає з нами, а надто коли миє посуд, поки ми ще не встали з-за столу. Невже не можна почекати? Я сказав їй про це, вона не відповіла, я на неї глянув — бліда, змучена, під очима синці. У мене стислося серце, я пошкодував, що сказав. Марудна річ побут. Алхіміки теж варили, але філософський камінь, а не борщ.

Ми вже навіть спимо не разом. Я перебрався на крісло-диван, щоночі стелюся в іншій кімнаті. Вона промовчала, отже, її це влаштовує. А справді, навіщо прикидатись?

І їй вільніше. Вона любить читати на ніч. Хай читає.

Якось після роботи фея фуршетів запросила мене до себе. І я пішов. Я взагалі тепер деякі речі роблю сомнамбулічно. Сомнамбулічно її поцілував. Сомнамбулічно попестив. Блузочка на її напнутих грудях розстебнулася сама, сексуальні парфуми вдарили мені в ніс. У нас уже доходило до всього, вона вже потяглася до сумочки: «Ну, ти мєня понімаєш», — тобто вона це носить у сумочці, воно завжди при ній, на випадок, коли трапиться який партнер для «тілесного низу». От тобі й чуттєві імпульси і сполохи жіночих очей. Фея презервативів. Моя четверта козацька сила враз підупала, я раптом згадав анекдот, коли один льотчик говорить другому: «Краще Ту-104, ніж не ту один раз», і засміявся. Вона спитала: — Ти чєво? — Нічєво, — сказав я і скочив, мало не перекинувши торшер.

Дома дружина зауважила:

— Ти б хоч сорочку застебнув. І на губах помада.

— У нас був фуршет, — сказав я. — Всі всіх вітали.

— Ти не вмієш брехати, — сказала вона. — Це твоя позитивна риса.

Вона навіть не ревнує! Вона й сама кудись увечері йде. Одягнулася гарно, оглянула себе у дзеркалі на повен зріст.

— Нагодуєш малого, — сказала. І пішла.

Я нагодував малого. А коли він заснув, я зачинився на кухні, поставив перед собою колись недопиту пляшку.

Як там у Маланюка? «Час, Господи, на самоту й покору».

На дружину в ліфті напав якийсь тип. Добре, що хтось на поверсі натиснув кнопку, вискочила з ліфта, біла як стіна. Тепер, коли вона пізно вертається, зустрічаю біля під'їзду або заїжджаю за нею.

Виявляється, вона ходить у якийсь ґендерний центр. Збираються феміністки і розробляють ґендерні проекти.

Я не дуже знаю, що це таке. Мені що ґендер, що тендер. Щось, мабуть, про рівність прав. Я не люблю феміністок. Жінки, налаштовані супроти чоловічої статі, це неприродно. З іншого боку, цивілізація ж таки чоловіча. Вона ж таки справді стоїть на агресії і владі, на силі, часто тупій і брутальній. Я так розумію, що цим жінкам допекли пріоритети чоловічої цивілізації. От вони й шукають вихід. Може, це навіть і не фемінізм. Просто повиростало багато дуже розумних дівчат, а чоловічий диктат пропонує все ту ж саму стелю і рамки. А їм тісно, вони почали пручатися, і на мужчин посипалася штукатурка. Я нічого, я обтрушусь, я надто люблю цю жінку.

Коли я заїжджаю за нею на своїй непрестижній лайбі, ті її колежанки зустрічають мене ввічливо, але я спиною чую їхні іронічні погляди. Мимоволі щулюся, мені прикро. Думаю, що в Україні фемінізм не на часі. Він шкідливий і непотрібний, тому що...

— Ти хочеш сказати, що надто багато загинуло українських мужчин, і то найкращих, пасіонарних. І що негоже понижувати тих, що вціліли у цій січкарні, — каже вона, як завжди вгадуючи мої думки.

— Так. Але ще крім того...

— Безперечно, — каже вона. — У нас не було культу прекрасної жінки в усіх її іпостасях, як у греків чи римлян. Не було Венери Мілоської і Мадонни Літти. Не було «Дами з горностаєм» і голівок Боттічеллі. То це ж ви й не створили. Загнали нас у будні, а хочете з піни морської.

— Не руйнуйте мужчин, бо й вони вас не збудують, — тихо кажу я.

Може, коли розлюбиш жінку, розчаруєшся в ній, то легше. А так, як оце в мене, каторга. Ловиш отой її погляд, бачиш оті її втомлені руки, проклинаєш себе — що ж ти за чоловік, що вона вже з тобою феміністкою стала?

Та я й сам фемініст. Мені головне, щоб оця моя феміна була щаслива. Але я проти, щоб урівнювати її зі мною в правах. Бо які мої права? Самі тільки обов'язки. І постійний страх, що з ними не впораюсь. І що буду в її очах не тим, ким би вона хотіла мене бачити.

«Сісти б на велосипед і поїхати в Кенію», — подумав я.

— Там, щоб вважатися мужчиною, треба вбити лева, — сказала дружина.

Вона таки чує мої думки.

Я оце думаю: краще, коли тебе вдома чекає курочка. Прийдеш, зморений за день, ухорканий, сто разів принижений чорті-ким, а вона упадає біля тебе, дириґує виделками й ложками, жонґлює тарілками, ти для неї орел і півень, ти найвище її досягнення. Оце жіноче підданство, либонь, солодше, ніж цей мій домашній суверенітет.

Почуваюся зайвим. Їй не до мене. Стефан Цвейґ недаремно писав, що жінка коли вже щось робить, то робить двадцять чотири години на добу. Вони вже там якусь Хартію пишуть. Готують рекомендації для Кабміну, вимагають ґендерної експертизи законопроектів. Дисертацію зовсім закинула, студіює психологічні передумови успіху.

Вчора відлупцювала малого.

— Дитину не можна бити, — сказав я. — Дитина є самостійний суб'єкт права.

— Та йди ти, — роздратовано відмахнулась вона.

Де ж поділася та найніжніша дівчинка, яку я колись поцілував у наметі?

— Якби знав, був би не одружився, — в'їдливо сказала вона. — Прийми мої співчуття.

Одружився б. Всі ми одружуємось. Хоч на чортовій сестрі, — як казав Шевченко, — аби не одуріти в самотності. Навіть брат Прометея був ускочив, взяв за жінку

Пандору. Обставин їхнього розлучення я не знаю, але дещо з її знаменитої скриньки, мабуть, перепало і йому.

До всього ж у них там якісь проблеми з приміщенням, так що її феміністки тимчасово перебазувалися в нашу квартиру. У нас тепер дома цілий бабком. Вони приходять, вони палять, п'ють каву, сперечаються. Жінки рішучі, ділові, самодостатні. Говорять голосно, сміються сардонічно, спускають воду в туалеті, наче зривають стоп-кран.

Одна, як дрозофіла, дрібна, бульката. Друга все та ж сама гарпія з зубами у два ряди. Третя схожа на менаду — завжди збуджена й розпатлана, тільки що не в шкурі плямистого оленя і не підперезана задушеною змією.

Не люблю я цих феміністичних матроналій. Ретируюсь у сусідню кімнату і виходжу у віртуал.

Однак не сказав би, що ці войовничі феміністки такі вже й байдужі до чоловічої статі. Деякі з них цілком ґривуазні. Менада недвозначно налягала мені на плече, гормонально вібруючим бюстом, коли я, углибаючи в крісло, намагався затулитись від них газетою. Дрозофіла танула очима і натякала, чи я, бува, не з XVI століття. Я тоді, бачця, був пілігримом, а вона мені кинула білу троянду.

— Ні, — сказав я. — Я із Сузір'я Ворона. Зазнав катастрофи на планеті Земля.

Моя кохана фурія розбила плафон, поранила собі пальця. Сльози з очей бризнули. Дісталося і мені, й плафону.

— Чого ж ти вкручувала, сказала б мені.

— Тобі сказати, легше зробити самій.

Я справді якийсь неуважний. Втупився в газету, навіть не помітив, що вона поп'ялася вкручувати лампочку. Хотів зняти її зі стільця, двинула мене ліктем і вискочила на кухню.

Нічого, нехай одплачеться, може, їй трохи полегшає. Це ж вона не через плафон, а через все.

«Голубко моя у розколинах скелі», — як сказано в Пісні Пісень, ти, певно, маєш рацію. Добрий господар дбає про майбутнє своїх нащадків, а ми з року в рік, зі століття в століття — що ми залишаємо у спадок своїм дітям? Що наші предки залишили нам? Одні й ті ж самі проблеми, те саме страждання, той самий ступор безвиході.

Колись у когось таки урветься терпіння. Боюсь, що це буду я.

Ну, от і сталося. Я втратив роботу. Фірма скорочує п'ятдесят чоловік, мене викликали до шефа.

— Спокійно, — сказав він. — Пиши заяву, за згодою сторін.

— Але я не згоден! — сказав я.

— Твоя справа, — виставив він долоню вперед. — В такому разі пиши: за власним бажанням.

— Я напишу: за твоїм бажанням.

— Не раджу. Такої форми нема, — гмикнув він. — Не вертухайся, пиши.

— Ах ти ж гад! — сказав я, і не було лорда у білій перуці, який би пом'якшив цей вираз.

— Spok, — сказав він. — Бо я тобі таке напишу, що тебе ніде не візьмуть.

Я написав «за власним бажанням» і кинув йому на стіл.

І тут я попався. Бо коли я прийшов у Центр зайнятості, мені сказали:

— Приходьте через 90 днів. Якби вас просто звільнили або «за згодою сторін», то це одне. Стали б на облік, отримали б допомогу по безробіттю, а так — тільки через три місяці.

Отже, три місяці юридично я навіть не безробітний. Я псих, я невропат, у якого зірвалися нерви. Не знав, не зміг, не дотримав форми. Піти, вклонитися шефові, переписати заяву? Але це ж, мабуть, не має зворотної дії. Він скаже: — Spok, — і виставить долоню вперед. Це ж господар становища, працедавець, він спокійний, усміхнений і жорстокий. Йому головне виконати рознарядку, скинути з конвеєра. А що хтось упав, розбився, перемололо — йому ж байдуже.

Наслухався в тому Центрі усіляких див. Ось жінка, за освітою інженер, згодна хоч брокером. Звукооператор, проходить тренінґ на оформлення бізнес-планів. Фтизіатр — піде швейцаром у казино. Проглянув стенд пропозицій. Бармен. Вантажник. Слюсар. Фрезерувальник. На мене з моїм ухилом у науку попиту нема. Зате є купа різних професій для перекваліфікації. Якщо я такий непридатний, можуть перенавчити.

Але ж я маю свій фах! Я хочу працювати за фахом!

— Гординя, — каже новоспечений брокер. — Тепер не той час.

От і настало моє 43-тє число. Я почав ходити вулицями.

— Ти якийсь інтроверт, — мало не плаче дружина. — Пішов з дому, не сказав, куди. Чи просто пройтися, чи у справах, чи до коханки, чи повіситись — по тобі ж не видно. Я боюсь!

Але я ходжу. Не хочу, щоб вона мене бачила таким. Блукаю вечірніми вулицями, забрідаю часом аж на околиці.

«Не гальмуй, снікерсуй!» — підбадьорює мене на кожному кроці реклама.

«Пий пепсі, вимагай більшого!» «Відривайся кльово!»

Я відриваюсь. Часу вільного у мене тепер доста. Три місяці. Ціле літо.

Читаю оголошення, беру адреси, оббиваю пороги. Почуваюся жебраком, прохачем, запитальним знаком. В американській Конституції записане право людини на щастя. А мені хоча б на роботу. Є ж якась юридична сітка моїх прав?

Був би слюсарем, токарем, штукатуром, а ще краще — машиністом землерийної машини. Намивав би штучні острови під розкішні котеджі. Вигризав би з Дніпра тонни піску на чиїсь чорні прибутки. Тепер же під Києвом до Дніпра не підступись — усе підгребло під себе новітнє панство. Набудувало палаців спиною до вимираючих сіл.

Розіслав резюме через інтернет — тепер жду. Хтось же та відповість. Дехто місяцями чекає. А я хочу так зразу.

Адаптуватись і приготуватись, казав батько.

Аж ось коли я втомився — коли став безробітним. Приходжу додому викінчений. Хоч би й десять годин спав, а прокидаюсь розбитий. Часом не хочу вставати, бо для чого? Душу наче хто виїв зсередини — порожньо і саднить. По радіо рекламують якісь бальзами, піґулки, живу і мертву воду. Я думав, це тільки в казках жива і мертва вода, а виявляється, можна в аптеці купити. Мертва знезаражує, жива лікує. Але від чого мене лікувати?

Колись були хвороби, так то хвороби, зразу видно. Температура, кашель, пропасниця. Чума, холера, туберкульоз. «Бережіться, йде прокажений!» — дзвіночок дзеленчить, всі одскакують. А тепер якісь потайні, непомітні. Астенія, депресія, синдром хронічної втоми. Раптом підсікає, і все.

До кого це в нашому дворі AMBULANCE приїхала? Часто люди почали вмирати. Вже й похоронний марш не грають, винесуть тихенько, поставлять труну в автобус, квіточки від порога розтрусять, назавтра двірник підмете.

Інколи мені здається, що я не живу, а одбуваю життя.

У нас всі так живуть. Сьогодні абияк, в надії, що завтра буде краще. А воно завтра та й завтра, і все уже позавчора. А життя як не було, так і нема.

На сороковини прийшов батько зі своїми. Сумно-пресумно посиділи, пом'янули тещу. Тінейджер приніс малому дискетки і сіді-роми.

Батько сидів якийсь тихий, пригнічений. Мабуть, спогади обступали, в цій же квартирі мало що змінилося, мати сміялася з вишневої рамочки. Його дружина дивилася на мою — певно, тільки жінки так уміють розуміти одна одну.

Мені шкода батька. У мене життя не складається, він чекав від мене більшого. Від сестри нічого не чутно. Настає час, коли ближні стають далекими. Треба змиритись. Єдине, що у нього є, це оця його дружина. Вона йому коліна кутає пледом. — Ну, вона у мене така, — ніби аж виправдовується він. Я навіть трохи заздрю. Це ж не тільки вона така, це щось є в ньому, що вона така. В мені, очевидно, цього немає. Я вдався не в батька. Але ж і не в матір. Моя мати була розкута й артистична. Вона ефектно вдягалася, завжди з якимсь дискретним елементом національного декору, в ній була магія владної вроди, на неї озиралися на вулиці. Найбуденніші речі вона говорила глибоким тембральним голосом. А ця звичайна. Ця сіра пташечка. Хоча син у неї, Тінейджер, дуже неординарний. Високий, з тонкими рисами, схожий на Вана Кліберна в юності — я швидше уявив би його за клавішами рояля, ніж за клавіатурою комп'ютера. Батько був закоханий у мою матір, а ця жінка закохана в нього. Вона така, хоч прикладай до рани. Мати теж була хоч прикладай до рани, але — до вселюдської. А ця конкретно до нього, до чоловіка, якого любить.

Розмова точилася мляво. Говорили, щоб не мовчати.

Закінчується травень, синоптики обіцяють заморозки.

Ось і проминуло 5 місяців (п'ять!) нового століття. Є пральний порошок «Ера», є телеканал «Ера», а нова ера все ніяк не почнеться. Може, тому, що стара епоха ще не скінчилася. Тягнуться й тягнуться її шлейфи, підтіпані брудом і кров'ю.

У Македонії як стріляли, так і стріляють. У Катманду комендантська година. Біля берегів Данії нафтова пляма. Дунай занечищений. Шахти старі, вибухає метан. Схили повзуть, будівлі провалюються. Все просотане всесвітньою павутиною, електричними струмами, радіомагнітними хвилями. Хімія забила пори землі. Вже люди — як ті промінчики у невидимих порохах смерті.

Апокаліптичні коні б'ють копитом.

Часом мені хочеться закричати до всього людства: «Люди! Давайте зупинимось і візьмемо новий старт. Бо при таких забігах фініш буде фатальний».

Ніхто мене не почує. Людство впевнено йде до своєї катастрофи.

1 червня. День захисту дітей.

І саме у цей день в Ізраїлі на порозі дискотеки підірвав себе 22-річний палестинець. Молодь гинула в танці, і все чиїсь діти. Двоє, кажуть, з України.

Ходив з малим на Хрещатик. Там був конкурс дитячих малюнків на асфальті під девізом: «Подаруй мені дитинство, Україно!» Точніше було б: віддай! Бо дитинство забрали у всіх поколінь. У мого, у батькового, у його батьків. Причому в різний спосіб — у кого голодом, у кого війною, у кого репресіями, у кого спадком психологічних травм. А тепер у мого малого — неможливістю поїхати у село, до отчої хати, побігати по траві. Так що малюйте, дітки, крейдою на асфальті.

А ще цей день запам'ятався дивними подіями у Непалі. Принц Дипендра перестріляв королівську родину і пустив собі кулю в лоб. Втім, офіційна версія, що рушниця одинадцять разів вистрелила сама.

Три дні пробувши в комі королем, принц Дипендра помер, і тепер там король Ґянендра. Народ хвилюється, бо його наступником може стати його син, який свого часу переїхав людину, і непальці йому цього не простили. Не бачили вони наших «мажорів», які збивають людей безкарно і тікають з місця подій. Та й деякі їхні батьки, посадовці, відзначаються в цьому виді спорту — раллі по трупах. Збив, переїхав, нічого, знову оберуть.

Літо. Дівчата почали ходити пупами вперед. Я не скажу, що мене не збуджують ці пупи. Збуджують. Пупи збіса гарні. Але річ у тім, що як уже бачиш такий пуп, то поглянути вище немає потреби. Тоді вони всі уже на одне лице. Тобто на один пуп. При такій домінанті обличчя вже не суттєве. Тим паче, що й верхній ґудзик напіврозстебнутий, і джинси ззаду нижче абрикосової улоговинки. А хочеться обличчя. Хочеться пасти в ліліях. Хочеться навіть спротиву, хоч легенького. Інстинкт.

Застарілі у мене поняття. Озираюся на свою юність. Тоді пупи були не в моді. Тоді в моді були обличчя.

Борька з батьками вже десь на курорті. А перед нами вічна проблема: куди влаштувати дитину на відпочинок? Та ще й моє безробіття, ледве стягуємо кінці з кінцями. Борька повернеться міцний, засмаглий, немов каштанчик. А наш кволий, бліденький. То поїхав би до бабуні в село, а так ні села, ні бабуні. Їздимо на оболонський пляж «Африка» в затоку «Собаче гирло». Людей густо, пісок брудний. Малий наступив на розбиту пляшку, спасибі, хоч не на шприц.

У під'їзді все якісь оголошення. То шейпінґ, то глобальна федерація Даеквон-До, то набір дітей у шоу-театр «Чунґа-Чанґа». Може, віддати його туди?

— Він і так уже Чунґа-Чанґа. Виховуй, — каже дружина.

Вона даремно, з дітьми завжди так. Навіть дочка президента Буша проштрафилась: випила гальбу пива у нічному барі, не мавши для цього ще повних літ. А наш іще навіть не курить.

Мої справи кепські. Я втрачаю надію на роботу, не кажу вже — за покликанням, тепер це слово не модне, але хоча б якусь. Скрізь ввічливо відмовляють, бо хто я такий? Без рекомендації, без дзвінка.

— Мав якесь ім'я в наукових колах, — плаче дружина. — Ти що, не можеш звернутися до знайомих? Поновити якісь зв'язки, нагадати про себе. Твоя скромність — це вже патологія. Твоя порядність — анахронізм!

Головне — її не перебивати. Вона вибухне й заспокоїться. А в мене на душі запеклось. Але про це їй теж не можна казати, бо знову вибухне. Астрологи Сходу рекомендують якнайбільше усміхатися. Я так і роблю.

Добре, хоч з приміщенням уладналося, бабком уже має свій офіс. Вони там позсовували столи, поставили кадуб з пахучим лимонним деревом — боюся, що воно всохне від їхніх прокурених голосів. Дружина просить не зустрічати, бо ніколи не знає, як довго затримається, менада підвозить. Так що ми з малим вечорами самі.

Телевізор уникаю вмикати, щоб не наскочити на сюжет. То як в одній пристойній родині тато раптом змінив стать і одягнув намисто. То як одна пані, підгледівши коханців, що «займалися любов'ю», почала мастурбуватись, а інша від нетерпіння, доки партнер роздягнеться, почала кусати його за ширіньку.

Віаґри не треба, допінґ для імпотентів.

Малий тактовно при мені теж не вмикає. Так ми й сидимо з ним вечорами на балконі, дивимося на зорі. Це краще, ніж на голубий екран. Малий каже, що на Місяці люди живуть у кратерах і мають довгі ноги, щоб швидше тікати.

Та й вечірні вікна перед нами — теж ціле кіно.

В одному жінка виймає шпильки з волосся.

В іншому силуети рухаються в танці.

А на сусідньому балконі якийсь підліток набринькує на гітарі одну й ту ж пісеньку з монотонним рефреном: «Але що буде завтра, однак?»

До Києва приїжджав Марсель Марсо. Жаль, квитки дорогі, та й дружині нема коли, вона пише Хартію. А я люблю пантоміму. Пантомімою можна сказати все, і на Канари не треба.

Чудовисько Амброза Бірса — це ж фактично теж пантоміма. Ти з ним борешся, вибиваєшся із сил, а збоку ж не видно, що тебе убиває.

Сьогодні пройшла демонстрація, де несли транспарант: «Допоможіть дожити до 10-річчя Незалежності!»

Я, очевидно, вже не дожив. Бо життя, яким я живу, це ж не життя. Сартр колись казав: «Я те, що я роблю». Тепер критерії інші: «Я те, що я заробляю». То хто ж я в такому разі? Комплектне ніхто. Дружина записалася у школу жіночого лідерства, є й така. А я по господарству. Вивчаю кулінарну книгу, дивлюся «Шоу самотнього холостяка». Якось же треба годувати малого. Курку по-гавайськи чи консоме я, звісно, не втну, мені б щось елементарніше. Я навіть картоплю не потрафлю підсмажити, все підгорає, дим валить у коридор, сусіди у двері стукають.

Отака тепер моя пантоміма. Розумію, чому теща любила цей балабольчик на кухні. Товчешся межи каструль, піт ліктями витираєш, а водночас чуєш, що у світі робиться. Якщо сковорода не дуже шкварчить.

У космосі літає перший космічний турист.

Росія піднімає свій затонулий підводний човен — казали, там немає крилатих ракет, а тепер вивозять і знешкоджують.

У штаті Огайо товарний поїзд проїхав без машиніста сто кілометрів з отрутохімікатами у вагонах.

Десь в океані пливе корабель з дітьми на продаж, викраденими в Беніні.

Немає моєї тещі, а то б уже закричала. Сьогодні годую малого, чую, — вже й у нас, у нашій цивілізованій демократичній країні крадуть людей, торгують людьми. І запчастинами для людей.

Краще б такої України взагалі не було. Мріяли б про неї, боролися б. Підростали б нові покоління, ладні за неї життя віддати. Література була б — хай заборонена, хай самвидавська, але ж література, а не це заслинене матюками плюгавство.

— Май витримку, — каже батько. — Становлення держави процес важкий і тривалий. В інших державах бувало й гірше.

Він загартований на терпіння. А я втомився терпіти.

Я втрачаю терпіння терпіти.

Допоки ж при владі будуть вовки?!

Завтра Трійця, Зелені свята. То б у нас у квартирі пахло татарським зіллям, любистком і м'ятою. А так тхне пилом і цвіллю, чимось, що завалялося у підсобці чи засниділо в холодильнику.

Ми не відпочиваємо, і малий з нами теж. Хотів його

влаштувати у літній табір, хоч десь тут під Києвом. Але не вийшло.

— Який же ти чоловік? — питає дружина. — Нічого не вмієш влаштувати.

Вона має рацію, який же я чоловік? От вчора я бачив чоловіка, так то чоловік. Гладкий, мордатий, задоволений життям і собою, він сидів у крутій іномарці, розвалившись на передньому сидінні. А ззаду над номерними знаками був афоризм: «Без лоха жизнь плоха». Тобто без мене. Я йому в кайф.

У дружини тяжка неврастенія. Вона щомиті зривається, вчора перець у пральну машину вкинула. А що я під рукою, то дістається найбільше мені.

— Нормальні люди давно вже знайшли себе у новій реальності! — кричить вона. — Борьчин батько процвітає у бізнесі. Твій друг працює у Каліфорнії. А ти? Хто ти?! Ти про сина подумав? Він що, має успадкувати твій ідіотизм?

Найгірше, що все це правда. Я справді якийсь невдаха. Ні влаштуватись не вмію, ні подолати обставин. Сказано, лох. Кожен примат дивиться на мене зверхньо. Він багатий, він впевнений у собі. А я адекватно, за гороскопом, Кінь.

Читав, що німецькі вчені винайшли прилад, який визначає ступінь втоми по очах. Що більша втома, то ширші зіниці, то важче вони повертаються до норми.

У моєї дружини зіниці дуже розширені. Я завжди думав — які у неї красиві очі, а виявляється, що це ще й від втоми.

Намагаюся хоч трохи їй допомогти. З'їздив на ринок. Пропилососив квартиру. Хотів сорочки попрати, запхав у машину, але якась кольорова тканина пустила фарбу, тепер ходжу у білій сорочці з голубими хмарками.

Та й думаю собі: і чим же ти їй допоміг? Моркву з базару приніс? Штани попрасував? Подивися на Борьчиного батька, його ж ніколи й не видно. Сів у машину, вийшов з машини. Весь у своєму бізнесі. Мабуть, добрий плутяга, з теперішніх. А який комфорт дав сім'ї, якою увагою оточив дружину! Вона ж у нього ні за холодну воду, у неї ж і хатня робітниця, і дача, й сріблясто «Хонда». На закупи з охоронцем їздить. Літо ще лиш почалося, вони вже десь на курорті. А твоя вже валер'янку кухлями п'є.

І ось мої скромні радощі — або ще одне приниження — я, здоровий, я, молодий, здатний утримувати сім'ю, не ледачий, з вищою освітою, а я вже потребую соціального захисту, я вже заповнюю якісь анкети, щоб з мене як з малоімущого брали меншу квартплату, а як спливуть 90 днів, ці осоружні три місяці, в які мені обійшлася моя гординя, я вже зможу розраховувати на яку-не-яку субсидію, законне пособіє по безробіттю.

Приниження робить нас безпорадними. Приниження робить нас ізгоями.

Я взагалі думаю, що й державу свою цей народ не може й досі побудувати, бо пережив велике історичне приниження.

Тим часом гуде всеукраїнська культурно-мистецька акція: «Україна — Президент — Стабільність». Запопадлива попса робить президенту імідж, хітами й шляґерами убовтує електорат.

За тим всім галасом ми навіть не помітили, що у нас уже є політв'язні. Що вони сидять в ізоляторах, що їх тримають за ґратами з порушенням всіх термінів і людських прав. Тільки й того, що сидять не в Сибіру, не на станції Потьма, а, можна сказати, у своїх рідних вітчизняних СІЗО. Недавно дві дівчини прикували себе до рейок, вимагали звільнити ув'язнених. Одна з них неповнолітня. Але ж у нас хоч в єрихонську трубу кричи — ні луни, ні відлуння. Лев інвертований на пустелю. Клітка на Лева. Я на клітку. А пустеля на всіх.

Іноді мені українці здаються таким великим гарним птахом, який сидить собі і не знає, що робиться на сусідньому дереві, який любить собі поспати, сховавши голову під крило. Крило тепле, притульне, сни історичні, красиві. М'язи розслабились, душа угрілася, — прокинувся, а дерево під ним спилюють, гніздо впало, пташенята порозліталися хто куди, сидять на інших деревах і цвірінькають вже по-іншому.

Нація навіть не косноязика. Нація недорікувата.

Я розумію, все має свої історичні корені.

Часом їх хочеться висмикнути.

— Ну, тіккуріла, блін, дайош! — каже син.

А що ж тут такого? Він щодня це чує по телевізору, так рекламують фінську фарбу найвищої якості.

Людської якості тепер вже не треба. Не треба совісті, гідності, не треба освіти. Це вже не бренд. Потрібні гроші. Потрібен імідж і рейтинґ. Імідж якийсь у мене є. А рейтинґ, який може бути рейтинґ у вченого, що не збувся?

Друг постійно кличе у Каліфорнію, в Силіконову долину, але я не маю стимулів починати життя спочатку. Кидати батька, у якого вже був інфаркт? Адаптуватися до нових умов? Літати через океан до рідних могил?

20 червня. Завтра перше повне затемнення Сонця у новому столітті. Шкода, що не Місяця, може б, подивилися з балкона. Але вона ніби зовсім забула ту свою раптову сліпучу непритомність. Я сам потроху згасаю, і вже навіть боюся близькості. Який сенс, коли ти вже не коханий?

Відсталий ми народ, українці, зі своїми поняттями про кохання. Нам би все, як у пісні: «Я ж тебе, милая, аж до хатиноньки сам на руках однесу». Тепер би він її тричі трахнув по дорозі.

У світі вже з цим без комплексів. Та й у нас теж. Борделі й панелі вже не екзотика. Розвивається секс-індустрія. Секс-шопінґів, правда, немає, у нас це зветься «Салон секс-культури». Я заходив, з цікавості. Там є все. Еротична білизна. Тренажери з дисфункції члена. Наручники для мазохістів. Є навіть фалоімітатори у вигляді даішного жезла, є вібратори, які можуть охати й ахати.

І приходять, купують. Вони думають, що їм потрібен тренажер з дисфункції члена. Тепер у людей дисфункція душ.

Любов — це така Камасутра, що сама собі все підкаже. І не будеш думати, секс оральний чи не оральний, моральний чи не моральний. Людину кидає, вона віддається, вона бере. А не як поршнем ходить в циліндрі. Я навіть не думаю, що це проламування самотності, як у Мопассана в «Монт-Оріолі». Для мене це злиття двох світів. Це обмін щасливістю. Навіть темні спокуси перверсій прекрасні, коли кохаєш жінку, коли вона магнетизує тебе.

Тільки наукова дідорня може вважати, що загадка скрипки Страдіварі — це всього лише особливий склад лаку, а кохання — хімічний коктейль у голові на пару років чи місяців.

Втім, буває і хімічний коктейль. У мене в житті був. Вдаряло в голову і розламувало стегна. А кохання — це інше. Кохання вдаряє в душу.

«Нелад з потенцією? — бубонить з репродуктора душевний чоловічий голос. — Про це не говорять. Про це не розмірковують. З цим залишається наодинці кожний чоловік. «САНОПРОСТ» — це здійснення вашої чоловічої мрії». «САНОПРОСТ» — це препарат тривалої дії». «САНОПРОСТ» — це факел вашого життя».

То рекламували «Віаґру», а тепер вже якусь «Імпазу» і цей «факел життя».

«Багато факторів сьогодення негативно впливають на сексуальну потенцію чоловіків, від чого вони дуже страждають, — сказала в недільній програмі одна цілителька. — Адже статева залоза — це друге серце чоловіка».

Добре, що моя дружина не чула. Уявляю собі, як би вона прокоментувала це «друге серце».

Подзвонив Лев, інвертований на пустелю. Кличе на байдарки, зібралася чоловіча компанія, є одне вільне місце. Колись я це любив, тепер не зможу. Як я залишу тут у спеку своїх, а сам піду на байдарках? Та ще й, уявляю, увечері при багатті знов ті самі розмови. Він навіть по телефону примудрився зіпсувати мені настрій.

— Не маєш роботи, то принаймні вмій відпочити, — сказав він.

Не вмію. Нічого не вмію. Дружина тягне все на собі. Впряглася в репетиторство, готує абітурієнтів. Ночами перекладає з польської. Де у неї сили беруться? Як її вистачає на все?

— Я ж не тому можу, що я можу, а тому, що ти не можеш! — якось вихопилося у неї.

Гарний соковитий баритон співає по радіо: «Моя душа, немов черешня». Тепер уже вимкнув я.

Але в чому річ, мій батько і в старості, — як не кажи, а це таки старість, і сивина, і пережитий інфаркт, — він любить і його люблять, а я?! Він нічого не питає, але одного разу мені сказав: — Знаєш, я розумію твою сестру. Християнство — це постійно усвідомлюване страждання. Це тінь розп'яття над усім життям. А індуїзм дає шлях від трагедії до просвітлення. Я теж не міг пережити. Я не міг жити. Моє просвітлення в тому, що я комусь потрібен.

Він бачить, він розуміє! Вона потрібна мені, але я не потрібен їй. І при цьому він якось особливо ставиться до неї. Може, впізнає у ній жінку, яка була потрібна йому, але теж часом дивилася повз нього.

Ми всі дивимося одне повз одного. От хіба що як хтось умре, починається пізнє прозріння: не побачили, не оцінили, прости! От якби вже нас хтось не простив, може б, ми навіки порозумнішали.

Московський патріархат таки провів хресний хід. Під корогвами й іконами старі кликуші, як гайвороння, сунули по вулицях, попихаючи поперед себе у візках ветхих, неходячих уже ченців. Несли транспаранти з прокльонами і протестами проти приїзду Папи Римського.

Мало того, що — проти, так ще й з прокльонами!

Мав рацію гоголівський божевільний: «И все это происходит, думаю, оттого, что люди воображают, будто человеческий мозг находится в голове, совсем нет! он приносится ветром со стороны Каспийского моря».

Коли Понтифік сходив по трапу, і вітер розвівав його білу одіж, мені здалося, що це ангел. Ангел старий, втомлений, тим більше, — бо якби він був молодий і пружною ходою збігав по трапу, то це одне. А коли вже тіло не ходить, руки тремтять і плечі похиляє тягар літ, то просто ж видно неозброєним оком, що цим немічним тілом рухає Дух.

І те біле його одіння над його плечима здіймається і тріпотить, мов крила.

Недарма одна жінка сказала: «В Україну янгол прилетів». Таке реальне враження від цього нереального Папи.

Якийсь хлопчик, гарненький, схожий на мого сина, розплакався від потрясіння, йому відкрилося щось, чого, може, дорослі вже й не здатні збагнути.

Він благословив нашу землю, він назвав мій народ шляхетним народом. Він повернув мені щастя бути належним до такого народу, а то ж у мене його весь час віднімали, вщеплювали мені у свідомість, що мій народ не гордий, що він упосліджений, все стоїть на колінах і ніяк не встане, я вже звик за ці десять років до такого приниження, з якого виходять тільки у смерть. І раптом приїжджає свята людина, яка знімає з тебе це прокляття. І Терези схитнулись, і знайшли рівновагу з болем. Я був вдячний, що він звернувся до мого народу мовою мого народу. Я разом з ним молився різними мовами, був на місцях розстрілів, і радянських, і нацистських, — у Биківні і в Бабиному Яру.

А вже відлітаючи зі Львова, коли почав накрапати дощ, він сказав: «Дощ іде — діти ростуть» і наспівав львів'янам пісеньку ще, мабуть, свого дитинства — щоб засвітило сонечко і дощ повернувся в небо.

Я потім ще не раз бачив ці кадри по телебаченню, і щоразу мене вражало обличчя тієї дитини у натовпі.

Не плач, хлопчику. Все буде добре. Посланець Бога нас благословив.

Я не побожний, ходжу до церкви не часто, поклонів ревно не б'ю. Я навіть не певний, що Бог створив людей за своєю подобою. Зліпив із глини, як дід свистульку, і вдихнув душу. Не з нашим розумом осягнути, як виглядає Бог. Я тільки знаю, що Той, хто запустив моє серце, Той запустив і Всесвіт.

І ось моє українське ноу-хау. Я хочу жити у повноцінній країні, розмовляти повноцінною мовою і гарантувати це моїй дитині на майбутнє.

Все. Dixi. Я сказав. Хто зі мною не згоден, хай звертається до психіатра.

Починаю розуміти, чому Людовік XIV сказав: «Держава — це я». Так, держава — це я, а не те, що вони з нею зробили. І якби кожен усвідомив, що держава — це він, то досі у нас вже була б достойна держава.

І нація — це теж я. А якщо в цій нації є антинація, то прошу не плутати. Бо я належу до нації, яку обрав я і яка обрала мене — до красивої і шляхетної нації.

Я належу до нації, яку благословив Іван Павло II.

Це однак мої внутрішні зрушення, зовнішніх поки що нема. На моє резюме не надійшло ще жодної відповіді. Але ж не може такого бути, щоб я нікому не був потрібен! Хтось же та відповість!

А поки що — як жити далі? Сидіти на утриманні дружини? Вона й так уже тягнеться в нитку. Іноземців возити в аеропорт? Не з моєю тачкою. «Грачувати» на трасі — може, хто підніме руку? Але «з руки» багато не заробиш. Чи, як римський безробітний Черчеллетто, вибирати з фонтана монети, накидані туристами? Так у нас уже й фонтани не ті, та й туристів не густо. Хоч іди грай у супер-лото. «Крок до багатства «Мега-лот».

Думки мої крутяться, як пластмасові кульки у барабані. І від того, в яку вони укладуться комбінацію, залежить мій життєвий виграш. Або програш. Головне — відійти від рубежа поразки. Мати хоч якусь реальну візію своїх перспектив.

Не маю. Нічого не маю.

І хіба тільки я? А весь мій курс і всі інші курси? А мільйони людей, що повиїжджали? Хто у нас відібрав горизонт? І чому ми його віддали?

Я що, Україно, у тебе зайвий?!

І друг мій, що в Каліфорнії, — треба його привітати зі святом. Там у них скоро День Незалежності. Що ж, це вже і його Незалежність. А у мене тут моя.

От і червень закінчується. Прочитав замітку в одній газеті: «На роботу – через Мертве море». Якісь троє відчайдухів з України подалися до Ізраїлю на заробітки. Угорщину проїхали, Болгарію, Туреччину, а там вирішили вплав наввимашки через Мертве море. Але ж часи тепер не біблійні, море перед ними не розступиться. Тим паче Мертве море, настояне на попелі Содома й Гоморри. Там такі сполуки і такий вміст солі, не те що перепливти — пливти неможливо. І сонце пряжить так, що тіло вив'ялить, як тараню. Шістнадцять годин борсалися горопахи, аж поки їх підібрали ізраїльські прикордонники і відправили до шпиталю.

Мені здається, я теж пливу по Мертвому морю. І тонути не тону, і пливти вже немає сил.

Спека страшна. У свічнику загинаються свічі.

Лев у Єгипті знепритомнів, одливали на арені водою.

В бульйоні глобального потепління розплодилися комарі й кліщі. У південних степах з'явилися павуки-каракурти. Аерозольні хмари стоять над полями, але шкідників і хімія не бере. Люди працюють у протигазах, вже як інопланетяни на своїй землі.

Один депутат купив ділянку на Місяці. Добре, що тамті люди живуть у кратерах і мають довгі ноги.

8 липня. В Іспанії у містечку Памплона фестиваль Сан-Ферміо. Випускають биків у вузенькі вулиці, вони біжать, натовп їх дражнить, галасує, меткі кабальєро у білих сорочках з червоними хусточками кидаються їм навперейми. Розлючені бики шаленіють, з ревом мчать по бруківці, нахромлюють на роги і розкидають усе, що

трапиться їм на шляху. Головне — коли тебе збили, намагайся відкотитися вбік.

Якщо сприймати це як метафору, то я відкотився вбік. І лежу на узбіччі сучасності, а вона двиготить далі з наллятими кров'ю очима. За нею женуться, штрикають ножами і дрюччям, вона відчайдушно відбивається, мотає головою, когось уже підняла на роги, а вони її б'ють, підривають бомбами, роз'ятрюють, провокують. І вона реве, і мчить, і вибухає люттю, і розтоптані люди й народи стогнуть, і нема Гемінґвея, що написав би цю криваву фієсту сучасності.

Ходив інкоґніто по Хрещатику. Як той чиновник у Гоголя, тільки він по Невському, а я по Хрещатику. Я ж тепер маю час, можу пройтися, не поспішаючи. Посидіти, подивитися, знову пройтись.

Люди собі гуляють. Діти катаються на роликах. Зустрів кілька носів, які мені усміхнулись. Ходять «английские Джонсы и французские Коки», «бледные миссы и розовые славянки». Вітрини пахнуть «страшным количеством ассигнаций». А талії, які талії! Гоголь мав рацію, такі вам навіть не снились. Гоголю теж, якщо з пупами. Щити, реклами, бутіки, кав'ярні. «Чем не блестит эта улица — красавица нашей столицы!» Книгарень, правда, немає, позакривали, а так усе є.

А Майдану нашого вже не буде. Все зарівняли, зачистили.

В ударному темпі монтують Монумент Незалежності.

Якби я був художником, намалював би цей сюр — глухий зелений паркан, оранжеві метелики жилетів, а вгорі над Майданом фраґменти нашої Незалежності в залізному дзьобі крана. У повітрі погойдується то рука, то нога, голови ще немає.

Ось уже й літо в зеніті. А я все пливу по Мертвому морю.

Пише друг з Каліфорнії — вони там відпочивають, свого малого віддали у літній французький табір. Це, звісно, коштує, зате ж табір чудовий. І ліс, і ріка, і казкові будиночки. Принагідно, в порядку гри, дітей вчать французької мови. Діти вже співають «Марсельєзу», а 14-го липня брали штурмом Бастилію, тобто гігантські старі секвої з такими дуплами, що доросла людина може увійти на повен зріст.

Нам теж, нарешті, пощастило: якась жіноча організація посприяла дружині, і наш малий таки відпочине, і то неабияк — в італійській родині, на Адріатиці. Дружина радіє: це ж він там засмагне, покупається в морі, поїсть екологічно чистих продуктів. Сподіваюся, вони не помітять його президентської лексики.

Спека пекельна.

Ніл міліє в Єгипті, вже видно ніздрі алігаторів.

У молодої актриси у літаку вибухли силіконові груди.

Ноги грузнуть в асфальті. Листя пожовкло й скрутилося в рурочки.

Борька з батьками з'явився, брунатний, немов каштанчик. Відпочивали на острові Балі. Райський острів, — розповідає Борьчина мати. — Морє — ето вообщє! Воздух ізумітєльний. В аеропорту обалдєнная аборіґенка одєваєт турістам вєнкі із лотосов і орхідей.

Уявляю собі Борьку в такому вінку. Та й батька його, бізнесмена. Не подобається мені ця публіка. Господарі життя. І ця вишукана ґламур, з її типовим набором мовних стереотипів. А моя дружина до неї ставиться добре, слухає, розпитує, розглядає фото з Балі. Та їй навіть привезла сувенір — жіночу фігурку з сандалового дерева. І сама вона як сандалова статуетка, струнка й засмагла, у хмарці бузкової сукні. Розповідає цікаво. Які там коралові пляжі, ресторани, казино. Рис родить чотири рази на рік. Є навіть Богиня Рису. Храмів більше, як жителів, і всі вівтарями у бік вулкана. Абориґени мудрі й гостинні. Жертви приносять з плодів і овочів, на банановому листі. І не бояться смерті. Вірять у переселення душ. Для них людина померла — це людина воскресла. Своїх небіжчиків кладуть біля великих дерев. Потім віддають вогню.

У них є філософія смерті. А у нас немає навіть філософії життя.

До чого привчені, того нам і досить.

Часом лежу на дивані й думаю — а може, й мені почати якусь свою справу? Взяти гроші у банку в кредит. Зовсім якусь невеличку суму. Зібрати ще кількох програмістів, безробітних, як я. Створити фірму. Борьчин батько ж зумів. А я, невже не зможу?

— Розмріявся, — каже дружина. — Йди подивися гру «Слабоє звєно».

Так, я знаю, у такому ринковому світі я слабка ланка. Я не відповідаю на такі виклики часу. Я вибуваю з гри.

А ті знову поїхали, тепер уже на фіорди. Борьчин батько любить серфінґ у північних морях. Це чоловік, який вміє бути мужчиною. Він здатен подбати про свою родину. Не те, що я. І Термінатор той з ними, вони скрізь його з собою беруть.

А я, що я тут роблю, у затоці «Собаче гирло»?

З погляду антропології, я homo sapiens. У вимірах національних я українець. У масштабі держави я громадянин. З проекції Космосу я землянин. З проекції інших галактик геліотроп. Щодо мого батька, я його син. Щодо сина, я його батько. Щодо жінки, ніби ж мужчина. Така система координат робить мене стереоскопічним, багатовимірним і органічно вписаним у світовий, ба навіть у космічний контекст.

А що я бачив? Ні океану, ні фіордів, ні тропіків. Ні

Мачу Пікчу, ні острова Балі. Ні Альп, ні Етни, ні Піренеїв. І ніколи нічого не побачу.

Але ж я народився на планеті, я повинен бачити її всю! А то так і підеш зі світу, не знавши, куди приходив.

Хлопчик наш в Італії, йому дуже подобається. Правда, дітей у тій родині нема, трохи нудьгує. Зате ж Адріатика, багато купається. Так що й наш приїде засмаглий, немов каштанчик.

А тут все якісь повідомлення — то вібріони холери в Одесі, то лептоспіроз у Миколаєві. То криміногенна обстановка в Криму.

— От бачиш, — каже дружина. — В Криму така обстановка, в Одесі закрили пляжі через ті вібріони. Добре, що наш малий в Італії.

Але коли я вичитав, що на півдні Іспанії якась епідемія через якусь леґіонеллу, що завелася в кондиціонерах, а десь на пляжі у Флориді акула вхопила туриста за ногу, — дружина розхвилювалася, щодня дзвонить малому, а дзвінки ж дорогі, розпитує, чи біля берегів Італії є акули, благає купатися тільки на березі. Ну, як це на березі, в піску чи що, він же не горобець. Та за ним там дивляться. Але ж вони не рідні! Та доглянуть, не бійся, кажу я, Папа Римський недарма ж їм спасибі казав. — Ти мужчина, ти не розумієш! — кричить вона.

Справді, я вже нічого не розумію.

У Токіо проходить міжнародний з'їзд геніїв. Тож там один геній експонував свій винахід — апарат для масажу мозку. Мені б такий апарат після кожної розмови з дружиною.

Знову чутки про інопланетян. То у Майкопі з'явився сферичний слід на якомусь полі, наче хтось із Космосу поставив печать. То в Англії на якійсь фермі щось прим'яло траву, позаземний апарат приземлявся, не інакше.

Скоро скажем: «Алло!», а у відповідь: «НЛО».

Наразі вони засмагають на мисі Горн на вулканічному неприступному острові — у них там база. То була у нас під Прилуками, а тепер на мисі Горн.

Ну, от і 10-та річниця нашої Незалежності.

Буде урочисте відкриття Монумента.

Буде військовий парад з танками у калошах.

На Троєщині над рікою Десенкою закладуть Всеукраїнський Парк пам'яті борців за Свободу і Незалежність, де будуть тенісні корти, пляжі, кав'ярні, не те що ґулаґівські табори.

На волю вийдуть кілька тисяч злочинців — президент підписав Указ про амністію до всенародного свята, на основах гуманності.

Хлопці з 9-го мартобря не вийдуть, на них амністія не поширюється. Гуманність теж.

І відбудеться визначна подія — Всесвітній Форум українців. Батько просить піти послухати, сам він не може, прихворів, просить піти мене. Форум представницький, приїхали українці зі всього світу, зібрався «в єдине ціле інтелект нації», як сказано в репортажі з палацу «Україна».

Пішов, послухав.

Доповіді були глибоко аналітичні. Один пан, наприклад, сказав, що «наш найбільший ворог — це ми самі». Плідна ідея. Схиляє до самознищення. Інший як позитивну якість нашої політичної еліти відзначив, що дехто з них таки вивчив українську мову. Маємо зааплодувати?

Третій наполягав на тому, що «кожен політик повинен бути ще й інтелігентом». Отже, не всі політики інтелігенти? І завершив свою доповідь так: «Дай нам, Боже, розуму!» Тобто у політиків дефіцит і з цим?

А один доповідач оптимістично резюмував: «Я задоволений, що на сьогодні все-таки існує Українська держава».

Все-таки. Існує. На сьогодні. Мало ж йому треба для задоволення.

Краще б вони пересвистувалися на Канарах.

На урочистому засіданні виступив президент і з притаманною йому відвертістю так їм і врізав: «Час надмірних емоцій минув». Тобто — нє обольщайтєсь. Весь ваш патріотизм, всі ваші мрії про власну державу — це не більш як надмірні емоції. А ще він зробив цінне визнання: «Ми стали втричі бідніші», пояснивши це тим, що нас випустили із зоопарку, відтак не могли ж ми за десять років стати Англією чи Францією. Не уточнив, правда, хто ким був у тому зоопарку — хто удавом, хто кроликом, хто птахом у клітці. Що при нинішньому розкладі політичних сил вельми суттєво.

В цілому ж дійшли висновку, що патріоти у нас є, але вони дуже затюкані.

Після цих одкровень батькова дружина заборонила вмикати телевізор і призначила йому курс лікування, бо у нього піднявся тиск і посилилась аритмія. Як не як, шістдесятник, важко бачити, як справу твого життя зводять нанівець.

Але виступ однієї пані з діаспори моїй дружині дуже сподобався. Пані висловила здогад, чому жінок так неохоче допускають у владні структури: «Бо працю, яку зроблять три жінки, мусять робити сорок сім чоловіків».

— Звідси і всі пропорції, — сказала моя дружина.

19 серпня. Преображення Господнє, Яблучний Спас. І саме у цей день, під завершення Форуму, на шахті імені Засядька вибухнув метан. Тридцять шість шахтарів загинули, це лише перше повідомлення, потім вони ще гинули й гинули і, обгорілі, вмирали в лікарнях. Десятьох не знайшли й досі. Ще раз вшанували пам'ять,

ще раз президент висловив співчуття сім'ям загиблих і призначив комісію для з'ясування причин.

А що вже там з'ясовувати? І торік, і позаторік на цій шахті вибухав метан, хоч офіційно вона завжди вважалася зразковою. Шахта глибока — кілометр у землю. Працюють при так званій білій шкалі, тобто в разі небезпеки датчики нічого не показують, вони просто замазані глиною.

Українські шахти — це ще той Жерміналь. У старої техніки ревматизм, не працюють суглоби. Вже не те, що метан і чадний газ, аварія може статись з елементарних причин. То коротке замикання, то проскочила іскра від тертя, барабан конвеєрної стрічки заїло, то обірвався трос.

Добре зустрічаємо 10-ліття своєї держави. На шахтах гинуть люди, у Маріїнському палаці роздають ордени й медалі. А за особливі заслуги — звання Героїв України. Це вже нова обойма Героїв, їх уже по сім на цибулю, сказала б моя теща. Ті, що боролися за Україну, вже не актуальні. Тепер Україна інша, і герої інші.

Вночі на тенісних кортах в парку над Десенкою борці за Незалежність грали в теніс посмертно. Втім, це мені снилося.

Йду у попелі мертвих.

Загиблих гірників уже сорок вісім, вони умирають щодня у страшних своїх шахтарських стигмах. Тих десятьох добути з кілометрової глибини неможливо. «Доля їх невідома», — пишуть газети. А яка вже там доля, долі у них вже немає, вони вже, мабуть, там обвуглилися у пеклі тих температур.

Оголосити б жалобу. Виявити солідарність. Нема коли. Хіба потім. Святкуємо.

Все-таки оголосили, 21 серпня. Шахта продовжує горіти. Відкачують метан. Загиблих стільки, що їх вже ховають у братських могилах, ями виривши екскаватором. Шахтарі йдуть на зміну біля свіжих могил.

Вранці в опіковому центрі помер ще один шахтар. Це вже 51-й.

Все змішалося у моїй голові. Вибух метану, 10-ліття ГКЧП, фестиваль помідорів в Італії, бомба у Сан-Себастьяно, павуки-каракурти, що покусали людей у степах. Солтис, що повбивав своїх рідних у Сакраменто. Боюся, що я таки перекрою плащ на мантію і таки підпишуся: Фердинанд VIII.

По радіо лунає заклик: «Відчуй себе українцем!»

Спасибі, я вже відчув.

На Майдані відкрили Монумент Незалежності.

По телебаченню це виглядало як голка, на яку нашпилено мотиля.

Увечері дружина потягла мене подивитися зблизька.

Лопотіли гетьмани на плакетках. Сосюра просив з того світу: «Любіть Україну!» Публіка ходила, тусувалася, всуціль російськомовна. Щебетали зграйки дівчат. Гордо проносила себе стильна пані з пацюком на плечі. Хирлявий чоловічок, мабуть, з амністованих, хрипів під гітару: «Я сроднілся с тобой, Маґадан». Якась поведена дівка неврастенічно палила, сигарета в одній руці, бляшанка пива у другій. Сичали недопалки у жовтих калюжках, не долетівши до сміттєвих урн.

Ані сліду того Майдану, який він був. Кам'яні гармошки сходів, мильні бульбашки ліхтарів. Простір захаращений і перекритий — теплицями, щитами, білбордами, павучками висаджених дерев. Велетенський бутафорський глобус обертається над галактикою барахла.

А над усім цим Монумент Незалежності — кам'яна каплиця, на каплиці колона, на колоні куля, на кулі ноги, на ногах дебела дівка у плахті, в руках у дівки калина, а знизу спробуй розбери, що там у неї в руках, колона ж підхмарна, рукава широкі, нестеменно гуску випускає у вирій. А дівочі її опуклості і картата плахта покриті сусальним золотом. Не яким, а сусальним.

Незалежність у сусальному золоті. Круто.

А хоч би кому в голові сяйнуло — бодай шматочок того граніту залишити, бодай пам'ятний знак поставити на честь тих студентів, що тут голодували! Це ж були діти твої, Україно! Може, останні твої самовіддані діти.

Що ж ти дозволила, Україно, ломами підважити той граніт?!

Трибуна для завтрашнього параду вже готова. Попід трибуною тиняється охорона, пересипає розмову матом. Двірники з мітлами обтанцьовують урни, підмітаючи купи сміття. Стоїть поганий дух перегару й недопалків.

Хотілося хутчій додому.

І ось коли ми вже йшли до підземного переходу, дружина раптом сказала: — Путін! — І справді, звідкись там, із вечірнього мороку, від Пасажу, вийшла їх ціла група — чіткі силуети, майже фантоми, вони рухались по Хрещатику, як у якомусь фантастичному фільмі. Попереду президент Росії з її повноважним послом, а за ними, в конфігурації крил кажана, чоловік п'ятнадцять оточення. І так ця процесія пройшла Хрещатиком, очевидно, імпровізовано, без протоколу, без офіційних тутешніх осіб принаймні я їх не бачив, без журналістів і камер, цілком відкрита для народної адорації. Але вечір був уже пізній, людей на Хрещатику залишалося мало, лише якась підпила компанія остовпіла й заскандувала — високі особи заспокоїли захват жестами і пішли далі, повз пам'ятник Леніна, який у рельєфі розкопів і реконструкцій наче балансував над ямою.

Чого вони йшли і що думали, ці люди? Що приємно пройтися напередодні свята столицею дружньої сусідньої держави? Чи все ж таки, мать-перемать городов русскіх! Как же ето случілось, што Украіна уже нє наша?!

Зненацька з-за рогу біля Критого ринку навзгинці вискочили якісь чорні постаті з автоматами і, пригинаючись, перебіжками, як вийшли з ночі, так і поринули в ніч, — отже, ця невимушена прогулянка таки була під недріманною охороною, що весь час непомітно йшла паралельним курсом. А потім промчалися чорні авто з миґавками, і верталися силуети вже належним чином, за непроникними вікнами лискучих урядових машин. Наступного дня жодна газета й словом не прохопилася про цю нічну прогулянку президента Росії. Так наче й не було цих нічних силуетних містерій. Що ж, будемо вважати, що нам привиділося. Що у нас спільна галюцинація на двох.

Парад приймали три президенти — України, Росії та Македонії. Щоправда, в кадрі були переважно двоє, гість із Македонії зрідка потрапляв у об'єктив. Від того здавалося, що у нас два президенти.

Європа нашу 10-ту річницю проігнорувала. Ну, бо справді — якщо ми вийшли з зоопарку, то хто ж ми такі, щоб нас поважати? Польський президент приїхав і одразу ж поїхав. Пошанувавши нашу Незалежність, але й не постоявши на трибуні на такому міжнародному рівні.

Парад був грандіозний. Лопотіло і майоріло, гупало і ревло. Все обліпили ґрона блакитних і жовтих кульок, наче якась велетенська риба наметала патріотичну ікру. Міністр оборони гаркнув: — Товариші офіцери! — Пройшла могутня військова техніка.

Відчуття таке, що знову потрапив у Радянський Союз.

Ті ж самі генерали. Ті ж самі танки. Та ж сама форма звертання.

Карбованим кроком пройшов президентський полк.

Грізно посунули танки, взуті у спеціальну гуму. Механічна колона БТР. Артилерійські самохідні установки. Потужна система «Град», спадкоємиця легендарних «Катюш». Система зенітного вогню «Ураган». Система залпового вогню. Гаубиці «Гіацинт».

— І ти ж зверни увагу, — сказала дружина. — Вся ця бойова техніка схожа на чоловічі причандали. І взагалі зброя. Від найменшого пістолета до найбільшої гармати. Форма, система наведення, принцип дії. Що то чоловіча цивілізація!

Мені захотілося зробити руки човником і пірнути у світовий океан.

У небі ширяла авіація. Парад замкнули спортсмени.

Художня програма була дуже насичена. Співали, танцювали й ходили колесом. Матнею вулицю мели. Тягли здоровенний коровай. Ровесниці Незалежності, десятирічні дівчатка, випустили в небо голубів.

Чи то, може, були білі душі з обгорілих шахтарських тіл?

У Донецькому опіковому центрі помер ще один шахтар, це вже 52-й.

На одному з нічних каналів беззвучно ворушив губами віртуальний мультиплікат українця. Мені здалося, що це я. Я ж теж ворушу губами, але мене ніхто не чує.

Я думаю, що якби мене не було, то мені було б легше.

Спека то вибухає грозами, то плавить асфальти. Гіпертоніки страждають від перепадів температур. Я людина не метеозалежна, та й то відчуваю. Боюся за батька, щось він дуже ослаб. Але в нього така дружина, що йому нічого не страшно. Мужчині головне, щоб у нього був тил. У мене тилу немає. Я вже не чуюся молодим.

Я вже не сподіваюся на пристойну роботу за фахом. Тепер на роботу охоче беруть зовсім молодих. І це, мабуть, правильно. Нашого Тінейджера тепер скрізь візьмуть, а мені хоч в Італію на помідори.

Їжджу на своїй лайбі по різних фірмах, пропоную свій інтелект. Кажуть, у Донецьку є Інститут штучного інтелекту. Зі штучним мені було б краще. Зі штучного не зійдеш.

Приходжу додому втомлений, не від втоми — від безробіття.

— Знайшов роботу? — питає дружина.

— Пропонували дві, — не зморгнувши, кажу я.

Вона дивиться на мене очима, як два перископи, з таких глибин, що я розумію — вона мене бачить наскрізь. Її мучить не те, що я безробітний. Її мучить те, що я безпорадний.

Добре, що наш малий ще не приїхав. У нас весь будинок охоплений жахом. Вчора в під'їзді убили Борьчиного батька. Щойно вернулися з фіордів, і раптом таке. Термінатор теж смертельно поранений. При такій блискавичній реакції, а не встиг. Міліція всіх розпитує, але ніхто нічого не чув, зброя, очевидно, була з глушником. Тільки й лишилось — калюжа крові і три гільзи з пістолета Макарова. Борька зовсім притих, розмазує сльози по щоках, його мати у чорному, в їхній квартирі моторошно виє пес.

Люди проскакують до ліфта, обминаючи те місце.

Фактично оце я вперше його побачив. То ж він завжди стрімко проходив під прикриттям охоронця. Взагалі він був, як тінь Шлеміля, сам від себе окремий. Ось пройшов, ось проїхав. Ось клацнули дверці машини. Тепер він уже нікуди не поспішає. Лежить у труні, руки схрещені, весь у квітах. Схожий на шкіпера, зовсім ще молодий, риси мужні й гарні. Вдову насилу одірвали від нього. На сходах у неї підломилися ноги, я ледве встиг її підхопити. Виявляється, у них не так і багато друзів, кілька людей стояли біля автобуса, не всі й поїхали на цвинтар. Ще менше було за поминальним столом. Дружина залишилася з нею, а я пішов. На душі важко. І весь час виє пес.

Дружина вже й ночує там, бо та жінка у відчаї. Так що я переважно сам. Дивлюся у вікно, за вікном дощ, почуваюся, як в акваріумі. Машини, як рибки у Матісса, плавають кольорові. У шибках розмиті водорості дерев.

Подзвонив батько, питає, як ми, хто зараз дома?

Кажу: «Я і дощ».

З роботою нічого не чутно. Жодної відповіді нізвідки. Я вже готовий стажуватися на підприємстві. Може, візьмуть. Глас волаючого у пустелі, ці мої резюме.

Дружина каже... Вона вже нічого не каже. Вона махнула на мене рукою. Не трать, куме, сили, спускайся на дно.

Я спускаюсь. Вчора зайшов у якусь кнайпу в бетонному закапелку. Кажу продавщиці: — Налийте 150. — Вона на мене дивиться: «Чого?» — Того, що ви подумали.

Справді, можна збожеволіти. Або, не дай Боже, спитись.

Ходжу вулицями й питаю: — Чого ж ви мене виживаєте з життя, хто ви такі?

Я не знаю, до кого я звертаюсь. У нас є до кого звернутися лише тоді, коли тобі добре.

Мені погано. Я дуже втомився. Перед очима якісь кола. Глянув з балкона, а він падає. Дивлюсь — дерево, на гілляці привидівся зашморг. Не можу згадати обличчя матері.

Астрологи радять: «Держіть себе в руках». Держу.

Вчора бачив професорську вдову біля сходів Сінного ринку, стояла серед усіх тих лахмітників, торговок і алкашів, продавала якусь одежину. Мабуть, бідує. Альма забилася під рундук, скімлила, на неї гарчав облізлий бездомний пес. Вдова стояла, як тінь, зіщулено й безнадійно — мабуть, вперше зважилася щось продати. Я пройшов, ніби не впізнав. Вона вдала, ніби не помітила.

Син приїхав адріатично засмаглий, каже: «per favore» і «grazie».

Пішли з ним купувати шкільну форму, курточку, ранець, дружина платила, я стояв. Вона мріє записати його на музику, раз у нього такий абсолютний слух. Але ж там платне навчання, а я безробітний.

У підземному переході бачив колегу, кандидат наук, має кілька наукових праць, торгує, як колись казали, «подлим товаром», — голки, нитки, фурнітура.

— Може, піди постажуйся у нього, — каже дружина.

Я щулюся, мовчу.

— Це ж так себе дати принизити! — кричить вона мені прямо в обличчя. — Інтелігенція! Ідіоти!

Я вискакую на запасний вихід, там лампочки завжди побиті, сідаю на темних сходах, руки трясуться, курю.

Нестабільний знак — Терези. Щось у мені схитнулося, ледве зберіг рівновагу. Мабуть, чаша болю переважила.

Щось із комп'ютером чи зі мною. Маркер замерехтів, літери затремтіли, наче злякалися слів, які я зараз наберу. Я хворий, я дуже хворий, я вже не маю сил жити.

І справа ж не в тому, що голова похнюплена, руки звішені.

Справа в тому, що душа відлітає.

Я вже не усміхаюсь. М'язи навколо рота затвердли і не складаються в посмішку. Над чолом у волоссі з'явилося дивне пасмо — так, наче писали історію України іввіткнули мені в голову велике сиве перо.

Я німію і замикаюсь, а дружина, навпаки, вибухає, і я боюсь, що вона одягне білу пов'язку на голову і піде під Верховну Раду вмирати.

В ній болить її молодість, оте святе студентське повстання на граніті. Вона хоче, щоб наш син жив у достойній державі, скоро вона, як старі ветерани, запитає: «За що боролись?»

А справді, за що? І ми, і мій батько, і всі оті борці за свободу, що життя своє віддали, — за таку Незалежність? За таку демократію?!

Я відчуваю банкрутство своєї долі.

Бути приниженим в очах жінки, яку любиш.

Я не знаю, чи є ще десь інша країна за кількістю принижень на душу населення?

Віддайте мені життя! Віддайте мені мою Батьківщину! Якщо я народився, значить на цій землі мені теж щось належить.

Але нахабні, розв'язні, безсовісні — не віддадуть! Ми бездомні у своєму домі, ми безпритульні у своїй країні. А ті мертві, що тримали лінію оборони, — в історії вони є, у свідомості їх вже немає.

Снився кошмар. Змій велетенський, всесвітній — ворушиться, сичить, підповзає. Але моя мертва мати кинулася до нього і задушила власними руками.

Я думаю, дерева живі. То вони хитаються, то хапаються за голову, то хилять гриви, як коні. Вони єдині, з ким я можу розмовляти. Оце дивлюся у вікно і розмовляю.

І раптом — щось летить за вікном. Спершу я навіть не зрозумів, що то летіло. Придивився — а внизу на асфальті лежить собачка Альма. Потім казали: професорська вдова викинула з одинадцятого поверху. Довелося підібрати й поховати. Бо вдова тепер рідко виходить, і перестала зі мною вітатися.

— Не осуджуй її. У неї нервовий зрив, — сказала дружина.

Потроху приходять відповіді на моє резюме. Є з Москви, є з Німеччини. Навіть з Голландії. І жодної з України. Отже, я не потрібен тут. Пора подивитися правді у вічі — я тут не потрібен!

Може, в Німеччину? Там програмістам дають велику квоту. Але ж я не знаю німецької. У Францію? І французької не знаю. У них же не так, як у нас, досить суржика з російським матом. Там треба знати мову.

— Хохли паршиві! — несподівано сказав я.

Дружина обурилась: «Ти розумієш, що ти сказав?!»

— Розумію. Паршиві хохли! — повторив я.

— Припини! — не своїм голосом закричала вона.

Після того не розмовляє зі мною. Пробую заговорити — здригається від ненависті. Виходить, що професорську вдову вона розуміє, коли у тої нервовий зрив. А в мене теж нервовий зрив, я хотів націю викинути у вікно. І сам з нею вистрибнути.

«День був без числа. Місяця теж не було».

Ходив по вулиці, не пам'ятаю, по якій.

Хтось мене штовхнув, я вибачився. Хтось щось пропонував купити, хтось запрошував у «Лабіринт привидів» на якийсь «Бліц-квест». Хтось тицьнув мені у руки жовту рекламку, де було написано: «ВІН + ВОНА = 2 ПЕЖО». Я довго думав, що таке ПЕЖО і чому їх два? Бо якщо це марка машини, то до чого ж тут «ВІН + ВОНА»?

Тоді б це мало дорівнювати ЛЮБОВ, а не якісь 2 ПЕЖО. Виявляється, все так просто: треба зайти у шопінґ «Моллі», зробити закупів на 200 гривень, заповнити анкету — і ти вже потенціальний власник двох ПЕЖО. Один — тобі, другий — твоїй коханій.

У шопінґ «Моллі» я не пішов. Мені не треба ПЕЖО. У мене немає коханої. Брів далі, читав таблички. Кафе «Едем», банк «Задля партнерів». А кому я тепер партнер? Нікому я тепер не партнер.

Мене викинуло на віражі.

Одна табличка особливо привернула мою увагу: «Відділ реєстрації смерті». Я подумав: «Зайду, зареєструюсь». Але передумав: «Як же я зайду? Вони ж подумають, що я живий».

Далі не знаю, що було. Знаю, що урвалася лінія долі. Дружина каже, що я був дуже хворий. Сам відчуваю, що зі мною щось сталося, якесь коротке замикання психіки. Коли я опритомнів, наді мною схилялось її обличчя. Боже, яке воно прекрасне, які лагідні люблячі очі! — Що з нами було, рідна? — питаю її. — Чад, любий, чад. Епоха дуже отруйна, — відповідає вона. — Я цілую їй руки, вона пригортає мене до себе, — так же можна втратити одне одного!

Здається, мене витягли з петлі, але всі делікатно обминають цю тему. Я теж не розпитую, бо ніколи не розумів самогубців. Особливо тих, що зводили порахунки з життям у себе вдома. Людям же потім жити у цих стінах. Знаю, що десь блукав, не хотів вертатись додому. Уявляю, як злякалося дерево. Вдячний, що мені про це не нагадують. Батько зі мною рівний, як завжди. Його дружина заклопотана суто медичним аспектом справи — міряє мені тиск, стежить за пульсом, рекомендує ліки. Моя дружина чітко виконує її настанови. Потреби в ліках я не відчуваю, мені досить її очей, її рук, вона тепер така ніжна зі мною, така уважна, навіть ту обручку зняла, що була як докір для мене. Я цілую їй руки і не щулюся від її погляду, він тепер безконечно рідний.

Якби я знав, був би давно повісився, і вона б мене любила ще більше. Але й так теж добре. Ось трохи оклигаю, і можна буде починати нове життя. Я почну, мені аби видужати. Вже як людина побувала потойбіч... Досить. Дружина має рацію, пора знаходити себе у новій реальності. Дедалі більше схиляюсь до думки, що треба їхати в Америку. Бо якщо нація хвора, клінічній ремісії не підлягає, то що я тут роблю? Навіщо мучуся? Я ще маю шматок життя, у мене сім'я, син, я не хочу, щоб він повторив мою долю.

Мені вже ввижаються золоті пагорби Каліфорнії, душею я вже там. Напишу другові, хай висилає запрошення. Якийсь час поживу у нього, поки влаштуюся, попрацюю, потім заберу своїх. Дружина зі мною згодна, але каже: «Насамперед видужуй». Я її слухаюсь, ковтаю усі піґулки. Може, уперше в житті я так полюбив життя, у щонайменших його виявах — усмішка, дотик, вечірня розмова за чаєм. І треба ж було змарнувати стільки років, навіщо ж ми дозволяли відбирати у нас життя?!

Осінь починається добре. І в природі, і взагалі. «Вплив планет з кожним днем поліпшується», — сказано в гороскопі. Сьогодні, сьомого вересня, «можна вести переговори з тим, хто пропонує вигідну роботу». Ніхто мені ще нічого не пропонує, але відчуваю, що вже можу пропонувати я.

У моєму випадку сказати Я — це вже велике досягнення. Досі я звик себе підпорядковувати всьому — потребам родини, обов'язкам, обставинам, а головне — інтересам нації. Мене так змалку вчили: треба жити для народу, працювати для батьківщини. От я й вискочив, як Пилип з конопель, у цій демократії, нездатний відчути самоцінність свого Я. Так що для мене вимовити цей займенник — це буквально логопедична вправа. Пересвистуватись не треба, коли можеш сказати — Я.

XX століття віддаляється, віддаляється. Воно вже стає спогадом, у чомусь важким, у чомусь ностальгійним. А дещо, таке важливе тоді, тепер вже здається неактуальним.

Осінь красива, як сестра моя, кришнаїтка, у золотому й багряному, вся в дукатах, з черленим тамбурином у висмугленій руці, зі сріблинками в косах, і за плечима — туман. Вона вже не наша, це її вибір. Вона теж даленіє і даленіє, і вже тільки кігтики спогадів дряпають мою душу.

У вікно намагаюся не дивитись — все мені в очах траєкторія того собачки. Дружина розвернула крісло спиною до вікна, газет не дозволяє читати, книжок теж не дає, дивлюся розважальні програми. Якісь пригодницькі фільми, хіт-паради, кліпи. Часом і вона присяде поруч, дистанційно перемикає канали — мультик, реклама, фільм жахів. Якісь літаки врізаються в будинки, фантастична зйомка, могутній блокбастер, емблематичні хмарочоси Нью-Йорка. Дим, вибух, полум'я, хмарочоси рушаться. Дружина раптом страшно скрикнула, син зупинився, я не розумію — це що, реальність? Люди біжать у паніці, жіночий крик пронизує Всесвіт. Так бігли у Хіросімі, так озиралися на Содом і Ґоморру, так гинула Помпея, у клубах диму осідають вежі, розтріскується бетон і плавиться сталь, виють пожежні машини, поліція оточує квартал.

— От і почалася нова ера, — тихо сказала моя дружина. — От тепер вона почалась.

Ще один літак врізався у неприступний мур Пентаґона. Ще один ішов на Капітолій, але впав у Пенсильванії. Кадри повторюють і повторюють, жах обростає жахом. Скільки їх, звідки ці апокаліптичні лайнери з руками смертників на штурвалах? З-під руїн добувають живих і мертвих. Під брилами завалів дзвенять, задихаються мобільні телефони. Охоплені полум'ям люди викидаються з поверхів. Обгорілі пожежники складають на розплавлений асфальт стоси обвуглених тіл. З якогось п'ятдесятого поверху крізь дим і уламки вертикальним пунктиром падає людина...

То ось яка вона, нова ера! Ми думали, XX століття страшне. XXI буде набагато страшніше. Вже навіть не війни, не міжнародні конфлікти, не гарячі точки, — а глобальне протистояння непримиренних світів, де невидимі диригенти можуть здиригувати війну цивілізацій. Все людство буде втягнуте у цей вир.

— Але то ж бідні країни, — сказав я, — примучені всіма видами своїх нещасть, визискувані й експлуатовані, в лещатах своїх диктатур. А західна цивілізація сильна, у неї найсучасніші технології, колосальні кошти і зброя, вишкіл професійних армій, коаліції, блоки, альянси.

— Але у них є камікадзе, а в західної цивілізації нема, — сказала дружина. — У них багато молодих, сильних мужчин, які не бояться смерті.

Найшляхетніше, що людство зробило, отямившись, — це в День жалоби помовчало три хвилини.

А втім, не все людство. «Півсвіту плаче, півсвіту скаче», — як сказала б моя теща.

І це ж треба було виринути з небуття, щоб знову накрила така інформація. Але я тепер сприймаю все якось інакше. Навіть Борька, якщо й приходить, то мене не дратує, — його тепер не впізнати, він сирота.

Казав мій батько: адаптуватись і приготуватись.

Приготуватись можна, а як адаптуватись? Щодня якісь несподіванки, все вганяє у стрес. Раптом пішли конверти з білим порошком. Почалася паніка, всім ввижався той порошок. Кілька чоловік у Штатах захворіло на сибірську виразку. У нас на поштах працювали в гумових рукавицях. Друг дзвонив з Каліфорнії, він саме зібрався провідати матір, вона благає здати квиток. Люди бояться літаків. Літаки бояться людей. Хтось розсипав у салоні щось біле, скасували рейс. Американці запасаються протигазами, купують респіратори, захисні протихімічні костюми. Паніка взагалі — річ страшна, а глобальна тим більше. У літаках уже цукор до чаю не подають, бо він білий. Придивляються до брюнетів. Сахаються сумки під лавою. Бояться бактеріологічної атаки, удару по атомних об'єктах, «брудної» бомби з радіоактивних відходів.

Пройшла чутка, що від цього допомагають канарки. Неодмінно треба мати канарку в домі, бо вона перша відчуває небезпеку, ледь що не так у повітрі — лапками догори. Дружина з'їздила на пташиний базар, купила канарку, син дуже втішений, я кажу: — Годуй правильно. Не дай Боже, пропаде птичка, подумаємо, що теракт.

Але вже як почалася нова ера, то вона таки почалася. Наче щось пороблено світу, щодня якісь трагедії. То у міланському аеропорту, ще й не здійнявшися в небо, два літаки наскочили один на одного. То у Швейцарії дві катастрофи поспіль, в тунелі Сан-Ґотар і ще в якомусь тунелі.

Та найбільше уславилося наше вояцтво. І знову ж таки, під час військово-повітряних навчань. Спільних російсько-українських, до речі. У Криму з полігона випустили ракету і збили над Чорним морем літак, що летів з Ізраїлю до Новосибірська. Загинули пасажири, загинув екіпаж — 78 людей! Тепер шукають на дні морському, знайшли вже шматок фюзеляжу і чотирнадцять тіл. Генерали спершу клялися, що це не їхня ракета. Що й стрільб тоді там не було, а якщо й були, то при запуску азимут був зовсім інший. Згодом визнали, що таки їхня. Перенавелася на іншу ціль. Море зблиснуло — вона й перенавелась. Від сонячного зайчика. Знову ганьба на весь світ.

У Шанхаї відбувся саміт. Лідери трьох світових потуг — китайський, американський і російський — в однакових курточках з натурального китайського шовку, червоних і синіх у білий горошок — продемонстрували рішучий намір перемогти світовий тероризм. Тепер під цю лиху годину кожен удав може ковтнути свого кролика, все спишеться на боротьбу з тероризмом.

Кажу дружині:

— Бачиш, я ж тобі казав. Навіщо боротися проти чоловічої цивілізації? Вона сама себе знищить.

От і не вір Нострадамусу.

«...небо розколеться, і великий вогонь спостигне Велике місто», — хіба це не про Нью-Йорк? «Впадуть гори, споруджені людиною», — не про манхетенські вежі? «Велика нація довго вагатиметься, і все ж у відповідь завдасть удару».

Недовго й вагалася. 7 жовтня завдала. Не нація, звичайно, а її чільники.

Скинули бомби на Усаму бен Ладена. Але чомусь влучили в Афганістан. Б'ють по Кабулу, Кандаґару, Джалахабаду. В Тора-Бору гатять безперестанку, бо за припущенням він переховується у печерах саме там.

Уже й кінець жовтня. Афганістан продовжують бомбити. Все ніяк не вцілять в Усаму бен Ладена. Уже десь самі в себе попали, у старійшин влучили, афганське весілля розбомбили, а Усаму бен Ладена — ні.

Але вже як пішло, то пішло, ніяк зупинитися не може. 12-го листопада — ще одна катастрофа в Нью-Йорку. Літак мав летіти у Сан-Домінґо, тільки-но встиг злетіти і упав прямо на житлові будинки. Знову дим, знову полум'я, знову виють сирени, людей ведуть попід руки, поліція оточила квартал.

Ні, той божевільний у Гоголя недаремно так любив Іспанію. Недавно вчені відкрили там Стежку динозаврів, якій 115 мільйонів років. Може б, людству вернутися на ту стежку? Принаймні було б минуле, якщо вже немає майбутнього.

Дзвонив батько, питаю: — Ну, як там ваш Тінейджер?

— Віртуальну державу побудував, — каже батько. — Серед коралових рифів, на острові Косумель. Він там президент і начальник пошти. Пропонує політичний притулок.

— А державна мова яка? — питаю.

— Пересвистуються, — каже батько.

Це мені підходить. Хай присилає віртуальний літак.

— Тільки ти не переплутай, — кажу малому, що саме грає з Борькою у якусь чергову «стрілялку». — Дивись уважно. Не збий той літак.

Щось гуркнуло за вікном. Я знаю: дощ, осінь. Обвалюється плитка з будинку. У нас уже весь під'їзд обнесений шворкою з червоними прапорцями, як зацькований вовк. — Проскакуй з дитиною швидше, — кажу дружині. — Не дай Боже, брязне на голову.

І взагалі у мене останнім часом таке відчуття, що десь глибоко піді мною двигтить земля. Чи це під людством.

Горить Кабул. Димлять руїни веж у Нью-Йорку. Поліція в Пакистані стріляє у демонстрантів. Демонстранти палять американський прапор. Мільйони біженців сунуть через кордони — свої, чужі, наші. В Сан-Домінґо ридають люди. Над Чорним морем ридають люди. В Алжирі потоп. У Вінниці хтось підриває маршрутки. До землі наближається метеоритний потік. Америка збирається вдарити по Іраку. У Конґо вивергнувся вулкан.

Розпечена магма залила місто. Вибухнула бензозаправка. Кипить озеро, парує смертоносний газ. «Принцесу Сару» захопили пірати. Леопарду вставили золотий зуб. Парфенон під снігом. У овечки Доллі артрит.

Канарка здохла. З Дунаю виліз крокодил.

В Ізраїлі вивели курку без пір'я.

В Італії клонували бика на ім'я Ґалілей.

Прощай, людство! До зустрічі в інших вимірах. Чекаю віртуального літака, як божевільний послів з Іспанії. Одна надія на той літак.

Вже й 2002-й. Рік Коня. Властиво, мій рік. Але він — Темного Коня, а я Кінь терплячий, майже, як віл. Такого, мабуть, у східному календарі немає.

Не люблю цього свята. Новий рік для мене це завжди ще один привід відчути свою самотність. Родина, рідні — це найближче, моє. Але людина потребує ще й свого ширшого кола. Прибився, правда, Лев, інвертований на пустелю. Він помітно схуд і змитарився, пережив якийсь свій особистий облом. Зняв ляльку з подіуму, а тепер має. Лялька завела собі крутого, стильним дєвочкам потрібні круті. Тож урвав полу, все їй залишив і тепер десь винаймає кімнатку за пів своєї зарплати. Працює у тому ж видавництві, воно вже трохи оговталось, переорієнтувалося зі збиткової української літератури на «Камасутру» і «450 способів досягти оргазму», так що тепер уже більш-менш платоспроможне.

Також прийшла Борьчина мати з Борькою. Їм тепер нема куди йти, вона всього боїться, хоча чого вже тепер боятися? Фірма перейшла в інші руки, конкуренти заспокоїлись, але й друзів поменшало.

Так що ми були не самі, за рахунок чужих самотностей. Ялинка весело мерехтіла. Малий з Борькою гралися в Гаррі Поттера в суміжній — таємній! — кімнаті, час від часу вриваючись до нас у саморобних чаклунських ковпаках, вигукуючи слова магічні й незрозумілі.

Вперше я придивився до Борьчиної матері — вишукана Ґламур, бліде обличчя, ані штриха косметики, на пальцях перстень з димчастим топазом і обручка — мов золоте кільце невидимого ланцюга, яким ця жінка прикута до свого мертвого чоловіка. Вони тепер з Борькою як неприкаяні, охоронця нема, залишився тільки великий, чорний з підпалинами, пес. Жінка мовчазна, стримана, достоту камея з різьбленим профілем.

Мені здалося, що наш Лев задивився на неї. Розмовляти фактично не було про що, ми всі дуже різні. Вирував телевізор, потроху пили шампанське. Хлопці набігались, Борька й заснув у нас.

Під ранок завив пес у їхній квартирі, і Лев, інвертований на пустелю, що у своїх негараздах не втратив ще джентльменських навичок, провів Борьчину матір вигулювати його у вкритий памороззю сквер.

Батько зі своїми зустрічав Новий рік удома, по той бік Дніпра. Тінейджер, як завжди, в інтернеті. У нього вже новий монітор, мультимедійний, на LCD панелі. Кажу їм, — зверніть увагу, у нього ж комп'ютерний синдром, він мружить очі, сутулиться. Вони вже давно звернули, але як на нього вплинеш? Дивиться, як-із-космосу-і-ніяких-позивних.

Зима й цього року аномальна. То дощ хлющить, то раптом заморозки. Так що у нас тепер головний вид спорту — фігурне катання на ожеледицях. Травмопункти не встигають приймати. Руки-ноги у гіпсі, милиці як засіб пересування. Днями мене розвернуло, угнув бампер об парапет.

Місто Луганськ окупували сови. Вдень сидять на деревах, вночі полюють на гризунів. Світять жовтими очима, як ліхтарики з потойбіччя, ширяють в темряві вулиць, тиркаючись об скрижанілий сніг. З'їли всіх мишей і кажанів, тепер голодні коти інфернально нявкають по дворах.

Ще десь у тих краях з'явилися дятли, і не просто дятли, а якісь дятли сирійські. Клюють телеграфні стовпи.

Друг мій пише з-за океану, що у них там теж дивна погода. Промчався ураган зі зливами, потім ударив мороз, — саме під час перельоту метеликів «монархів» на зимівлю, і вони попадали, як скляні, встеливши собою землю на декілька кілометрів. Не долетіли до Мексики.

Він теж ніяк сюди не долетить. П'ять років не бачився з матір'ю, кличе її до себе, але вона стара вже літати. Хотів її провідати, а тут цей нью-йоркський теракт. Мати просить його не літати, особливо з дитиною. У неї хворе серце, каже: «Не переживу».

Благає переждати лиху годину. А лиха година якась безрозмірна. Перший же рік нового століття — суцільна смуга трагедій і нещасть. Та якби хоч смуга, а то ж все сплелося у такий всесвітній вузол, що нема того Гордія, який би його розрубав.

Металева Змія одсичала. Рік Коня обіцяють кращий. Особливо для харизматів і людей творчих, як віщує астролог з ассірійською бородою. Жінки будуть гіперактивні, і взагалі цей рік буде Роком Великих Ставок.

Я особисто вже ставлю тільки на себе і на свою сім'ю.

Дружина дверима не грюкає, не пише Хартій і ґендерних програм, і прокурені гарпії з зубами у два ряди до нас вже не ходять. Покинула свій нефункціональний академічний інститут, перейшла на викладацьку роботу. Принаймні каже, бачиш перед собою молоді обличчя, а не зношені маски вчорашніх теоретиків соцреалізму. Знову пише дисертацію. Інколи навіть радиться зі мною, хоча я й не великий знавець Гоголя і найбільше знаю «Записки сумасшедшего».

Сутеніє тепер рано. Часом затримається, я вже так не хвилююсь — після тої біди з Борьчиним батьком у нас уже є консьєрж, прямо як у Парижі, і не похнюплена бабця чи пенсіонер, а кремезний хлопчина з демобілізованих.

Я вже навіть рідше пишу свої Записки. Я, мабуть, і писав їх від самотності, за браком свого власного життя. Бо що в мене було? Будні, обов'язки, смерч інформаційного поля. Жив, як запряжений. А тепер у мене є вона. Це ж треба було так втратити одне одного, щоб тепер знайти! Зійдемося увечері, не наговоримось, новини дивимося разом, не вмикаючи світла, і рука моя мимоволі блукає (як там у Довженка? — коли хлопці й дівчата заворожено сидять під місяцем, а руки їхні блукають по заборонених сферах), і настає мить, коли я не витримую, несу її на руках до канапи, ми любимось у відсвітах світових катаклізмів, у стрілянині, зойках і вибухах — якось особливо жагуче відчуваєш жінку на цій фонограмі світового безумства, — потім я дистанційно вимикаю той гримучий блокбастер і ми поринаємо в сон.

Розумію тепер, чому я раніше так реагував на все, чому так прискіпливо стежив за подіями, — я думав, що від мене ще щось залежить. Це ще інерція радянських часів, бо яка б там не була та радянська влада, а вона зі шкільної парти втовкмачувала всім, що «человек — это звучит гордо». І хоч би як вона того «чєловєка» знікчемлювала, як би його не принижувала, а в нього все була ілюзія, що він звучить гордо. А тепер він не звучить гордо, він ніяк не звучить і ні на що не впливає. Тепер єдиний критерій — умовні одиниці. Відтак безумовних цінностей нема. Але куди ж вони так швидко поділися, якщо вони були?!

Десять років державі, стільки депутатів і партій, патріотів і лідерів, а ні засад, ні цінностей, ні ідеології.

Я не знаю, це якийсь диявольський план чи просто так вийшло?

Приснився дятел, що клює націю в скроню. Дятел був як дятел, дзьобатенький і пістрявий, а нація якась аморфна, розпливчаста, і все підставляє скроню.

Я почав відчувати вік. Йдеться ж не до тридцяти, береться на четвертий десяток. А там далі, кому я буду потрібен у цих ринкових умовах? Все частіше себе питаю: де ж поділося моє життя? Чому розтанула моя глибока лінія долі?

Працюю тепер на одному зі старих, дивом ще уцілілих заводів. Умовно його для себе називаю «Кварк», хоч назва в нього колишня, гучна й наукова, але він їй відповідає не більше, ніж цей химерний гіпотетичний кварк. Словом, «Три кварка для містера Марка», як там кигикнули ті чайки у Джойса. Робота майже та ж сама, що й раніше, тільки ще рутинніша, і платять удвічі менше.

— Нічого, — каже дружина. — Аби здоров'я.

Вчора ми повінчалися у маленькій автокефальній церкві. Дружина спершу здивувалася: стільки років одружені і раптом вінчатися. Але я наполіг. Ми всі вискочили з Радянського Союзу нехрещені й невінчані, без благословення, сповіді і причастя. Тепер багато хто надолужує — дорослі хрестяться, одружені вінчаються. Бо що таке штамп у паспорті? Це зафіксований соціальний стан. А є ще й потреба душі — шлюб має бути освячений. До чого були дійшли, сама собі купила обручку. Мені таки добре допекла тоді та обручка. І дружина згодилася.

Вінчалося кілька пар — молоді й підстарші, йшли, як у полонезі, одне подружжя зовсім уже в літах, однак почувалося невимушено й природно, не так зніяковіло, як ми. А надто коли стояли під вінцем і дружби тримали над нами корони — над нею Ґламур, наді мною Лев, інвертований на пустелю. Я думав, він буде іронізувати, коли ж ні. Спокійно й серйозно тримав над моєю головою той царський вінець. Може, тому, що поруч була Ґламур.

Коли нам подали дві золоті обручки і ми обмінялися ними, я одяг їй, а вона мені, ми зустрілися очима, її очі сміялися. Ось тепер уже все по-людськи. Тепер уже й ми, як птахи, окільцьовані долею.

Малий наш ходить у школу, з Борькою в один клас. Борьку не впізнати, дуже чемна дитина. Один лише раз натер дошку парафіном і разів зо два замінував школу по телефону.

Тінейджер їздить на олімпіади, привозить призи й дипломи, і вже отримав запрошення у якийсь комп'ютерний Центр, чи то в Польщі, чи десь в одній з країн Балтії, його ж не допитаєшся.

Підручників не вистачає. Книжки шалено дорогі. Та тепер вже й не модно читати. Тепер модно ловити кайф. Хто тепер читає Флобера, Байрона чи Шекспіра? Кому тепер цікавий такий Ромео, — мало було у Вероні тьолок? Запав на якусь пискуху і віддав кінці. Або той Гамлет — «Бути чи не бути?» Звичайно, бути, мать його за лапу. Замочив би того Клавдія і жив на повну, чого було кіпеш здіймать? Тепер час просунутих. Час рімейків, сиквелів і адаптацій. Кажу батькові: — Скоро література взагалі не буде потрібна. Що ж ти перекладаєш класику? Хто буде читати великих?

— Ні, — каже батько. — Ти не бійся. Людство ніколи не відмовиться від того, що воно любило в собі.

Стоїчне покоління. Не те, що наше.

Ми можемо втратити Україну. Ми вже фактично її втрачаємо. Ми нездатні протистояти, ми не знаємо, на кого й на що спертися у цьому суспільстві, воно хистке й захланне, інфіковане тліном мертвих ідеологій, поляризоване за принципом поколінь, сконфронтоване соціально й національно, навіть реґіонально, — а ми, що зробили ми? — ми, покоління у силі віку, ми, ніби ж уже громадяни вільної країни, ми, ублюдочні катастрофісти своїх особистих драм, сипонули урозтіч по світах, або сидимо тут, скніємо, чекаємо, поки нам усміхнеться доля.

29 січня. День пам'яті Героїв Крут. Ходив з малим на Аскольдову могилу, треба ж колись приступати до національного виховання. Хотів розповісти йому про наші українські Фермопіли, про тих героїв — їх було триста, як і спартанців, — молодесеньких, необстріляних, що вступили в бій з п'ятитисячною армією Муравйова і полягли юними обличчями у закривавлений сніг. Як з них уже й з мертвих знущалися. Добивали багнетами, виколювали очі, стріляли розривними кулями, а двоє друзів обнялися перед смертю, і їх поховали в одній могилі.

Але він так гарно з'їжджав з гірки, так весело обстрілював мене сніжками, і гадки не маючи, що бігає по кістках, що я подумав: «Боже! Що ж це ми своїм дітям віками розказуєм про героїв і про жертовні подвиги? Вони ще ж тільки-но почали жити, а ми їм про трагедії й поразки, і неспокутуване блюзнірство зарівняних могил!

Хай грається, хай кидається сніжками...»

Може, хоч це покоління виросте не для поразки?

Якщо, звичайно, захоче за щось боротися.

Он ті хлопці з 9-го мартобря боролися, тепер сидять уже майже рік. Суспільство й не сколихнеться. А якби хто й обурився, підняв голос протесту, на нього подивилися б як на божевільного. Суспільство уже не хоче, щоб його на щось піднімали, його уже не цікавить ніяка форма протесту. Старі хочуть більшої пенсії. Молоді класного кайфу. А такі, як оце я, недоумки, все чогось рефлексують.

Час від часу увага суспільства гальванізується — то від чутки, що хтось когось убив, хтось прокрався, у когось гроші у швейцарському банку, «хатинка» на Кіпрі, і знову штиль. Всім не до того. Всі мляво обурюються. Не зачепила й чутка, що ті хлопці з 9-го мартобря оголосили голодування, що їх уже мали судити, але суд відкладено, бо один знепритомнів і вдарився головою об ґрати.

Будь-яке громадянське почуття атрофувалося.

— Це якби в шістдесятих, — каже батько, — ми б уже були під в'язницею, били б кулаками по воронках. Допомогло б чи не допомогло, але принаймні влада знала б, що хтось її не боїться.

Вони таки справді були заанґажовані, ті шістдесятники. Заанґажовані в добро, в справедливість, в поняття честі й солідарності. Крізь них ніби світилася Україна, відтак не виникало сумніву, що вона є. А тепер тільки й того, що ще не вмерла, як співається у нашому Гімні.

Сходить зі світу батькове покоління. Зносить Океан Часу останніх незабутніх людей XX століття.

Наприкінці січня померла Астрід Ліндґрен, і тепер її іменем названо одну з небесних планет. Шкода, що наш малий вже не відкриє для себе цю чудесну планету. Ні цю, ні Сельму Лаґерльоф, ні навіть казку мого дитинства — Андерсена. Добре, що хоч Гаррі Поттера читає.

Щось вичерпується у людства. Людство й не помітило, що перестало створювати казки, і навіть розповідати їх дітям на ніч. Є в нього і Ейнштейн, і Ґейтс, і глобальна мережа, і космічні станції. Є Міккі Маус і Гаррі Поттер. Але немає Андерсена. Як помер понад століття тому, так більше й не з'являвся.

Тільки на одній з тихих вуличок Данії залишилися ледь обведені сліди його підошов...

Нова ера набирає динаміки. З кожним днем вона все новіша.

Минуле сторіччя завершилося тим, що якийсь чоловік покусав собаку. Тепер це вже річ звичайна. Дві пані похилого віку покусали одна одну. Якась дівчина у Берліні куснула власника магазину за тім'я. Кількість взаємно покусаних людей зростає, топографія укусів урізноманітнюється.

Метал як крали, так і крадуть, тільки ще з більшим розмахом. Це вже не дроти, гвинти, не секції цвинтарних огорож. Тепер вже цуплять і електродвигуни з ліфтів. Тягнуть металобрухт з Чорнобильської зони, з артилерійських складів.

Десь украли вагон металу, десь зняли рейки з колії. Десь розібрали понтонний міст і продали залізні конструкції. У південних степах розтягли зрошувальну систему. Замірялися на унікальний радіотелескоп під Харковом. У Херсонській акваторії притопили щойно збудований корабель — вночі підпливли безшелесно, відкрутили все, що блищало при місяці.

Подекуди навіть виникла проблема відкритих каналізаційних люків. Можна йти по вулиці і, як в останньому акті трагедії, провалитися в люк.

В американських аеропортах вибухівку шукають вже навіть у черевиках. Триста рейсів затримали у Сан-

Франциско, бо на підошвах у котрогось із пасажирів виявили сліди підозрілої речовини. А він, може, ні сном ні духом. Тепер багато в що можна вступити — в бруд, кров, радіацію, в білий порошок, у метил, тротил, аміачну селітру.

Це вже така епоха, треба звикати.

Вчора по той бік Дніпра щось бабахнуло. Дзвоню до батька, питаю: — Що сталося? Це близько від вас? — Ні, — каже, — далеко. Але шибки деренчали. — Потім стало відомо, що це в роздягальні тренажерного залу був закладений вибуховий пристрій. А опостінь у кімнаті школярі дивилися телевізор.

— Хоч не випускай дітей на вулицю, — каже дружина. — А як же в тих країнах, де постійно війна?

— Нічого, — кажу. — Один французький інженер для дітей в «гарячих точках» винайшов протимінне взуття. Треба закуповувати великими партіями. Щоб дітки могли до школи ходити, раз дорослі їм забезпечили такий світ.

А так, в цілому, час минає спокійно, бо тепер, що б де не сталося, все відскакує від свідомості, як град від підвіконня.

У неділю повів малого в Лавру. Сніг, сіре небо, золоті бані храмів. Красиво. Розповідав йому трохи з історії, трохи з легенд. А якась бабця, підпираючись костуром, все кружляла навколо нас, як підбита ворона. Я думав, може, вона просить, як це буває при храмах, а вона одскочила до групки таких, як сама, і, показуючи на нас костуром, каркнула: — Разговарюють по-украінскі! А здєсь же нізя! Здєсь же святая православная Лавра!

Як я поясню це малому? Це ж не кожний дорослий зрозуміє — чому українська мова протипоказана святій православній Лаврі? Та й не тільки українська, і не тільки мова. Це ж ті самі кликуші, що робили хресний хід проти приїзду Папи Римського. Ті, що проти всіх і проти всього, що не є в їхньому розумінні російським, а тому небезпремінно святим. Це ж навіть і не вони — самі б вони не додумались, — це їхні дрімучі душі акумулювали в собі хронічні вже у віках заряди ксенофобії.

Привид ходить по Україні, привид шовінізму. Часом він вилазить на трибуну і вимагає другої державної мови. Часом стрибає по снігу, як підбита ворона, підпираючись костокрилим костуром. Часом курсує в коридорах влади в костюмі від Версаче. Часом вищирюється з нахабної фізіономії заїжджого гостя, часом з простодушної пики тутешнього неандертальця. Часом прикидається президентом, часом народним депутатом. Часом б'ється з іншими привидами, і тоді зчиняється великий бедлам.

А до чого тут ми? До чого тут Україна?

— Це ж не Україна, — каже Лев, інвертований на пустелю. — Це пень розпаденого Союзу. Через те й змії кишать.

Він має рацію.

Україна пручається, як Лаокоон, обплутаний зміями. Вона німо кричить, але світ не чує. Або не хоче почути.

Стрімко наближаються вибори. Це як цунамі, ураган, самум. Мабуть, час їм давати вже імена і визначати ступінь руйнації. Минулого разу це був Леонід, тепер насувається Рада.

Карлики заметушилися в ящику, забігали, залопотіли, хочуть вирости в наших очах. Влада, влада, нічого крім влади! Вони пропонують себе, нав'язують. Вони рекламують себе як товар. Вони прикрашають себе, як свинячу голову хріном. Бубонять по радіо. Усміхаються нам з білбордів. Дбають про наш соціальний захист. Визначають нам прожитковий мінімум.

Тобто — мінімум для прожитку. Навіть не для життя, для прожитку!

Хто має право нам, людям, визначати мінімум?! Ті, що собі призначили максимум? Пільги й курорти, прибутки і надприбутки, стратегічні об'єкти й копалини, і землю, — нам вона Батьківщина, їм — бізнес-територія. Фактично це навіть і не політика, це камуфляж їхніх там інтересів. Вони купують собі місця у парламенті, обсідають його цілими кланами, втягують туди своїх братів, сватів, кумів, коханок, масажистів, шоферів, зміцнюють свої лави спортсменами типу приматів на випадок силових протистоянь. Вони ж там, як тет-з-тетом, з криміналітетом. Підім'яли під себе суди. Захопили інформаційний простір. За деким в'язниця плаче, але ж вони недоторканні. Їх ніхто не може звільнити, відкликати — уже як потрапив у коридори влади, так уже й курсує довіку. Або заляже, як Мінотавр, і ні з місця. Обвішуй його орденами, вшановуй, бо він звик.

Цілителька Аль-Ґалія радить із телеящика — для очищення від скверни тримати в хаті тоненьку свічку. Але ніяка свічка не допоможе, насувається ураган «Рада». Злітаються різні круки, консультанти й політтехнологи. Аналітики б'ють на сполох. Прохіндеї продукують ідеї. Компромат фонтанує, як у Долині Ґейзерів. В очах електорату двоїться й троїться. У страшному сні ввижається адмінресурс.

Вчора у Верховній Раді шукали вибуховий пристрій. Сьогодні був обстріляний автобус із членами блоку леді Ю. Саму її дедалі частіше викликають до генпрокуратури, проти неї порушено вже кілька справ. Сьогодні по дорозі до суду вона потрапила в аварію. На перехресті узвозу і траси хтось на когось наскочив — її машина чи на її машину, чи, як завжди, незрозуміло. Той водій зник. По телебаченню показують розбитий чорний «Мерседес».

Президент балакає про реформи. Депутати дивляться у вічі народу (з телеекранів). У шахтах вибухає метан. У Європі вводиться євро. У країнах азійських з'явилася нова смертоносна інфекція. І хоч рік уже не Змії — якогось любителя рисової настоянки у Китаї вкусила маринована гадюка.

Місяць ковзнув, як по ожеледицях.

Байбачок Філ у Пенсильванії сахнувся своєї тіні і заліг ще поспати. Отже, весна буде пізня. У нас інша прикмета. «Байбак свиснув», — було каже теща.

І оце вже аж тепер, у лютому, рік східний, китайський, рік Темного Коня.

У нас — Рябої Кобили. У нас вибори. У нас постійно якісь вибори. Ми ще не встигли стати вільними людьми, громадянами, як нас уже перетворили на щось абстрактне й немисляче — електорат.

Ми ж їх обираємо не тому, що хочемо обирати, а тому, що вони хочуть бути обраними. Вони маневрують і маніпулюють, вдаються до найпаскудніших технологій. Висувають відомих і невідомих, підставних і технічних. Гальванізують неіснуючі партії. Створюють ситуативні блоки.

В очах рябіє від однофамільців. Жоден орнітолог не розбере, хто з десяти Горобців головний Горобець. У Криму висувалося три Грачі.

Одна брюнетка на Сході України змінила своє протослов'янське ім'я на Усаму бен Ладена, висунула себе в депутати і на доказ своєї політичної спроможності зробила стриптиз у прямому ефірі.

Виникають партії «диванні», партії-клони, партії заклично лозунгового типу: «За красиву Україну», «За єдину Україну», її вже назвали скорочено — «За єду».

Десь навіть об'явився кандидат на прізвище Сталін.

А один блок називається «Проти всіх».

Наш президент повернувся з Уренґоя і, обвіяний вітрами Сибіру, сказав, що вектор руху України і Росії співпадає. Тут же створилася депутатська група «До Європи разом з Росією!»

Це як той вершник у Гоголя, що вже й коня повернув, а їде «в противную сторону и все вперед».

Зійшов місяць уповні. Дружина в такі ночі не спить. Хтось у її роду був лунатиком не лунатиком, по дахах не ходив, але котрась із її прабабусь виходила поночі в сад і вносила яблука з заплющеними очима. Тому їй ставили з ночі перед ліжком миску з водою. Тільки-но місяць покличе, вона, як сновида, встає, опустить ноги в холодну воду і зразу очкнеться, і вже тоді спить, вранці нічого й не пам'ятає.

Я щільно затягую штори, щоб цей магічний проектор не світив їй в обличчя, я її пригортаю, як пташку, і ми тихенько говоримо, поки вона не засне. Вночі вона така ніжна, де й дівається її денна різкість, вона тулиться й щось шепоче, вона піддається шовковим припливам пристрасті, потім засинає, і вранці її личко світиться, як порцелянове. А цеї ночі процитувала письменницю, здається, англійську, яка сказала, що у своєму житті треба залишати місце й для свого життя. Така ніби проста істина, але можна вік прожити й не знати. У моєму житті для мого життя місця не було. Я його віддавав, роздавав, у мене його відбирали.

Єдиний, хто мені повертає життя, — це вона.

Шкода, що вже не йде «Маленька ніжна соната для жінки, чоловіка і троля». Але у нас є вже своя власна ніжна соната.

От тільки чимало клопотів завдає наш малий троль. Хлопчик вродливий, мамина генетика, але вчитись не хоче. Колись на гречку ставили, тепер нема тої гречки, що змусила б до науки. Що його цікавить, що він любить, вловити не можу. Здається, крім гульні й комп'ютерних ігор — нічого. І дуже все переймає. Борька почав заїкатися після смерті батька, і наш заїкається, хоч я ж, дяка Богові, живий.

У мого батька в його теперішній родині інша проблема. Їхній Тінейджер абсолютно некомунікабельний. Вчиться добре, не лінується, але він живе у якомусь віртуальному світі. Коли не прийдеш, він за комп'ютером. Або в навушниках. Я думав, що він слухає музику, скачану з інтернету, а виявляється — ні. Він слухає голоси природи — шум вітру, шум води, щебетання пташок.

У нього вже є віртуальна наречена, чарівне мініатюрне дівчатко, — вони поберуться там, у віртуальній країні на острові Косумель, хай підросте. Усміхається йому у віртуальному просторі, говорить незнайомою мовою, в якій багато звуків «ау». І так з ним пересвистується, наче вона з того племені на Канарах.

14 лютого. Сьогодні день поминальний. З'їздив на два кладовища. У тещі барвінок зеленіє під снігом. У матері на могилі тріснув від морозів хрест.

І сьогодні ж День Усіх Закоханих. Отакий збіг. І закоханих, і поминальний. Знову навідав нас святий Валентин. Знову пишуться валентинки, проводяться конкурси найтриваліщого поцілунку. Дехто навіть одружується в цей день.

То, може б, уже перейняти й Вальпуржину ніч у німців, якраз під свято усіх трудящих 1 Травня? У нас же теж є Лиса Гора. Чи святого Ісидора Севільського, покровителя інтернету? Правда, тоді ще інтернету не було, але святий Ісидор дуже любив науки. Однак ми вподобали собі саме Валентина — куди дивиться Московський патріархат, такий чутливий до інших конфесій? З'явилося навіть припущення, що він і похований десь в Україні, причому зразу в трьох місцях.

Те, що син Моцарта жив у Львові, це факт. Що Захер-

Мазох родом з України, і Малевич, і Конрад — теж факт. Навіть Роккі Більбоа, «італійський жеребчик», він же Сильвестр Сталлоне, а і його мати шукала свого коріння в Одесі. Але щодо святого Валентина, дайте спокій, сподіваюся, що він і похований десь в одному місці, і його голова при ньому.

Моя дружина знову отримала загадкову валентинку без підпису. В мені прокидається Отелло. Але я нічого їй не сказав, не хочу бути смішним. Зрештою, я навіть розумію того консула. Кожен мужчина, крім своєї домашньої Єви, має в уяві свою недосяжну Ліліт.

Холодний протяг неіснуючих днів висвистує все із пам'яті.

Колись була п'єса, я вже й назву її забув, і автора, а епіграф пам'ятаю: «Куди зникають всі дні?» От ніби наївне дитяче запитання, але ж і справді — куди зникають всі дні?! Живеш, переймаєшся, на все реагуєш, а згодом озирнешся — уже й не згадаєш, що коли було і чи взагалі було?

Дата сьогодні предивна — 20.02.2002, рідкісний паліндром. Подібний був тисячу років тому — 10.01.1001, а буде знов через тисячу — 30.03.3003. Важко проходив світ крізь цей паліндром. Мов крізь вузьку горловину часу. І дехто застряв, як той поїзд «Каїр—Луксор» у Єгипті, що зайшов у тунель і не вийшов, заблокований димом і полум'ям. «Єгипетський тунель смерті» назвали цю катастрофу. Загинуло майже 400 чоловік.

Але забудеться й це. Мозаїка світу мерехтить, сяє, обсипається. Із порохів, з диму, з темряви постає інша, омивається дощами й кров'ю, і знову проступає нова. Колись обсиплеться й наша мозаїка. Щодня хтось заходить у свій смертний тунель.

Наразі це американський журналіст Даніел Перл, викрадений у Пакистані, а тепер вже відомо, що й убитий, у якого залишилася вдома вагітна дружина.

І тисячі, може, й мільйони людей на планеті, яких щодня, щохвилини хтось невблаганно викреслює з Книги Буття.

— Думай в хорошу сторону, — нагадує дружина колишні тещині настанови.

Вона підходить до мене, прилягає мені на груди, обдавши пахощами своїх парфумів — чи то вечірня фіалка, чи терпкий і п'янкий «Едем». Раніше сказали б: «Я втрачаю від неї голову», тепер кажуть: «Я торчу».

А я старомодний. Я втрачаю від неї голову. Я називаю її доленька й зіронька. Я часто думаю: «За що мені таке щастя, щоб любити дружину як коханку, щоб шаліти від неї, щоб додому поспішати, як на побачення?!»

Вчора приніс їй оберемок рожевих тюльпанів. Завдяки преподобній Ґорґонії знову три вихідних.

Але помічаю: останнім часом їй надходить щось забагато листів. Я не питаю, від кого, хоч бачу, що вона реагує на них нервово. Одного разу навіть порвала на дрібні шматочки — невже вона думає, що я здатен на домашню перлюстрацію?

А це ось прийшов лист, я сам його вийняв з поштової скриньки. Вона при мені розірвала, з конверта посипалася глиця. Спасибі, що не білий порошок. Але чому — глиця? Може, це натяк, якась тільки їм зрозуміла мова? Спогад про якусь зустріч у лісі, незабутню новорічну ялинку? Фантазія моя розігралась, я боявся, що у мене здурніє обличчя і вона помітить.

— Це не те, що ти подумав, — сказала дружина, підмітаючи глицю. — Це колишня моя колега, вона чомусь усім розсилає.

Я пригадую цю жінку. Така мила, скромна, інтелігентна, пише дисертацію про шістдесятників. Хотіла зустрітися з батьком, але батькова дружина категорично відмовила: — Він не об'єкт для досліджень. У вас є науковий керівник, звертайтесь до нього.

А в неї наукового керівника все одно що нема. Ні, він не поїхав у Буркіна-Фасо, він депутат Верховної Ради, вона його бачить по телевізору. Тому потребує поради, звертається до колег, хотіла б знати батькову думку. Але його дружина завернула їй бандеролі. Нащо йому читати ці теперішні опуси про шістдесятників? Це писання з позицій зовсім іншого досвіду, більш чи менш об'єктивна препарація їхньої долі. Холодні наукові викладки, а молодість була красива й гаряча. Дикі бувають інтерпретації. Або й злісне сичання, хтось ще їм і заздрить. Батько через це перейшов стоїчно, хоча, я думаю, йому не раз бувало боляче. Так що цю дисертацію частинами читає моя дружина, добросовісно править, робить позначки на маргінесах.

Недавно поскаржилась:

— Розумієш, така велика робота, блискучий категоріальний апарат, а зі смислу зісковзує. От ніби є все, а нема нічого.

— А ти не читай, — раджу я.

— Ну, як же, колега.

Одного разу прийшло три бандеролі поспіль. А це ось конверт із глицею. Потім пішли якісь загадкові тексти, що вона на прямому зв'язку з космосом, у неї паранормальні здібності і за це її хочуть знищити. Далі почалися нескінченні телефонні дзвінки, спершу ми брали слухавку, потім перестали, і я змушений був купити телефон з автовідповідачем.

Усе це нас досить-таки вибило з колії. Дружина вже просто здригається від тих дзвінків. Автовідповідач не вмовкає, блимає червона кнопка, у квартирі постійно лунає чужий намогливий голос, ми дивимося одне на одного і розводимо руками.

Європа ввела шумові обмеження для літаків. Летиш над Європою — уважай, внизу люди. А нас тут глушать, як рибу в ставку. І не так літаками, як бедламом у парламенті, бедламом усіх цих виборів, бедламом у голові громадян. Кави нормально не вип'єш, увімкни брехунець на кухні, все тебе чимось приголомшать. А тут ще й ці безперервні дзвінки.

Афганістан знову трясе, особливо гірські райони. Кілька селищ опинилося під завалами зрушених скель, рятувальники не можуть дістатись. Мало того, ще й зверху бомби летять. Бої ведуться в районі печер. Американська операція в Афганістані називається «Анаконда». Але ж до чого тут анаконда, величезна змія з родини удавів, що водиться десь у тропіках, живиться рибою і молодими крокодильчиками, — вона ж присохне до тих кам'янистих гір, як присохли були англійські чоботи, присохли радянські.

Байбак свиснув, а весни немає. Холодно. Дружина кутається в плед. Щоп'ять-щодесять хвилин деренчить телефон і щось нагукує з апарата її схибнута колега. Вчора вона повідомила, що за нею стежать з даху сусіднього будинку і вже зробили дистанційні заміри. А сьогодні — що вона розкрила змову Ізраїлю з Москвою проти України шляхом схрещення космічних парабол, треба негайно вживати заходів, але вона вийти не може, вони беруть двері штурмом. Вимагає її кудись вивезти, звинувачує у байдужості. То їй двері палили напалмом, тепер вже під двері підведений струм. Виношується ідея злому, ведеться ментальна війна, але у них є стамеска.

Опівночі вона прокричала, що над Києвом радіоактивна хмара, — негайно вимийте вікна і зачиніть усі кватирки!

Я не витримав, зняв трубку, спробував їй пояснити, що не можна ж так, дитина спить, мені вранці на роботу. Вона чемно вибачилась, а вже о п'ятій ранку тишу знову розпанахав телефонний дзвінок, і той же зірваний голос прохрипів, що в неї повний рот радіації, що за нею ходить радіоактивний потік, і вона змушена зачинитися з телефоном у ванні.

Дружина моя від цих дзвінків як зацькована, це вже тягнеться третій тиждень, ми не знаємо, що робити.

Річ у тому, як мені пояснили, що оскільки радянська влада порушувала права людини, запроторюючи до психушок людей нормальних, то тепер у нашій демократичній країні навіть хвору людину до психлікарні не візьмуть без дозволу її близьких. А ті близькі чи порозбігались, чи вже махнули рукою, — то що ж можемо вдіяти ми, сторонні? Я вимкнув телефон і, оглушені за ці дні дзвінками, ми сиділи у такій незвичній тиші і думали, який це жах. Людина акумулювала в собі всі подразники, всі кошмари того й цього часу — КДБ, радіацію, напалм, зомбування, корупцію, паранормальні явища, загрози, вибухи і постійний стрес, психіка не витримала, хруснула.

Між іншим, Юнґ ще коли попереджав, що світ висить на тонкій ниточці людської психіки. І що надалі не війни, не катаклізми, не техногенні катастрофи, а саме це перевантаження психіки, її невідворотний зрив криє у собі найбільшу небезпеку для людства.

Зайшли на виставку актуального мистецтва «Клінічна антропологія». Експонувався альтернативний психоз. У буклеті так було й сказано: «Своєрідний штучний психоз, щоб подолати психоз справжній». Тріумф деструкцій, апофеоз параноїдального мислення. Наче у художника в голові розірвалася бомба.

Дружина обурюється: «Ренуар писав людей, як прекрасні плоди. А тепер все зводять до руйнацій, до розпаду, до тваринного стану. Що це дає людству на перспективу?»

Раціоналістка. Неодмінно їй перспектива. А ти відчуй алґоритм безвиході. Естетику перероджень. Чому ж постмодерне мистецтво? Бо постмодерне життя.

В суботу я все-таки спробував увімкнути телефон і відскочив, як вдарений струмом, — наче увімкнув не в розетку, а зразу в голос, різкий, роздратований, дзвонила знову вона, я озирнувся на свою зблідлу дружину і буквально заблагав: «Ради Бога, у вас же є родичі, близькі вам люди, чого ж вони кинули вас напризволяще?!» Вона обізвала мене дурнем, і я знову висмикнув шнур.

Отакі наші людські справи. І це ж не поодинокий випадок, це почалося давно, спершу потиху, непомітно, а тепер набуло масштабів. Я, коли був у Москві, ще за часів перебудови, їздив на студентську олімпіаду, — бачив таку картину. На сходах головпоштамту стояв юнак і схвильовано звертався до людей, що його обступили: «Ви мені скажіть, від мене ж приховують, я син Горбачова чи ні? Я не питав би, але ж мені у живіт вмонтовано датчик, я ж транслюю державні таємниці і можу підвести Михайла Сергійовича».

Симпатичний хлопець, пристойно вдягнутий, без особливого блиску в очах, нормальні рухи, — він просто благав притихлих людей: — Я вас прошу, скажіть, це буде між нами. Якщо я син Горбачова, то яке ж вони мали право вмонтувати мені цей датчик? Я ж ходжу і транслюю, я ж можу видати секретну інформацію!

— Та не вірте йому! — обурився якийсь старший чоловік. — Якби він щось транслював, у нього на голові була б антена. А де в нього антена? Антени ж нема!

Це виявилось настільки переконливим, що всі почали розходитись. Я теж пішов, відчувши потребу помацати голову, чи немає у мене там антени.

Час від часу у Києві з'являється жінка, яка всіх закликає садити горіхи, бо це дерево сакральне, посіяне з космосу, про що свідчить форма його плодів, що нагадують звивини людського мозку. Отже, необхідно створити всеукраїнський рух «За горіхи!», щоб усі їх садили й вирощували, і якнайбільше споживали, бо це додасть звивин до мозку нації, і Україна буде врятована. Одного разу вона зупинила мене на вулиці, умовляла, переконувала, і я пообіцяв їй посадити у себе під вікнами горіх. І тепер щоразу саджу його подумки, коли чую засідання Верховної Ради або виступи наших посадових осіб.

А тут ще ці постійні шоу, хіт-паради. «Золота фортуна», «Людина року», «Бренд року», той же «Прометей-престиж». Наразі «Людина року». Музика грає, публіка аплодує. Комерційні наяди підносять дорогі презенти від фірм. Панство панству вручає премії. Тому за заслуги, тому за звитяги, тому за вірність Вітчизні, тільки невідомо, чиїй. Трудову еліту нагороджують «Кришталевим рогом достатку», когось із м'ясокомбінату орденом Грушевського, президента макаронної фабрики почесним дипломом рейтингу. А типаж! Куди там колишні Дошки пошани — Зевси важкої металургії, Гермеси енергетики, Меркурії торгівлі, Аполлони шоу-бізнесу, — Боже, скільки народ має достойників, чого ж він так недостойно живе?!

— Розумово відстала нація, — каже Лев, інвертований на пустелю. — Дозволяє сидіти у себе на голові. Значить, кращої долі й не заслуговує.

Мені важко з ним говорити. Я відчуваю якийсь резон у його словах, але краще б він не приходив.

Третя річниця з дня загибелі Чорновола. Ще одна загадкова загибель. Справу тоді швиденько закрили, кваліфікували як нещасний випадок. Сьогодні відкрито пам'ятник. Зняли покривало, як саван. І він ожив, кам'яний.

Мій батько добре його знав, вони майже ровесники. Каже, гарний був хлопець. Природжений лідер, з тих борців за Незалежність, на честь яких закладено Парк. Загинув напередодні виборів, президентських. Батько не вірить у випадковість його загибелі — у пустелях тієї ночі, на безлюдній дорозі, коли КАМАЗ із причепом зненацька розвернувся впоперек траси, і автівка на повній швидкості врізалася в той причеп... Ніхто не вірить.

Пшеницю, розсипану з того причепу, довго ще на тій трасі колеса впресовували в асфальт. Потім там на узбіччі поставили кам'яний хрест. Це вже така доля українців — ставити хрести на місцях нерозкритих убивств.

Кінець березня. Цього разу зі всіх стихійних лих національного масштабу відбулися тільки вибори. «Я пішов би в зорепади»— як співають хлопці з «Піккардійської терції». Але пішов на вибори, з якогось органічного вже почуття обов'язку. От не хочеш, а йдеш.

І всі так прийшли. Не пошкодували вихідного дня, черги були довжелезні, але люди стояли, вони прагнули віддати свої голоси. Вони все ще сподіваються, що ось цього разу таки вдасться обрати достойних і щось зміниться.

Мало горіхів їдять. Нічого не зміниться. Знову обрали тих самих, отже, буде те саме. У нас є така стабільна обойма, яка завжди проходить. Моя теща називала їх проходимцями.

У Вашинґтоні зацвіла японська вишня.

На мосту в Сан-Франциско якийсь дивак захопив у заручниці свою дружину.

У Нідерландах узаконили евтаназію, тобто милосердне вбивство. Бо немилосердне вже узаконене скрізь.

А на Канарах повінь. На тих далеких нереальних для мене Канарах цілком реальна повінь. Населення Санта-Крус сидить без електрики. Закриті аеропорти, залиті пляжі.

Як там те моє плем'я, що пересвистується? Воно ж, мабуть, не потребує електрики, воно ж десь високо в горах, йому там світять кокоси й банани. Його там обступили дикі хащі й драконові дерева, і стежки заплели ліани, й над прірвами немає мостів...

А може, воно вже існує лише у моїй уяві. Може, воно давно вже не пересвистується. Хлопці пішли у комерцію, а дівчата продають смагляву екзотику своїх тіл у нічних барах.

Передвиборні білборди потроху злиняли, до наступних виборів. Все опосіла знову реклама. Вона врізається в найтрагічніші кадри світових новин. Вона перериває фільми, концерти, прес-конференції. Зрештою, вона перериває моє життя, я не хочу її в таких дозах і децибелах.

Але вона міниться, мімікрує, шукає найулазливіших форм. Вже є співана і танцьована, інтонаційна й звуконаслідувальна. Її вже вплітають у двозначні натяки, карколомні трюки і античні сюжети. Олімпійські боги дудлять вітчизняне пиво. Махають крильцями гігієнічні прокладки. Пританцьовують пральні машини. Співає арію бутерброд.

Я вже, як Одіссей, хотів би залити вуха воском.

В очах мигтить біжутерія, мазі Мертвого моря і сметана «Президент». Вібромасажні крісла, дихаючі підгузки «Libero», чіпси «Екстрелла», продукція фірми «Дриґало» і «Шкварки від Одарки, європейська якість». Чай «Маброк» і аж три чайні принцеси — «Канді», «Нурі» і «Ява». Препарат з рогів північного оленя і губна помада, цілий патронташ. Патрони, як налиті кров'ю — червоні, рожеві, пурпурові, багряні. Пробі, мене розстрілюють косметикою!

Вже рекламують морозиво у вигляді фала.

Продуктову фірму називають «Баядера», ласощі — «Вкус соблазна Натали», коктейль — «Орґазм крокодила».

А горілок! Цілі горілчані династії з прізвищами на -ов або й на -off. Смірноff, Мягков, Медов, Шустов. Українського продукту теж вистачає, тут переважно історичні алюзії — «Гетьман», «Хортиця», «Холодний Яр», «Княжий келих» або ж любов до природи — «Житомирська на бруньках».

«Первак» рекламують з таким притиском, так значущо, ніби це національна ідея: «Щоб стояв у кожній хаті!» Невже не стоїть?

Словом, була епоха Відродження, епоха Просвітництва, а у нас тепер «Время Шустова», «Время Мягкова». «Час український, напої теж».

Незвична тиша. Телефон не деренчить, автовідповідач замовк — колегу моєї дружини забрали в психіатричну лікарню.

Все одно, як сказав один цілитель: «В людині одночасно дзвенять п'ятсот будильників». Подразників вистачає. Життя навантажує тебе щодалі більше. Недарма на старість люди вже ледве ходять.

Хоча мій батько добре тримається. На роковини тещі вони прийшли втрьох. Тінейджер, як завжди, сидить у навушниках, з ввічливо відсутнім виразом обличчя, слухає голоси природи. А якщо й заговорить, то виключно до малого — інтернет, комп'ютер, іншої теми нема. Що за покоління росте? Якесь беземоційне. Глухе до всього. Аполітичне.

Невже й наш такий виросте? Або ще й гірший. Принаймні Тінейджер хоч не матюкається. А наш як пішов до школи, знову набрався. Італійського «per favore» ненадовго вистачило.

Великдень цього року пізній, майже як і в чорнобильський рік.

А ми молодці, атеїсти, тоді й не помітили, що катастрофа сталася якраз напередодні Страсного тижня, коли розпинали Христа.

Бог усе нам щось хоче сказати, а ми все не чуємо.

Їздили на гробки до тестя. Хотіли взяти й малого, хай би побачив мамину малу батьківщину, поки там все не позаростало. Але передумали — нащо йому бачити таку Україну? Як співає один баритон: «Таку тебе ми мусим берегти, Бо рівної тобі немає!» Думаю, справді немає. Бо де ж іще на планеті є така чорнобильська зона, що там, де й не зона, все одно зона? Блок-пости на дорогах, шлагбауми — тричі нас перепиняли, тричі перевіряли документи. І це ж по трасі, не за колючим дротом, а села мертві, як після атомної війни.

Тут тільки цвинтарі живі — раз на рік, коли люди приїжджають на гробки.

Дивний гомін стояв між хрестами. Колишні односельці христосувались, опоряджали могили, поминали своїх. Лелеки, довго не бачивши людей, радісно клекотіли над соснами. Кладовища тут лісові, дерев'яні хрести високі. На польському кладовищі є й кам'яні надгробки. Дружина плакала, згадувала батька. Він був лісником, його підстрелили браконьєри. Вже після Чорнобильської катастрофи внадилися полювати на лосів, диких кабанів. Ліс і зараз вирубують. Треба було дивитися крізь пальці, серед них було й начальство, а він був чесний чоловік. Беріг ліс. Он і досі стоять годівнички для лосів, які він ставив. Мурашники, які він обгородив. А тепер села обгороджені колючим дротом. Партизанські села. Німці не допалили, свої знищили. Я слухав, обрубуючи чагарі навколо могили. Вона полола й висмикувала бур'яни, оббиваючи коріння об огорожу.

До материнської хати не дійшли — в хащах стежку переповзла гадюка, дружина сприйняла це як недобрий знак, ледве її заспокоїв.

Назад їхали мовчки. Тричі зупинялися біля почорнілих дерев'яних хрестів при дорозі, читали написи: «Поклоніться людям, які колись тут жили!» Ну, поклонилися, а що далі? Так і будуть витісняти людей зі своєї землі? Ось добудують ще ті «компенсуючі потужності» на двох атомних станціях, і там буде зона, і звідти людей переселять, або вже й не переселятимуть, бо куди? Вже ж зона наїжджає на зону.

Був геноцид, був лінґвоцид. А це вже, по суті, етноцид — відняти у поліщуків Полісся і розсіяти їх по світу.

А баритони усе співатимуть про рідний край з калиною і солов'ями. Дружина недаремно їх вимикає. Цей баритональний тембр наших прострацій уже справді набрид.

Виїхати б кудись, вирвати себе з корінням з цієї замордованої землі!

— І що, — каже дружина, — оббити коріння об огорожі рідних могил?

Це як у кого є рідні могили. У дітей Ґонґадзе, у його матері й це відняли.

Дружина Ґонґадзе дивиться уже з-за океану, з голубих екранів «Голосу Америки». Майже щовечора візаві з Україною, усміхається нам через супутник, розповідає новини. Отримали вже статус біженців у США. Подумати тільки — біженців з України!

Але назагал люди адаптувалися вже й до цієї трагедії. І якщо у 2000-му ще обурювались, 2001-й увесь пройшов під знаком протестів, то тепер уже дивляться без емоцій, що й дасть прокуратурі можливість замотати цю справу, заплутати і спустити на гальмах.

Знову «постріл з минулого», як сказав колись Горбачов. Усі ми обстріляні з минулого. Але чому? Чому кожне покоління потрапляє в капкан ретроспекцій? Чому несе тягар не своїх провин?!

Наразі — цвинтар Орлят польських у Львові. Танками й бульдозерами пройшла радянська влада по їхніх могилах. Як і по могилах наших Січових стрільців. Взагалі вона мала звичай прокладати шлях у майбутнє по кістках. Але поляки це поляки, це нація честі. Вони хочуть віддати шану своїм полеглим. «Відкриємо цвинтар у Львові, — сказав президент Польщі, — і будемо говорити на тому цвинтарі про польсько-українську дружбу».

Така наша посттоталітарна доля — говорити про дружбу на цвинтарях.

Але сторони ніяк не дійдуть згоди щодо тексту, який має бути на меморіалі. Все дискутують, хто за що боровся і за чию землю поліг. «Орлята польські» були молодесенькі, і вони боролися, як вони розуміли, за свій Львів. Наші теж були молодесенькі, і вони теж боролися за свій Львів.

Мертві мертвих уже не ненавидять, а живі все конфронтуються, шукають взаємно прийнятних формулювань.

То поки політики сперечалися, узгоджували позиції, — львівські студенти пішли на цвинтар, стали на коліна і помолилися за всіх загиблих, і за своїх, і за їхніх...

Ні, мала рацію моя теща — всі у всіх повинні просити прощення. Іншої ради нема.

Але будь відвертий з собою. Чи можливо простити все і всім? Не задля політичної доцільності, а от просто по-людськи.

А Голокост, а Катинь, а Ґулаґ, а Голодомор?

— Ти якийсь підірваний на проблеми, — каже дружина.

А куди ж подінешся від проблем? Не ти їх, вони тебе доженуть.

Сьогодні у Штатах День пам'яті всіх полеглих у всіх війнах за Америку. Всіх полеглих у всіх війнах! Ставлять прапорці на могилах, моляться.

Нашим би діячам повчитися, чий мозок залубенів у формаліні радянської ідеології. Вони не здатні вшанувати всіх полеглих. Вони вибірково — хто правильно поліг, хто неправильно. Хто за ту Україну, а хто не за ту. Кровних своїх ворогів, нацистів, ладні простити, а карпатська наша трагічна ґерилья, свої ж українські хлопці, що боролися зразу проти двох нелюдських систем, для них вороги, націоналісти.

Отак і живемо у своїй незалежній державі, мій твого не розуміє — з кого зліпити громадянське суспільство?

Страшна історична карма націй, які віками не самі визначали свою долю!

І зовсім уже в останній день травня ще одна дитина реалізувала свої дитячі права. Вдова Даніела Перла народила хлопчика і назвала його Адамом. Якщо ж врахувати, що першу клоновану дівчинку назвали Євою — то чи не час уже розпочати історію людства заново? Може б, вона якось інакше склалася.

5 червня. На півночі Ізраїлю, на перехресті Хабідо, у повітря злетів автобус, вибух був такої сили, що автобус двічі перевернувся, загинуло вісімнадцять чоловік, поранено сорок чотири. І саме на перехресті, «саме на тому місці, — пишуть газети, — де за пророцтвом має початися кінець світу». А хто його знає, де він має початися? Може, він давно вже почався.

Скрізь по світу щось вибухає. Тепер може вибухнути будь-що. Газ, бомба, побутова техніка, метан, пропан, торба під лавкою, склади боєприпасів і навіть курчата-ґріль, як недавно в одній із чернівецьких кав'ярень.

Певно, з космосу Земля вже, як у протуберанцях.

Спокійно.

6 червня. Керує біло-блакитна зірка Ріґвей. Цього дня народився Веласкес. Цього дня народився Пушкін. І Дерибас, той, що вулиця Дерибасівська в Одесі. І один із братів Люм'єр. І Томас Манн. А також композитор Хачатурян, «Танець з шаблями».

Колись і ми танцювали з шаблями. «А какой важный, какой сильный народ был! — цитує дружина Гоголя. — Вольный рыцарский народ». «Из-за пояса торчала пищаль и изогнутая татарская сабля».

«Размахнулись... ух! сабли звенят...»

А тепер танцюємо під чужу дудку. То «славянскую хороводную», то «хохла с придурью». Теж, до речі, крилатий вираз нашого президента, і теж під час візиту в Росію. Можна собі уявити, щоб російський президент приїхав і сказав: «Мы, кацапы, с придурью»? Кремль би захитався, Юрій Долгорукий упав би з коня. А у нас все можна. Народ і не помітив.

— Дивуюся, що в тебе ще є якісь ілюзії, — каже Лев, інвертований на пустелю. — Це ж не народ, це жертва історичних мутацій.

— Вихід! — закричав я. — Має ж бути якийсь вихід!

— Безвихідь — це теж форма існування, — спокійно сказав він.

Друг озвався з Каліфорнії. Відпочивав з родиною на Гаваях. Жили в екзотичному готелику. Купалися в океані. Підпливали до коралових рифів на човні з прозорим дном. Їли соте з ананасами, пили коктейль «май-тай». Засмагли, як індіанці. Їхній малий ловив черепах на березі Тихого океану.

А наш сидить дома, читає чергову книгу «Гаррі Поттера».

Дружина вже у відпустці, пише дисертацію.

Мені у відпустку ще не випадає, працюю заледве півроку. Дружина якось дивно покашлює, вона, як канарка, перша відчуває радіацію. Але це щось інше — тягне згаром і димом. Зачиняємо кватирки. Спека. Горить торф під Києвом.

Юні ексґібіціоністки вже оголились по саме нікуди. Відкритий животик, низенька лінія талії, часом перлинка в мушельці пупа, змійка ланцюжка на нозі. Як яка, то й бісики очима пускає. Та й чоловіцтво їх очима пасе. Звісно, пасе. Але, все одно, любиш одну, і драма твого життя розгортається навколо неї.

Вона сильна і владна. Її характер скрутить кого завгодно. І водночас вона дуже ніжна. У неї чудесний овал обличчя. У неї пасмо волосся ніби завжди відкинуте вітром. У неї очі, які бувають лише у чаклунок, і не чорні, й не карі, а з оливковим полиском. Коли вона їх примружує — говорять стихії.

Для зручності вона прикидається звичайною жінкою. Займається побутом, пише дисертацію, дозволяє себе любити по-земному.

Але й чуттєвість її особлива, затамовано вибухова. Вона ніколи не каже, що кохає мене. Я це зчитую з її губ, з дотику, з магнітних бур її тіла. Її треба вміти покликати, у неї все починається з очей.

Я не святенник, у мене до неї були жінки, але такої я не бачив.

Розумію того дивака, який захопив свою дружину в заручниці. Я теж хотів би захопити її в заручниці, щоб вона була завжди моя.

Читав колись промови знаменитих російських адвокатів. Так там один адвокат сказав про дружину свого підзахисного, що для нього це була «жінка з обличчям єдино коханої». Оце вона для мене така. Жінка з обличчям єдино коханої.

Цієї ночі зірки вибудувалися в зодіакальний знак Риб. Знак моєї дружини. Я її зодіакально люблю. Вона фантастично погарнішала, у неї сяють очі. Я маю своє божевільне щастя — мати у себе вдома Ліліт.

Вставати доводиться рано, «Кварк» мій далеко, на іншому кінці міста.

Не люблю будильників. Особливо пластмасових, деренчить, підскакує.

Друг мій при оказії передав сувенір-будильник, і тепер я прокидаюся під тихий і лагідний голос Памели Андерсон: «Ти вважаєш, що робота у тебе лайно? І все-таки треба встати і піти, туди. Або принаймні вмийся і випий чашечку кави».

Встаю. Умиваюсь. Випиваю чашечку кави.

Це я колись був трудоголіком, коли займався наукою. А тепер аби день до вечора.

У неділю не знаєш, куди подітися. Ми б то заштори-лись і жили. А малому треба повітря. Місто, задуха, а поткнешся у ліс... Особливо ці наші приміські ліси.

У скандинавських сагах «мед поезії гноми ховають в лісах», а у нас сміття вивертають під соснами.

Зовсім люди втратили совість. Де який непотріб, все вивозять у ліс. І не лише городяни, що як їдуть до батьків у село, то прихоплять і свій мотлох із мегаполіса, щоб викинути по дорозі, а вже й люди сільські втрачають повагу до землі, до лісу. Такі стрункі сосни були, папороть крильми прикривала суниці, гриби росли, як зачакловані. А за ці пару років ніби якісь бомжі потойбічні оселилися, химородь ганчір'яна, примари — скрізь дрантя, пляшки, пружини старих матраців, розбиті унітази, купи битої цегли, скло.

Насмітило людство, обгидилось, накопичило терикони відходів, ніаґари сміття. Водойми навколо Києва занечищені. В Одесі закрито дев'ять міських пляжів. У Криму розгрібаються перед кожним курортним сезоном.

Інфекції пурхають, як горобці. То в Чернівцях діти полисіли. То в селі Вербка понепритомніли. А це вже у Болеславчику похворіли невідомо чим, невідомо від чого, чотириста чоловік, переважно діти. Тут уже й протимінні черевики не допоможуть. Потрібні протитоксичні. Протихімічні. Протирадіаційні.

Нова ера підкидає моделі раніше нечуваних практик.

9 червня у Москві на Манежній площі — що це було? Зграя молодих звіроніжок вдерлася у гуляючий натовп, поперекидала машини, побила вітрини, перетоптала людей і зникла. Загинув 17-річний хлопець, десятки людей травмовано. «Центр міста опинився в руках погромників», — пише російська преса. «Вибиті вікна в російській Думі». Хуліганство, провокація, просто п'яний дебош? Але ж хтось приніс пляшки з вибуховою сумішшю, хтось їх спеціально мав при собі. І прицільно потрощений був лише один бік вулиці, другий не зачепили, — отже, хтось керував.

Технологія путчів? Репетиція хаосу? Якийсь новий сатанинський задум — увійти в ядро натовпу, посіяти жах і розчинитися в масі?

А ще перед тим були якісь віяльні нальоти. Зграйка молоді, несподівано об'єднавшись, вдиралася в магазин, кінотеатр, кав'ярню, не робила ніяких бешкетів, от просто налітала і, спричинивши паніку, шок, остовпіння, миттєво розліталася, розпавшись на знов незнайомих між собою людей. Може, воно й цілком безневинна забава, такий собі флеш-моб.

А може, й чийсь експеримент над масовою свідомістю.

Колись це спрацює. Поки що просто так.

Дружина заглядає мені через плече і відбирає газету.

— Ось що треба читати, — каже вона і підкладає стосик, весь у пастельній райдузі її підкреслень.

На одному з німецьких озер лебідь закохався в катамаран.

У Норвегії пінгвіна підвищили у військовому званні, був старшим сержантом королівської гвардії, тепер він молодший лейтенант.

У Кенії врятували слоненя, яке втратило маму.

У США народився собачка зеленої масті.

Вона має рацію. Світ красивий. Треба жити своїм життям. Треба читати щось приємне і веселе або й взагалі не читати. Краще послухати «Арабески» Шумана. Краще піти в театр. Краще обнятися й побути разом. Я відчуваю її дотик до свого плеча. Закинувши руки, притягаю її до себе. Я в неї закоханий, як той лебідь в катамаран.

А про собачку зеленої масті — розповісти б професорській вдові, це їй напевно було б цікаво. Але вона десь зникла. Кажуть, хтось її обдурив, одібрав квартиру, підробивши документи, й продав, а її упекли чи то у психушку, чи в будинок для перестарілих.

Сонце палить немилосердно. На Майдані клаксонять машини швидкої допомоги. Голодують шахтарі, домагаються своїх прав. Сидять, як африканці, голі до пояса, гуркають касками по асфальту, калатають пластиковими пляшками з-під мінералки. Це вже звичний тамтам нашої демократії.

Але хто їх почує? Вибори вже минули.

І як це ми обираємо — може, колода мічена? Ті ж самі тузи і ті ж самі шістки. Тусуються, тасуються. Ділять портфелі, сплять на засіданнях, давлять кнопки. Це у них вважається роботою. Одна тільки леді Ю порушує загальний спокій. То з трибуни скаже щось радикальне, то полишає зал під час виступу президента. Влада відповідає їй взаємністю — шельмує, переслідує, здіймає пилюгу старих звинувачень. Інша б уже не витримала. А вона йде, як по линві, у цьому політичному цирку, легка й мініатюрна, як ельф, але зі сталевим хребтом.

Моя дружина рішуче за неї. Я уникаю дискусій на цю тему. Міледі ж теж була і гарна, й смілива. Хтозна, чи нема там клейма на плечі.

Правду кажучи, я їм усім не вірю. Хіба що нетиповому екс-Прем'єру. Ще двом-трьом з опозиції. І взагалі, чому я повинен думати про політиків? Ця всеприсутність політиків у нашому житті, це жахливо. Даремно вони так позиціонуються. Вони ж у людей, як на долоні. Хочеться здмухнути.

Але що сталося з Україною? Куди поділася її здатність до протистояння? Хто нав'язав нам цей дурний постулат: «була ейфорія, тепер апатія»?

У мене ніколи не було ейфорії і немає апатії. У мене завжди одне — як вийти Україні з її історичної безвиході? Мойсей виводив з єгипетського полону, і вивів. А ми ж на своїй землі — чому ж ніяк не можемо вийти?!

Зникає наш горизонт. Всихають наші джерела. Двогорбі верблюди терпіння покірно бредуть у пісках. Колись вірменські матері у вигнанні, без даху над головою, на палючих вітрах, писали пальцями на піску алфавіт, щоб діти не забули вірменську мову.

А нашу мову заносять піски духовних пустель.

Нема України в душах.

Люди зробилися злі, наче їм щось пороблено. Живуть на рефлексах роздратування.

Справді, не дай, Боже, жити в епоху перемін. Дуже перемінюються люди. Дехто просто вивертається шерстю наверх.

Тим часом у світі таки переміни. Світ виходить у зовсім інший вимір — глобальний. Нові явища, нові проблеми, нові виклики і загрози, — а ми й не задумались. І якби навіть хто вдарив у найпотужніший дзвін, все одно не почуємо. Надто багато світових алярмів. Людям не те що позакладало вуха — людям позакладало душі.

Сьогодні чув повідомлення, що до Землі летить астероїд. Навіть дату назвали, коли він може врізатись: 1 лютого 2019 року.

Скільки ж це буде малому? Саме женитись.

Згодом, правда, підправили, що, можливо, трохи пізніше — у 2060-му. Перспектива для внуків.

От і спробуй жити своїм, і тільки своїм, життям.

Зайшов Лев, інвертований на пустелю. Засмаглий, обвітрений, наче вікінґ з морських походів. Дивно, що Ґламур не звертає на нього уваги, такі подобаються жінкам. Вона саме була у нас, сухо привіталася і пішла.

Він розгублено провів її очима, але швидко оволодів собою і вже спокійно розповідав, як вони плавали на байдарках, мало не перекинулися в грозу, вечорами сиділи біля багаття, ночували під зорями. Я не мав чогось особливого йому розповісти — місто, спека. Уникаючи розмов на драстично актуальні теми, я сказав, що в Єгипті у піраміді Хеопса знайшли досі невідомі науці двері з двома мідними ручками. Запустили маленького робота з відеокамерою, і знайшли.

— Нові двері у старі гробниці, — усміхнувся він. — Це те, чим займається й наша історія. Тільки єгипетські піраміди серед пісків навсібіч відкриті для світу. А наші запали в землю, заросли бур'янами, і кожен невіглас може там пасти свого віслюка. Знаєш, чому нашу історію не можна читати без брому? Не тому, що вона страшна, бували страшніші. Тому що вона при-ни-же-на. А відтак принизлива. У нас навіть відлік часу — від поразок і катастроф. Від війни, від революції, від Голодомору, від репресій, від Чорнобиля. Або як тепер — від виборів до виборів.

Розхотілося говорити. Увімкнув новини, а воно те ж саме й те ж саме.

Нові двері у старі гробниці.

Нові гробниці у старі двері.

Друг мій, що в Каліфорнії, політикою не цікавиться. Це не Лев, інвертований на пустелю, що діагностує жорстко й нещадно. І не я, рефлектуючий неврастенік, що реагує на все. Він і раніше відчував нехіть до політики, а тепер зовсім абстрагувався.

Тут це було б неможливо, тут уся атмосфера просякнута чадом віками тліючих проблем. А живучи там, він, мабуть, зрозумів, що можна жити інакше. От просто інакше і все. Своїм життям у своєму житті. Можливо, його математична свідомість не сприймає суми абсурдів. Моя теж не сприймає, але я пручаюсь, а він зрезиґнував. Іноді здається, що він не від світу цього. Мати хвилюється, розпитує про землетрус, про лісові пожежі. А він їй розказує, що у нього за вікном літають колібрі.

Це людина цифри і музики, як буває з дуже талановитими вченими. Колись ми з ним, ще студентами, часто ходили в органний зал, у філармонію. Причому він любив не найзнаменитіших композиторів. Равель, Малер, Сарасате, Гайдн — це його. І дружина у нього піаністка, не професійна, просто дуже добре грає, хоч сама теж працює з цифрами.

Живуть біля океану. Екологія чиста. Робота цікава. Побут облаштований. Завжди кудись їдуть у вихідні. Возять свого малого на авіа-шоу «Голубі ангели», поблизу Сан-Франциско. Там ті «Голубі ангели» таке витворяють у небі, віртуози. Може у піке піти, може під мостом пролетіти. А недавно возив своїх дивитися Кам'яний Ліс. Неймовірне, каже, видовище. Три мільйони років тому на той ліс випав вулканічний попіл, дерева ніби запеклися й розчинилися зсередини, вони вже як містичні ієроґліфи вічності, — наче Вічність тобі щось пише, а ти ніяк не можеш збагнути.

Назад заїхали на виноградники, купили ящик шампанського.

А я тут плаваю в інтернеті, тону в океані інформації.

Ми птиці інформаційного простору. Іншого у нас немає. А цей такий загазований, і качки літають.

Куди подітись від інформації? Читай не читай газет, не слухай радіо, не заглядай в інтернет — все одно доганяє. На роботі скажуть, по дорозі почуєш, уривком трансляції долетить. Вже навіть з мобільного телефону можна почути останні вісті.

Може, вже просто вчепити в голову чіп і хай транслює цілодобово?

Липень був місяцем авіакатастроф.

Напочатку в небі Німеччини зіткнулися літаки, пасажирський з вантажним «Боїнґом», через помилку швейцарського диспетчера. Загинуло понад сімдесят людей, переважно діти з Башкирії, що летіли до Іспанії на відпочинок.

А наприкінці липня була чорна субота, те фатальне авіа-шоу на Скнилівському аеродромі під Львовом, коли тисячі людей, цілими сім'ями, у захваті дивилися в небо, де наші доблесні аси робили фігури вищого пілотажу, — і раптом на бриючому польоті літак врізався в землю, у саму гущу людей, бризнув уламками, полум'ям, кров'ю, вибухнув і огорнувся димом.

— Шоу-апокаліпсис, — сказала моя дружина.

Сотні людей покалічено. Майже вісімдесят убито, і теж переважно діти, побільшости хлопчики, бо кого ж найперше беруть на авіа-шоу? Число жертв щоденно зростає, поранені умирають в лікарнях, у морги звозять ще не впізнані тіла. Дехто з очевидців потрапив до психіатрії.

Льотчики залишилися живі. Їх судитимуть. Але хіба це тільки їхня вина? Це ж не «Голубі ангели», які повсякчас тренуються, у яких спеціально обладнані літаки. Ці літали на тому, що було. У них не було нальотів. Їм сказали зробити номер. От вони й зробили. Смертельний номер.

Всіляких інших катастроф теж вистачало. Світ великий.

Біля озера Балатон в Угорщині розбився автобус з польськими туристами, що їхали до церкви святої Марії.

В одній з психіатричних лікарень Індії живцем згоріло двадцять п'ять хворих. Очевидно, буйних, бо прикутих до ліжок.

Росіяни скинули бомби на Панкійську ущелину, хоч це й грузинська територія, бо вважають, що там є чеченські бойовики. Тепер же так — хто що вважає, туди й може гатити бомбами.

І за один тільки місяць — три аварії на шахтах.

Макабричний був місяць. У Німеччині над Боденським озером збирали тіла й уламки. В Угорщині над озером Балатон автогеном розпилювали сплющений в гармошку автобус. На Скнилівському полі шукали бортові самописці, які б прояснили причину катастрофи. Над Чорним морем був якийсь загадковий спалах, а саме пролітав ще один ізраїльський літак, — льотчику здалося, що то летіла ракета, тепер же там всім ввижатимуться ракети. Добре, що якийсь дядько вніс ясність, що це у його двір біля повітки впало небесне тіло.

Так закінчився липень — днями всеукраїнської жалоби.

І так почався серпень. В лікарні у Львові померла ще одна людина. Тепер уже 79 загиблих. Знайдено бортові самописці, які мало що прояснили, хіба що озвучили, як ті доблесні аси матюкалися в небі.

У серпні спека ще спекельніша. Вночі легше. Виходжу на балкон. Десь під Києвом димить торф, на балконі димлю я. Дружина каже, що у Ватикані декретом Святого Престолу заборонене паління. Так то ж у Ватикані.

Папа Римський прибув до Польщі. Під Краковом його зустрічали два мільйони поляків — як одна велика душа. Бо вони нація, одне ціле. Це ж не ми, перетовчені в ступі імперії невідомо на що.

Іван Павло II облетів на гелікоптері своє рідне місто Вадовіце. Відвідав свій отчий дім, поклонився могилам батьків.

— Господи, — тихо сказала дружина. — Він прощається з Польщею!

Спека патологічна. Хоч би не згоріла хата моєї тещі — там уже й хати немає, сама піч і крокви, все одно шкода. Випалюється навіть слід малої Батьківщини.

Спершу випалювала радянська влада. Потім війна. Потім радіація. Тепер випалює забуття.

Аеропорт Бориспіль вітав мільйонного пасажира. На жаль, не приїхав, а від'їжджає. За контрактом у Голландію, на пару років. Мій друг теж поїхав у Каліфорнію на пару років. А минає вже шостий рік.

«Щодва дні з України виїжджає один програміст», — передавали сьогодні.

А скільки непрограмістів?

Куди?! Чи як у Кафки в одному оповіданні — «Аби звідси»?

Проте знаменитий астролог з ассірійською бородою сказав, що Україна — це прекрасна країна під знаком Тільця, яка уміє чекати, і що вона таки дочекається свого зоряного часу. «Процвітання почнеться під знаком двох мужчин і однієї жінки», — сказав він.

— Ага! — сказала моя дружина. — І однієї жінки!

Однак з тою жінкою не так все просто. Навколо неї накрутили таких туманностей, що Андромеди не видно. Уже й новий генпрокурор порушив проти неї дві кримінальні справи. Уже заарештовано її чоловіка. Уже вимагають, щоб Туреччина передала нашому правосуддю колишніх її співробітників, що забігли кудись аж в Анталію.

Ніби змістилися полюси — у Скандинавії спека, у Барселоні град.

Європу заливає дощами. Рейн вийшов із берегів. Дунай загрожує Братиславі. Вода змиває населені пункти. З Праги евакуювали двісті тисяч людей. Вулицями Дрездена ходять хвилі. «Сикстинську Мадонну» перевезли у безпечніше місце. Підвозять тонни мішків піску, зміцнюють береги. Ельба прорвала дамбу. Тварини з німецького зоопарку плавають у Чехії. У празькому зоопарку тонуть звірі у клітках, довелося кількох застрелити. А тюлень на ім'я Ґастон втік. За ним гналися два чеські катери, не догнали.

У нас теж налітав буревій з Одеси. У Криму пройшло десять смерчів.

Але в цілому клімат у нас благодатний. Ні тобі вулканів, ні землетрусів. Дамбу на Прип'яті не прорвало. Рукотворне Київське море нуклідами не розлилось. Землю ще не всю сплюндрували, шмат чорнозему ще є. І хоч яка спека цьогоріч, урожай зернових небувалий. Золоті потоки зерна сиплються в засіки Батьківщини. Окрилений таким успіхом уряд збирається відновити славу України як житниці Європи.

Ще один скандал. Сказати б, езотеричний. Виявляється, керманичі нашої держави є членами якогось ордену. Поповзли чутки, що вони масони. Суспільство розхвилювалося, хтось навіть пригадав тамплієрів, що були окопалися у православному монастирі, а їхній пріор спирався на меч. Актуалізувалося питання, хто ж таки із міністрів подарував йому той меч? Може, нами уже й керують члени невідомо якого ордену? Цього разу достойникам не вдалося відмовчатись, і вони пояснили, що це аж ніяк не масонська ложа, а старовинний Орден святого Станіслава, і що ж тут такого, що вони вступили до цього ордену, це всього лише чоловічі ігри. Добрі мені чоловічі ігри. Орден справді старовинний. Але ж відродив його Станіслав Август Понятовський, якого після своїх жіночих ігор підсадила на польський трон Катерина II, за правління якого якраз і відбулися поділи Польщі. А потім уже й російські царі однойменним орденом нагороджували за заслуги перед російським троном. То на якому ж смисловому витку подальших еволюцій цього ордену до нього вступили наші можновладці?

Народ навіть мав приємність побачити в телеящику, як вони у червоних мантіях у загадковій півтемряві пройшли ритуальне посвячення, зі схилянням коліна, з дотиком шпаги до плеча, і тепер вони шевальє.

Ну, дяка Богу, слово знайдене. Бо геть були заплуталися на переході від соціалізму до демократії, ніяк не могли знайти відповідної форми звертання. Від товариша ще не одвикли, до пана-добродія ще не звикли. Принаймні до них тепер можна звертатися — товариші шевальє.

Одинадцята річниця путчу пройшла непомічено. Уже мало хто й згадує. Лише хтось із дотепних телевізійників усе давав у ефір «Танець маленьких лебедів» — незабутню фонограму тих днів, і крупним планом пальці путчиста, які чи то вибивали ритм, чи тряслися.

Наступного дня теж не вдавалися до ретроспекцій. Кому вже тепер упам'ятку введення радянських військ у Чехословаччину 34 роки тому? Мій батько тоді протестував, моя мати чекала арешту, — і чекала мене, і завжди потім казала, що, може, я і вдався такий нервовий, бо вона тоді чекала арешту.

Взагалі мені здається, все наше життя — це чекання найгіршого і надія на краще. Поки що не збулась.

І знову на Спаса, напередодні Дня Незалежності, горить на тій самій шахті Засядька. Цього разу Бог милував, повиносили обгорілих, усі живі.

Але з огляду на те, що не минуло ще й сорок днів з часу скнилівської трагедії, військового параду не буде, авіація над Києвом не літатиме. Буде парад оркестрів під назвою «Сурми Незалежності».

Малий наш на парад не хоче. Сурми йому нецікаво. Він любить танки.

Записали його, нарешті, до музичної школи. Дружина мало не провалилася від сорому. Там на стінах портрети композиторів — Чайковський, Щопен, Бетховен.

— О, а чого тут Бетховен? — здивувався малий. — Він же собака.

Це він бачив недавно фільм про дівчинку та її сенбернара, що підвивав під музику, через що його й прозвали Бетховеном.

— Треба щось робити! — хвилюється дружина. — Він набрався від Борьки. Вони ж ростуть дебілами.

Ну, я не думаю, що це тільки від Борьки. Він уже й сам ґенерує подібні енергії. Єдине, чого він справді набрався від Борьки, це нелюбові до української мови. Діти ж акумулюють атмосферу своїх родин, а у нас тут українофобства вистачає. Борьчина мати жінка не банальна, але в цьому плані теж не виняток. З нами вона коректно дотримується мовного дуалізму, але її непроникна чемність є кригою цих проблем.

У друга мого в Каліфорнії свої клопоти: олені об'їдають троянди. Вони ж там неполохані, виходять на вулицю. Двори не обгороджені, от вони й пасуться, де хочуть. Він уже й одганяв, і обприскував чимось перчаним. Дощем змиє, знову приходять.

Я йому про вибори, а він мені про троянди. У нього їх там багато, одні цвітуть, інші одцвітають. І колібрі над ними, як джмелики, дзьоб тоненький і довгий. Зависне над квіткою, стромить, як зонд, у саму серединку і п'є. Лише крильця фурчать, як пропелер у Карлсона. Дуже люблять яскраві кольори, жовті, червоні. Йдеш у жовтій футболці — підлетить і клацає дзьобиком. Таке маленьке, а клацає. І що цікаво — серце в колібрі майже втричі більше, ніж шлунок. От якби так у людей. Ото було б сердечне суспільство.

Суспільство у нас важке. Конґломерат націй і антинацій, звиклих до стаґнацій і профанацій, дискримінацій і асиміляцій.

Шлунок у такого суспільства безрозмірний, а спільного серця нема.

А нема спільного серця — нема спільних цінностей.

Через те й «національна ідея не спрацювала», — як сказав колись наш президент. І «маємо те, що маємо», — як сказав попередній. І навіть не маємо того, що маємо. Конґломерат перемолов.

Всі вимагають спільної національної ідеї. А яка може бути спільна національна ідея у суспільстві, за суттю своєю антинаціональному?

Ось навіть і цей Майдан, з його несмаком і еклектикою, цей монумент Незалежності — що він означає? Яку історичну, національну чи хоча б елементарно людську ідею несе? «Красіво, но бессмислєнно», — як сказав один мій колега з «Кварка».

Зроду майдан, площа були відкритим місцем. Майдан за означенням — простір. Осердя міста, його історичний центр, куди впадають вулиці, як артерії, де пульсує сучасність у скронях історичної пам'яті. Як у Венеції площа Сан-Марко. Як у Римі площа святого Петра. Як у Філадельфії надтріснутий дзвін Свободи. А тут напхано бутафорій, муляжів, імітацій, клумб, кіосків — і все це на тлі теплиць, під якими вирощують товари ненародного вжитку.

А посередині штир колони з маленькою фігуркою нагорі.

Колони діло хороше, скрізь є колони, але скрізь їх вивершує якась адекватна постать. У Барселоні — Колумб. У Торуні — Коперник. У Петербурзі — янгол з хрестом. У Варшаві на колоні Зиґмунда — король Зиґмунд. У Парижі Вандомська колона з Наполеоном.

У Лондоні на Трафальґарській площі — адмірал Нельсон. А у нас хто? Лялечка. Статуетка. Збаналізований образ України. У людей Сиренка, у людей Русалонька, а в нас українська Барбі. Хтось її називає Христя, а дехто й Дівка на фалосі, і навіть — Тріумфалос, бо тут на свята споруджується трибуна і марширують паради. Тут же відбуваються й поп-концерти і шоу, а в будні курсують проститутки, можна «зняти дєвочку» за скількись там баксів.

Не люблю цього Майдану. Це вже зовсім інший Майдан. В ньому немає ні простору, ні свободи. В ньому немає Майдану. Він спрофанував обличчя міста, він поблискує, як незрячий, шкельцями своїх недоладних теплиць. Він не зміг би пройти дорогами своєї історії, навіть намацуючи палицею асфальт.

У неділю вибралися в зоопарк, малий наш мав сатисфакцію. Це, звісно, не ловити черепах на березі Тихого океану, а все ж покатався на черепасі. Я й не знав, що у нашому зоопарку є гігантські черепахи. Оце, мабуть, на такій катався Дарвін на Ґалапаґосах. Колись їх там було незліченно, серед кактусів і каміння. Але ж їх по-варварськи знищували. Пірати набирали у трюми як провіант тривалого зберігання. На екзотичних базарах з них, ще живих, вирізали м'ясо для черепахового супу. Людина високоорганізована істота, чого не придумає. А це ось вперше бачу такий вид спорту — черепашачі перегони. Маленькі жокеї в кепочках гопали верхи, цьвохкали і погейкували. Але черепахам дух змагання не притаманний, хіба що яка поведеться на жмуток свіжої трави чи банан. Пускали кататися дітей до семи. Малий наш ще зійде за сім, Борька виглядає на старшого, однак і йому дозволили. Але Борьці не пощастило, черепаха під ним заснула. А наш малий вийшов у фінал.

Так ми й перебули цю спеку у місті. Навіть не робили рекреаційних спроб. Скочили, правда, з Ґламур і з Борькою на їхню дачу. Вони тепер туди самі не їздять — дача двічі горіла, так і стоїть з обгорілим фасадом. Жінки ночували у єдиній вцілілій кімнаті, вікнами у здичавілий сад. Борька з малим на горищі. А ми з Левом, інвертованим на пустелю, на обплетеній хмелем веранді. Шибки майже усі побиті, камін обдертий, порубано кілька стільців, видно, зимували бомжі. Грілись біля каміна, може, й варили наркоту, недопалки на підлозі обсипані маком. Борьчина мати ходила в притемнених окулярах — чи проти сонця, чи проти сліз, шкельця мов закіптюжені димом. Діти ганяли в хащах, навіть пройнялися природою: знайшли пташине гніздо і не видерли. Але ми швидко втекли. Спека і стійкий тут запах згару. Та ще й щось чорне сиділо на верхній полиці під стелею, Ґламур злякалась до смерті — містичний згусток темряви, а то, виявилось, кажан. І як він сюди залетів? Забився в куточок, я його ледве дістав і виніс в газеті.

Під завісу літа, як завжди, кілька нещасть. Одне запам'яталось найдужче, такого ще не було. У Кармадонській ущелині, в Північній Осетії, льодовик накрив російську знімальну групу, понад сто чоловік. П'ятий день шукають, прорубуються крізь льоди. Приїхала навіть ясновидиця, екстрасенс, обстукувала, обмацувала ті крижані брили, припадала вухом, нарешті сказала: — Тут! — І справді, знайшли. Але крізь лід, мов крізь шибу вічності, їм усміхнувся якийсь давній скелет, з якоїсь іншої експедиції.

Журавлі відлітають. Цікаво, чи на Канарах є журавлі? Канарки точно є, вони звідти родом.

Навчальний рік почався з протестів, львівські вчителі вийшли на вулицю.

Фактично у нас тепер завжди хтось протестує. Шахтарі стукотять касками, вчителі дзвонять дзвониками, письменники палять рукописи, інваліди гримлять колясками, чорнобильці виходять з плакатами, науковці оголошують страйки. Навіть наш президент раптом виступив з ініціативою перейти до іншої моделі державного устрою.

Господи, тепер до наступних виборів будемо переходити до іншої моделі!

Після цьоголітньої спеки у світі заговорили про зміну клімату, зміщення кліматичних зон, і що планета уже й не кругла, а трохи сплюснута. І що початком глобальної екологічної кризи можна вважати саме це спекотне літо 2002 року.

Вчені створюють комп'ютерну модель зміни клімату.

На Етні здійснюють експерименти, наближені до марсіанських умов.

Наш малий уже в другому класі. Вчиться погано, поведінка незадовільна. Мріє бути хакером. Зламувати бази даних.

Новеньку блакитну сорочку відмовився носити:

— Скажуть, що голубий.

Вчора прийшов зі школи, смикається плечем. Ми злякалися — може, що болить, може, до лікаря. Виявляється, у них у класі є лідер, переросток, смикається плечем, то й вони всі смикаються.

Борька теж препогано вчиться. А надто йому не дається українська мова. Ґламур уже шкодує, що віддала його в цю школу за компанію з нашим малим.

Читав, що десь уже винайшли пристрій-перекладач із собачої мови. Борька страшенно зацікавився. Ротвейлера у них вже немає, нащо їм тепер такий великий собака? У них тепер шнаусер, довгоморденький чубатий песик, от би з ним поговорити! Думаю, що собачу мову Борька опанував би швидше. З української у нього двійка.

Нарешті запрацював парламент. Депутати за літо загартувались, набралися сил і енергії. У Верховній Раді, як у діжі. Хтось вчинив, хтось заквасив, хтось вимішує тісто. Хоче виліпити з нього «більшість», як коровай, прикрашений зозульками, щоб кукали суголосно із владою. Ті, що пройшли більшістю, тепер стали меншістю внаслідок всіляких пасьянсів, альянсів і перебіжок. Хто в'їхав у парламент на популярності нашого нетипового екс-Прем'єра, тепер потроху його здає і вигулькує в інших фракціях. А він якийсь м'який, толерантний, зі всіма шукає консенсусу.

— Манілов він, ось хто, — каже дружина. — Мостік построїть, к сосєду ходіть чай піть.

Але я не згоден. Він людина культури. Спектр його уподобань мистецький. Патріотизм непідробний. Це ж не те, що деякі народні обранці, носії лексики соціальних низів. Кричать, сваряться, змагаються в траєкторії плювка. Ще інші вмостилися передрімати й цю каденцію. Скаржаться тільки, що крісла незручні, затісні для такого фундаментального панства, і спинка під таким кутом, що можна катапультуватись. Що викликає в народі певний оптимізм.

16 вересня. Два роки з дня загибелі Ґонґадзе. Не знаю, під які тамбурини танцювала Саломея, а сьогодні мені чується «Танець смерті» Ліста, і вже теперішня невидима Саломея проносить над світом голову Ґонґадзе. А якийсь Ірод потирає руки. Сучасний Ірод, дрібний і підлий. І такі ж його слуги, дрібні і підлі. Вони знають, хто вбив Ґонґадзе, але покривають цей злочин, і тому вони вбивці теж.

Нова експертиза, я вже й не встежив, звідки, ще раз

підтвердила, що «таращанське тіло» це таки Ґонґадзе. Після чого генпрокурор сформулював остаточний вердикт: «Причиною смерті Ґонґадзе є відрізання голови від тіла», що є майже цитатою з Воланда, який свого часу сказав, що «після відокремлення голови життя в людині припиняється і людина відходить у небуття». І хоч тоді йшлося про голову, відрізану трамваєм, а тепер про відрубану сокирою, екзистенційної суті це не міняє, з чого можна зробити висновок, що або наші прокурори читають Булгакова, або в них періодично вселяється Воланд, хоча для нього це була б місткість задрібна.

Мати Ґонґадзе не вірить і цій експертизі. Просить зробити ще одну, але вже остаточну, безпомилкову, щоб не мучили сумніви.

Приїхали «Репортери без кордонів». Теж вимагають провести ще одну експертизу, комплексну й незалежну. Щоб уже аж цій, комплексній і незалежній, можна було беззастережно повірити.

Хтось із росіян ще в 90-х роках сказав, що всі біди Росії від того, що в них там у Москві, в мавзолеї, лежить непохований труп. Але ж і в нашому Києві уже два роки лежить непоховане тіло. Невже ж ніхто не замислиться, це ж непрощенний гріх! А слідство тягнуть і тягнуть, імітують діяльність, топлять справу у версіях.

Зате борзо перехапали співробітників леді Ю, щойно Туреччина передала їх нашому правосуддю. Тепер їх експонують в наручниках, у прямому ефірі запихають у воронки. А також судять її чоловіка. Леді Ю приїжджає в суд, чоловік на лаві підсудних цілує її у плече. І все важче відрізнити серіали екранних детективів від серіалів нашої політики.

Однак вона леді незламна. Ходить на демонстрації. Полум'яно виступає з трибун. Сьогодні знову акція протесту. Не піду. Знову ходили в альянсі під різними прапорами. Носили опудало президента у смугастій тюремній робі. Розіграли якусь комедію «Народний трибунал», зачитали звинувачення під загальний регіт, засудили президента до довічного ув'язнення. І розійшлись.

Надто багато трагедій було у нашій історії. Проходимо стадію фарсу.

Ну, й звичайно ж, новий скандал, цього разу кольчужний. Україну звинувачують у тому, що вона постачала Іраку свої протиракетні «Кольчуги» в обхід санкцій ООН. Президент запевняє, що не постачала.

Я думаю, що всі все постачають, і всі в обхід. Проблема лише в тому, хто кого зловить за руку. Зловить той, у кого руки довші.

Наші миротворці у Сьєрра-Леоне похворіли на малярію.

У Вашинґтоні з'явився загадковий снайпер. Стріляє невідомо звідки — і наповал. Застрелив чоловіка біля бензоколонки.

В Іраку емісари ООН шукають приховану від людства зброю.

— У тебе знову не почнеться інформаційна інтоксикація? — питає дружина.

— Але ж послухай, — кажу я. — Йдеться до війни з Іраком! Америка вважає, що там є зброя масового знищення.

— Там є нафта, — каже дружина. — Зброя масового знищення не там.

Мені вже й сопрано допікають. Одна поп-зірка все співає: «У слов'янки губи, як рахат-лукум». Ну співала б — як малина, як горобина, як конфітюр, як мед. Ні, подавай їй східні солодощі, в контексті усіх цих теперішніх воєн.

Баритон співає про кущ осінньої калини.

У повітрі настояний запах осені.

Це б ми поїхали до тещі в село, зібрали б урожай пізніх яблук. Поскладали б у кошики, занесли в льох. Але ж ні тещі, ні села. У садах дикі кабани риють.

Жовтень почався з того, що з вокзалу евакуювали людей. Хтось подзвонив, що вокзал замінований. Тепер це нерідко — то вокзал, то метро, то універмаг. Причому ніколи не знаєш, чи справді там заміновано, чи якийсь Борька надивився по телевізору і набрав номер.

На Атлантиці розгулялися урагани.

Накоївши лиха на Кубі, один тепер насувається на штати Луїзіану і Техас, а другий погнав на Мексику.

І чого це урагани так гарно називаються, такими ніжними жіночими іменами? Ізабель, Азалія, Наемі, Лілі.

У Каліфорнії цвіте розмарин. У нас облітає листя.

«Кольчужний» скандал то розростається, то вщухає. Якась така маніпульована «Кольчуга». Втім, що в політиці не маніпульоване?

Мальта, Словаччина і Словенія будуть членами Євросоюзу.

А ми? Коли ми вже увійдемо в Європу?

— Погано вивчаєш афоризми нашого президента, — зауважив Лев, інвертований на пустелю. — Він же чітко сказав, що ми для себе визначили «просьолочний шлях» у Європу. А це шлях довгий, забрьохаємося.

Де він взявся на мою голову? Прийде і знову зіпсує мені настрій.

Львівські вчителі вийшли з транспарантом: «Чи є майбутнє в України?»

З таким президентом нема.

А з такими нами?

— Одне з двох, — каже Лев, інвертований на пустелю. — Або це радянська влада зробила нас такими, або вона й стала можливою саме у цій частині світу, бо ми такі. Чогось же Гегель не вважав слов'янство суб'єктом історії.

Я з ним не згоден. У мені все протестує. Але я розумію, що є думки, які треба додумати до кінця. Принаймні змиритися з тим, що вони існують.

Снилося, що я ребром долоні розгатив телевізор. Звідти посипалися карлики і засновигали по хаті. Один дерся мені по штанині, другий на голову. Я їх струшував, як навесні у лісі кліщів.

Колега моєї дружини вже вийшла з лікарні. Цілком нормальна людина. Скромна, мовчазна, ввічлива, зайвий раз не подзвонить.

Борьчина мати ходить до психоаналітика. Їй ввижаються кілери, ночами не спить. Зробилася забобонна через того містичного кажана. «Хонда» у неї залишилась, але вона рідко їздить, бо куди їй тепер їздити? Дачу хоче продати, але хто ж купить обгорілу дачу зі знаком чиєїсь біди? Влаштувалася на роботу в туристичній фірмі, де колись купувала путівки, тепер продає. Фірма успішна, займається елітним туризмом, навіть має свій рекламний буклет з розкішною брюнеткою на обкладинці. Брюнетка, звабливо усміхаючись, тицяє пальцем у глобус: «Вибирай і відпочивай», але чомусь потрапляє саме в гарячу точку і не відсмикує палець.

Вони з Борькою все згадують той райський острів Балі, коралові пляжі і лазурове море, пальми, каное, музику нічних клубів, запах ароматичних свічок. Мріють ще колись там побувати.

Уже не мріють. 12 жовтня на райському острові Балі стався теракт. І якраз у нічному клубі. Загинуло двісті туристів з двадцятьох країн.

І майже одночасно — теракт у Кашмірі, вибух у Москві, два вибухи на Філіппінах у супермаркеті. Це вже не той тероризм, що у XX столітті. То стріляли прицільно — у президента, прем'єра, у Папу Римського. Студент у принца, Богров у Столипіна. А нині це вже ціла ідеологія, не поодинокі вбивства, а масові — у метро, на вокзалах, у торговельних центрах. І вже не куля, граната, ніж, а заміновані авто, захоплені літаки, пояси шахідів. Це може бути терорист-смертник, екстреміст або й психічно хворий, навіть звичайнісінький алкаш у стадії шизоїдного сп'яніння. Новітній тероризм набуває нових ознак, способів, мотивацій, виникає на всіх континентах. І якщо завтра бабахне біля мене, я не здивуюсь.

Навіть у Фінляндії, здавалось би, далекій від будь-яких гарячих точок, а й там нещодавно вибухнуло, і теж у торговельному центрі, в Хельсінкі. Є убиті й поранені, кров'ю бризнуло по вітринах. Терориста схопили. І це був не бойовик, не смертник, не фанатичний носій непримиренних конфліктів, а звичайний собі двадцятилітній місцевий житель.

Коли факти розкидані у свідомості, то це лише факти. А коли їх звести докупи, це вже система.

У Вашинґтоні продовжує стріляти снайпер-невидимка. Чи він десь залягає на даху, чи з якогось укриття — вже застрелив сімох і двох поранив. А то раптом постріл пролунав з білого мікроавтобуса.

— Мабуть, псих, — каже дружина. — Ветеран якоїсь із теперішніх воєн.

Ось уже і в штаті Вірджінія вбито жінку — чи все той же невловимий снайпер, чи уже якийсь інший псих?

15 жовтня. День народження Ніцше.

Я вдивляюся у безодню, а вона в мене.

Транслюють молебень за всіх полеглих за волю і державність України.

Чи ж за таку волю вони полягли, за таку державність?!

Дружина міцно стискає мою руку. Але вона даремно боїться, я вже не покличу тих коней, що кликав божевільний у Гоголя, щоб вони понесли його з цього світу. В цьому світі є у мене вона.

Кінець жовтня був фатальний.

Ще поранені й покалічені корчаться в муках у львівських лікарнях після того авіа-шоу, ще відмивають кров після вибуху у московському метро, ще світ не отямився від теракту на острові Балі, раптом нова трагедія.

У Москві на Дубровці, у театральному центрі, під час мюзиклу «Норд-Ост» на сцену раптом вискочили якісь люди в чорному і навели автомати на зал. Глядачі спершу не зрозуміли, мало не зааплодували такій ефектній мізансцені. Зал блискавично було взято в заручники. Чорні вдови з поясами шахідів стали уздовж рядів. Бойовики перекрили всі входи і виходи і оголосили свою вимогу: припинити війну в Чечні.

Двоє дівчат вистрибнули з другого поверху, по них стріляли з гранатометів, одна нічого, друга підвернула ногу. Хтось із мужчин спробував чинити опір, його застрелили.

Три дні й три ночі тривав цей кошмар. Мільйони людей по світу не відривалися від телевізорів. Ми щодня дзвонили в Москву до своїх знайомих, колишніх киян, їхній син пішов з класом на той «Норд-Ост», я його знав ще хлопчиком. Шахіди-смертники незворушно говорили в ефір: «Нам все одно, де вмирати, і ми вмремо тут, забравши з собою душі невірних». У російській пресі писали, що вони звірі, накачані алкоголем і наркотиками. Але один досвідчений спецназівець охарактеризував їх як цілком свідомих людей, з якими можна говорити. «Для чеченця умерти за батьківщину — це природно», — сказав він.

Влада говорити з ними не хотіла. Туди пішов лікар Рошаль з білим прапором, пішла Анна Політковська, ще хтось із порядних людей. Але на що впливають порядні люди в Росії? Втім, як і у нас. Родичі заручників усі ті дні й ночі стояли біля того театрального центру. Групка москвичів з плакатами вимагала припинити війну в Чечні. Міліція вимагала припинити мітинг. Тим часом таємно стягувалася важка бронетехніка. Велася підготовка до штурму.

Бойовики поставили ультиматум: якщо за 12 годин їхні умови не будуть виконані, о шостій ранку вони почнуть убивати заручників. — Ми вже вісім років заручники, — сказав їхній головний. — «Прекрати зачистки, прекрати бомбежки, я не буду убивать».

25 жовтня. У Москві дощ. Яка різниця, дощ не дощ? А я думаю, що важливо все, що було тоді в Москві.

І в Лондоні. І у Вашинґтоні. І у Києві. Скрізь.

Телебачення вело постійну трансляцію з місця подій, динамічно перебиваючи її рекламою. Співав гурт «Віаґра». Крутили кіношедевр про любов царя Ніколая І, про якого, між іншим, у школі я вчив, що він Вішатель. Повісив п'ятьох декабристів, а решту заслав на довічну каторгу до Сибіру. Кавказ кров'ю заливав теж він.

Індустрія розваг працювала без перебоїв.

У нас крутили серіал «Під сонцем Сен-Тропе».

Петербурзький актор читав вірш про зірку Жаннет, білу і голубу.

Йшлося до ночі, термін ультиматуму спливав. Заручники були знесилені безсонням, жахом і спрагою. Їх там було до восьмиста, українців чоловік тридцять. Дехто заявив себе українцем, сподіваючись на порятунок — Україна ж не мордує Чечню. Пройшла чутка, що десь у підвалі дві тонни тротилу. У заручників почався «стокгольмський синдром», вони уже не так боялися терористів, як тих, що хотіли їх визволяти. Бо чеченці вб'ють чи не вб'ють, а свої, то вже точно перекатруплять.

Так, власне, і сталося. 26 жовтня удосвіта почався штурм. Спершу пустили газ у вентиляційні отвори, шпурнули кілька гранат, перебили вартових і розстріляли сплячих чеченок. А заодно вже перетруїли й заручників. Запевняють, що газ був нешкідливий, усього лиш снодійний. А люди чомусь заснули навік. Живих і мертвих кидали в машини і розвозили по лікарнях і моргах. Напівживі задихались під трупами. П'ятнадцятирічна дівчинка померла в лікарні. Хлопчика наших знайомих і досі ще не знайшли. Лікарі не знають, що це за газ, відтак невідомо, як лікувати. Все йде під тим самим єзуїтським грифом «таємно». Отже, як і в чорнобильській ситуації, лікарі змушені казати, що люди вмирають від загострення хронічних хвороб.

— Найімовірніше, то був нервово-паралітичний газ, який застосовують лише в умовах війни, — сказав колишній спецназівець. А може, якийсь психотропний. Остовпіння, втрата пам'яті. Зрештою, і в офіційних джерелах визнали: «Про ретельний вибір засобів не йшлося». За годину все було закінчено. Трупи терористів складають стосами біля чорного входу. Приміщення розміновує робот-сапер.

«Сработали блестяще, — сказав ветеран, який штурмував ще в Кабулі палац Аміна. — Я нахожусь в чувствах огромного удовлетворения».

«Мы докажем, что Россию нельзя поставить на колени!» — сказав президент Путін.

«Многие впервые почувствовали гордость, — написала одна російська газета. — Мы убедились, что у нас есть власть, есть воля».

«Ну, здравствуй, белая горячка!» — написала друга.

Жертв уже 118. Лише один від вогнепальної зброї, всі від газу. Західна преса подає більшу цифру. Справжня кількість жертв, мабуть, так ніколи й не буде названа — це в Росії завжди під грифом «таємно». Москвичів закликають здавати кров. Не вистачає місць у лікарнях, кладуть вже у шпиталях для ветеранів війни. У Києві відкрито чотири реабілітаційні центри.

У Чечні почалася «адресна зачистка».

Чеченські бойовики збили російський вертоліт.

Російські військові підірвали житлові будинки у Ханкалі.

Під Москвою затримали автомобіль з тротилом у багажнику.

Розряди людської ненависті, здається, електризують природу.

На Європу налетів ураган. У Франції одного чоловіка вбило дахом власного будинку. На австрійському кордоні вивертало з корінням дерева. Від урагану загинуло двадцять вісім чоловік. Ураган називається Жаннет.

На Сицилії заговорила Етна.

У Катанії випав чорний сніг.

Дев'ять вибухів у передмісті Йоганнесбурґа. Вибух у Таїланді.

Етна вщухла, почався землетрус на півдні Італії.

У місті Сан-Джуліано на проїжджаючий автобус упав будинок. Як подумати, то вже фактично ніяк жити на цьому білому світі.

У центрі нашої Галактики вчені відкрили нову зірку. Може, туди?

Цікаво, чи хтось на світі веде діяріуш людства? Не свій особистий щоденник, не мемуари і спогади, не історію держав і народів, а саме діяріуш, запис дій і подій, компендіум фактів, щоб хоч щось збереглося в пам'яті, що діялося на цій планеті. Бо ж пропаде, щезне, висвистить, і то ж не вітрами Історії, а через кватирку на кухні.

Люди дивляться серіали, трилери, детективи, все, що накрутив режисер і придумали сценаристи, переймаються долею вигаданих персонажів, а реальні події, реальні учасники цієї всесвітньої драми хай щезають безслідно, не зачепивши свідомості?

Бог з вами, люди. Все, до чого ми байдужі, байдуже до нас. Через те ми такі й смертельно самотні. Хтось же й наше страждання дивиться, як серіал.

31 жовтня у Москві прощалися із загиблими. Перший похорон відбувся на дванадцятьох кладовищах. Уночі померло ще двоє заручників. Дехто, виписаний з лікарні, знову повертається туди.

Наші знайомі свого хлопчика знайшли. Вчора поховали. Високий був, худенький, дуже привітний і лагідний. Жили колись по сусідству, бавився з нашим малим.

У штаті Мериленд, нарешті, схопили снайпера-невидимку. Дружина мала рацію: учасник війни у Перській затоці. Афроамериканець, 44 роки. Стріляв не один, а з напарником років сімнадцяти. Старший навчав молодшого, передавав досвід. Їх взяли, коли вони спали у білому фурґоні «Шевроле-каприз».

Ну, і що ж ми маємо за ці два осінні місяці Року Темного Коня? Два грандіозні теракти і кілька менших. П'ять Днів Жалоби. Три аварії на шахтах. Кілька стихійних лих.

Хлопчика, що пережив скнилівське авіа-шоу, а тепер ще й «Норд-Ост», перевезли вже до Києва, травми у нього тяжкі, природно, що вже й психічні, — «неврологічна патологія, яка виявляється в неконтрольованих рухах».

І зник ще один журналіст, керівник Аґенції новин.

Ніч на 1 листопада, Геловін. Наш малий з Борькою дивляться якийсь ідіотський трилер, п'ють томатний сік, чмакають і облизуються, мавпуючи тих вампірів, що біснуються на екрані. Мені хочеться їх відшмагати, але дружина гладить мою руку — що ж ти хочеш, діти.

Але ж Геловін — це зовсім інше! Так давні кельти відганяли злих духів, б'ючи в калатала, танцюючи у страшних масках. Тепер, навпаки, з цього роблять розвагу, шабаш усілякої чортівні, парад скелетів. Клацають ікла, розвіваються відьомські косми, торохтять кістки. Тут уже й Дракон, і Дракула, і роти, червоні від крові. Ні, я його таки відлупцюю, не можна ж так мавпувати!

Дружина сміється: «Дитина суб'єкт права, забув?»

На нас теж дихнула «Жаннет». Поваляла дерева, знеструмила тисячу населених пунктів. На сімдесятилітню жінку впав рекламний щит.

— Полежав би ти з заплющеними очима, послухав музику, — каже дружина.

Вона має рацію. Я собі уявляю, як я лежу з заплющеними очима і слухаю музику. Це був би рай.

Але в нього вриваються дисонанси всесвітнього пекла.

В Єрусалимі теракт. У Еквадорі вибух.

У Кенії троє смертників в'їхали в готель на замінованій машині.

Це вже рефрен.

У Москві померла ще одна жертва теракту.

У Карпатах посунулася земля.

Це контрапункт.

Біля берегів Іспанії затонув танкер «Престиж», на узбережжя винесло тисячі тонн мазуту.

Це вже звичайна партитура нашого життя.

У Японії під час міжнародних змагань загорілася повітряна куля, аеронавти летіли у палаючому кошику, вискакували на льоту, — а куди людству вискакувати зі своєї земної кулі?

Возговорив дворецький принцеси Діани. Анонсував телешоу: «Що бачив дворецький». Обіцяє такі подробиці, що світ здригнеться.

Світ уже ні від чого не здригнеться. Хіба що від побрехеньок дворецького.

Помер Раф Валлоне, один з улюблених акторів моєї дружини. Вона й фільмів з ним бачила небагато, фільми старі, часів повоєнної слави італійського кіно, а от їй подобаються саме такі актори. Вона не любить красунчиків. Модне тепер поняття «секс-символ» викликає у неї сміх. А от Ґабен, Раф Валлоне, Бронсон — щось саме в цих обличчях є для неї магнетичне, істинно чоловіче. Фактично її треба ревнувати не до консула, а до Бронсона.

— Як тебе до Марлен Дітріх, — несподівано сказала дружина.

Вона завжди відчуває, що я думаю. А я лиш іноді розумію, що вона відчуває.

Важко любити розумну жінку. Завжди боїшся впасти в її очах.

Жінка втрачає на інтелекті, лише коли закохана. Так що бажано стабільно підтримувати в ній цей стан. А в родинному житті це не завжди можливо. Побут, рутина обов'язків, а їй при всьому тому потрібен невгасаючий бенкет почувань. У режимі сімейного сексу справжня жінка недовго протримається. Ти їй не додай емоційних збурень — і з'явиться, умовно кажучи, консул.

Скандал з «Кольчугами» в апогеї. Президент клянеться, що в Ірак їх не продавали, США наполягають, що продавали. Народ ставиться до цього індиферентно, бо знає, що все одно нічого не взнає. Ходять, правда, чутки про таємні оборудки зі зброєю, і що якийсь посадовець навіть загинув на великій дорозі через ті оборудки. Але чутки так і залишилися чутками. Живемо у відкритому суспільстві, де багато дверей для суспільства закриті наглухо.

Чудеса нашого правового поля. То розкриють банду, якою керували міліціонери, то спіймають суддю на корупції. А це вже й відділ боротьби зі злочинністю підпав під підозру в злочинності. Парламентська слідча комісія підозрює у вбивстві Ґонґадзе генерала саме з цього відділу.

— А тобі не здається, що надто багато генералів причетні до вбивства Ґонґадзе? — запитала дружина.

Здається. Справді, забагато генералів. І генерал міліції. І генерал Служби безпеки. І цей, з організованої злочинності. А ще ж ті двоє, один в комі, другий в синдромі. І чого б то стільком генералам убивати одного журналіста? Та й замовники ж не з рядових. Може, тут треба шукати не замовників, а змовників? Може, за всім цим заліг хтось неназваний, поза підозрою, майстер мокрих справ, віртуоз провокацій. А потім вийде на яв, білий і пухнастий, і ми його оберем у президенти.

— Я думаю, все було значно простіше, — сказав Лев, інвертований на пустелю. — І страшніше у своїй примітивності. Була вказівка залякати, провчити журналіста, який критикував президента, та ще й в інтернет-виданні. Совки ж бояться розімкнутості на світ. Ну, й доручили генералові. А той тупий виконавець узяв таких, як сам, викрали Ґію Ґонґадзе, вивезли в ліс і застосували свої звичні методи. Вони ж і перед тим залякували журналіста, може, й не одного. Це почерк влади. Бандитський почерк. Ґія, ясно, не дався, чинив опір, вони звіріли, почали його душити, генерал погрожував пістолетом, руки тряслися, вистрілив, попав у голову. А може, й наказ був — убити. В кожному разі, зброя ж табельна, за калібром кулі могли б встановити убивцю. А відтак і замовників. От і вся причина, чому голова одрубана й не можуть знайти.

Взагалі-то схоже на правду. Хоча в пресі проскочила думка, що Ґонґадзе убили під спеціально сфабриковані плівки, щоб навісити злочин на президента. Сам президент заявив, що все це провокація, за якою стоять чиїсь спецслужби, не уточнив, правда, чиї. Я вже не виключаю нічого. І ніхто не виключає нічого. Куди там той фільм про сицилійську мафію «Спрут»?! У нас тут спрут суцільний, всюдисущий і невидимий. Достоту чудовисько Амброза Бірса, мав рацію Лев, інвертований на пустелю.

Ну, баритони, мене вже дістали. Сьогодні співає: «Україно моя, світанковий розмаю, Щоби славу твою та й понесли у світ!» Яка слава, який розмай?! Колись Довженко написав «Україна у вогні».

Пора вже писати «Україна у багні».

13 листопада. День сліпих. Моя теща читала без окулярів. Мій батько лише недавно звернувся до окуліста. Ні я, ні дружина на зір не скаржимось. А наш малий вже потребує корекції зору. Йому вже лікар прописав окуляри. Єдине, чим його можна умовити їх носити, це те, що в окулярах він схожий на Гаррі Поттера.

— Заберіть вашого Бетховена, — скаржиться вчителька музики. — І слух є, і здібності. Але не можу ж я його примусити! Ми вже «Менует» Гайдна розучуємо, а він у футбол ганяє.

— Дівчинка у Криму, без рук від народження, грає на піаніно ногами! — плаче дружина. — А наш, у кого він такий вдався?!

Спробували прилучити його до прекрасного, повели на «Лебедине озеро». Заснув. Зате йому дуже сподобався мюзикл «Кошки» по телевізору. Тепер ходить, насвистує арію Кицьки.

Йдеться до зими, сутеніє рано. Малий з Борькою застрягли у ліфті, годину сиділи, поки хтось викликав майстра. Консьєржки не докличешся, вона дивиться телевізор.

Взагалі консьєржі у нашому домі — це епопея окрема. Оскільки інститут консьєржів у нас справа нова, з кадрами сутужно. Це континґент плинний, за рік їх змінилося чоловік з десять.

Той перший був хлопчина похмурий, з демобілізованих. Спорудив при вході кабінку, обладнав комірчину, хотів зачепитися у Києві. Знав два імперативи: «Стоять!» і «Закрой платформу!», і цього було досить, щоб бомжі не потикалися, п'янички не розпивали на сходах і наркомани не кололися у під'їзді. Але якось уночі, спросоння не розібравшись, врізав мешканцю будинку, що напідпитку ломився у замкнені двері. Отже, звільнили.

Другий був відставний полковник, що гостро потребував спілкування. Розгледівши в Ґламур женщину одиноку, він тупцяв у неї під дверима з кульком чорного винограду зі своєї дачі, вона, ясно, не відчиняла, після чого від її дверей до ліфта були чорні сліди від натоптаних чорних ягід.

Третій був прихований інтелектуал. Він тягав передплату з поштових скриньок, тут же читав газети і на них же обідав, випивав і закусював, після чого повертав їх у скриньку, так що я отримував пресу на другий день, всю пошарпану і в масних плямах.

Четвертий був дуже вусатий і неадекватний, чомусь кидався в під'їзді цілувати жінок, незалежно від віку і товарного вигляду. Під'їзд темний, жінки лякалися. Його теж звільнили.

Після чого почали брати в консьєржі тільки осіб жіночої статі.

Перша була привітна й комунікабельна, але звечора зачинялася, пила по-чорному, вранці чергова зміна не могла достукатись на робоче місце.

Друга розповідала, що працювала на телебаченні, і цілком можливо, бо літа й негоди не стерли вроди, красувалася у вікні, як на телеекрані, і один задивився. Та й почав учащати до неї, як сказала двірничка, «на секси», її звільнили.

Третя була вкрай заклопотана букетом своїх сімейних колізій, вона сідала на лавочку біля вхідних дверей, клала біля себе каменюку і горлала на весь двір невідомо до кого: «Ворюги! Підараси! Фашисти!»

Четверта була, як фея, ґраціозна й субтельна, в минулому балерина кордебалету, через що її називали Жізель.

Всі вони говорили безугаву по телефону, і коли приходив рахунок, поставало питання, хто мав платити, бо попередніх уже звільнили. Тому їм кабель відрізали і видали стареньку мобілку. Тепер подзвониш і незмінно чуєш: «Ваш абонент перебуває поза зоною досяжності». Бо, зрештою, хто там сидітиме за таку зарплату?

Так що лишилася одна Жізель. Вона ходить, як на пуантах, у якійсь постсценічній прострації, всім усміхається і нікого не впізнає.

У нас уряди не падають, у нас міняють прем'єрів. Той, що мав бути «лошадкою», тягнув плуга недовго, тепер у нас новий прем'єр, десятий за десять років. З огляду на його статечну поставу і прибуття з Донбасу, його вже в народі поштиво назвали дон.

Чоловік він поважний, з біографією. В роки політичних репресій теж був засуджений. Перший раз за розбійний напад, вдруге за нанесення тілесних ушкоджень. Словом, зі всього видно, приходить сильна політична фігура.

Його вже проголосили «Людиною року», він уже кинув крилату фразу: «Донбас порожняк нє гоніт», чим перекрив у народній пам'яті гуркіт шахтарських касок перед Кабміном і постійні катастрофи донецьких шахт.

Формується новий уряд. «Молодий амбіційний уряд, який ми привели до влади», — як з гордістю сказав один речник парламенту, зігнорувавши благородні сивини деяких міністрів.

Уряд справді амбітний. Попередній почав відроджувати славу України як житниці Європи, цей продовжив і примножив цю славу, хоча після грибка в Бразилії французи у нашій пшениці виявили ще й дуст. Але уряд вважає, що це інсинуації, просто вони там у Європі злякалися сильного конкурента.

Новий прем'єр народу сподобався, незважаючи на чутки про його дві судимості, все списали на його важке дитинство і бездоглядну юність. Головне, що тепер він такий статечний і говорить все прямо. Він не став з народом лукавити, він так і сказав: «Кажу прямо, в президенти я не збираюсь», чим дуже заімпонував електорату. І одразу ж, тільки-но обійнявши посаду, помчав до Москви. Там він зустрівся з нашим же президентом. А де ж і зустрітися главам незалежних держав, як не в колишній метрополії? Така вже наша політична еліта. Голови, як на шарнірах, все звернуті до Москви.

Недавно аборигени Австралії наклали прокляття на свого прем'єра — вказали на нього кісткою кенґуру. Нам би якийсь такий звичай. Ми б давно вже на них усіх вказали кісткою кенґуру.

Зайшов Лев, інвертований на пустелю.

— Ну, як тобі цей прем'єр? — запитав. І сам собі відповів: — З ним у нашу історію входить новий мезозой. Панування гігантських рептилій, диктат головоногих молюсків, трансґресія кримінального елемента. І навіть новий національний символ — Пальма Мерцалова, виклепана з чавунної рейки у позаминулому столітті для всеросійського нижньогородського ярмарку. І май на увазі, він піде у президенти.

— Цього не може бути, — сказав я. — Він же говорив, що не збирається в президенти. І потім — дві судимості. Не може бути.

— У цій країні все може бути, — сказав він. — У цій країні противно жити.

— То виїжджай! — закричав я.

— І виїду, — тихо сказав він.

Нікуди він не виїде. Він закохався. Запав, як тепер кажуть, на нашу Ґламур. Знову став елеґантний, завжди гарна краватка. Часто заходить до нас, тисне кнопку дзвіночка, тоскно поглядаючи на сусідні броньовані двері. Ґламур все така ж мовчазна й печальна, обличчя — як венеційська маска. Він її зустрічає з роботи, ніби випадково, і сумку допоможе нести, і проведе до самих дверей, а вона сухо подякує й піде. Ця жінка — закритий для нього код.

Що б я робив на його місці? Те, що роблю й на своєму. Люблю.

Ще одне 1 грудня. Президент привітав працівників прокуратури і побажав їм великих звершень (на додаток, очевидно, до вже існуючих).

Справа Ґонґадзе заведена в глухий кут. Справа Александрова, убитого торік у Слов'янську, пущена по фальшивому сліду. Зниклого журналіста знайшли в білоруському лісі, повішеного. Так що тепер у морзі на вулиці Оранжерейній на одного журналіста більше. Справу порушили за статтею «Доведення до самогубства», потім тихо закриють, так ніхто й не дізнається, хто кого до чого довів.

Оскільки ж сьогодні ще й Всесвітній День боротьби зі СНІДом, у Києві відбувся масовий «Забіг заради життя». Свідомі громадяни усіх вікових категорій бігали Хрещатиком на підтримку ВІЛ-інфікованих. Імпульсу до прискорення додавав темп поширення цієї хвороби в Україні, бо за якихось п'ятнадцять років догнали і перегнали, і вийшли на шосте місце у світі після п'яти африканських країн.

До чого ж гарну пісню передають по радіо! «Я співаю при долині колискову Україні». А я думав, чого вона так спить? Бо соковиті баритони співають їй колискову.

«Нині чорний місяць перебуває у знаку Овна, — каже бородатий астролог з голубого екрана. — Не можна кривдити птахів».

А ми й не кривдимо. До нас на балкон прилітає синичка. Ми їй кришимо хліб і шматочки сала, дружина спеціально купує, у нас дома ніхто не їсть, а синичка любить. Прилітали й омелюхи, і навіть дятли. Не ті, в малинових шапочках, а якісь дивні, я таких раніше не бачив, — може, це вже сирійські?

Сови, правда, ще не прилітають. А ворон тьма. Обклювали горобину, тепер сидять на тополях, каркають так, що аж струшується сніг. Найгаласливіша все та ж каркарона, — ну такий вже голос деркучий, позаздрив би едґарівський Крук. І якби у нас, як у Стародавньому Римі, були ауспиції, тобто гадання за криком птиць, то це каркання могло б навести на дуже сумні думки.

5 грудня почався перепис населення. Ми все ще думаємо, що ми велика нація, що нас 52 мільйони. Але ж за ці роки виїхало мільйонів п'ять. І баланс демографічний від'ємний. Так що добре, якщо набереться мільйонів сорок шість—сорок сім. Та й з тих половина не ми. А з тої половини ще половині байдуже. Так історично склалося. Так історично розклалося. Продукти того розкладу отруїли суспільство, от воно й тхне.

Росія — це великий спрут. У всіх, до кого вона привалилася боком, мертвіє тіло нації.

— Ти даремно рефлектуєш, — каже Лев, інвертований на пустелю. — Україна вступила у найкращий, продуктивний період своєї історії. Аж нарешті українці об'єктивно побачать самі себе, не в патетиці нарваних патріотів, не в чужих інтерпретаціях, не в ностальгійних візіях, а реально, без ілюзій і сентиментів, як воно є насправді. І саме це їм допоможе, врешті-решт, вирішити своє гамлетівське питання: будьмо чи не будьмо? Інакше й справді залишається тільки зняти фільм «Відбраковані світом», як «Віднесені вітром», і заспокоїтись.

— Ти можеш змінити тему? — не витримав я.

— Будь ласка, — сказав він. — У Сінґапурі один бізнесмен зробив зі свого авто акваріум і напустив туди рибок.

Абсолютно нестерпний тип.

Дружина боїться моїх депресій. Вона рада, що я щось пишу, щось тут клікаю на комп'ютері. Раніше не звертала уваги, а тепер каже: — Пиши, пиши. Це сублімація. — Навіть поставила кактус біля монітора, бо він буцімто вбирає шкідливі промені.

Не знаю, вбирає чи не вбирає, але він зелений, хоча й колючий, і коли очі стомлюються від комп'ютера, я дивлюся на той кактус. І опиняюся в пустелі. А там піски, піски... і Лев, інвертований на пустелю. Я йому кажу:

— Пам'ятаєш, у Шевченка: «Заворушилася пустеля»?

— Та ніколи вона не заворушиться, — каже він. — Тут самі тільки міражі. Міраж незалежності. Міраж свободи. Міраж майбутнього.

Але, на відміну від чудовиська Амброза Бірса, міраж прозорий, не перекриває реальності.

Він стоїть по той бік міражу, я — по цей.

Предки мої, що ви зробили не так, що нащадки потрапили в таку халепу?

— Не мали письменників, чутних для світу, — каже він. — Не створили ні Божественної комедії, ні людської.

— Мова, — сказав я. — Віками дискримінована мова. Колоніальне становище.

— Я не аналізую причин, — сухо сказав він. — Я констатую факт.

Оце й уся різниця між нами. Він констатує, а я страждаю.

— Ти людина, а він чурбан, — резюмує дружина.

Відходять останні могікани XX століття. Помер Микола Амосов, видатний кардіохірург. Чоловік суворий, парадоксальний, розум, як скальпель. Тисячі врятованих людей на фронті, тисячі уже в мирний час. Десятки книг, сотні наукових праць. Його іменем названо малу планету. Чув од батька, що Параджанов був у захваті, коли його побачив. — Гамлет! — кричав він. — Ось який має бути Гамлет!

Батько знав їх, він багатьох знав. Фактично він був сучасником великих людей, і аж тепер це стає зрозумілим, — коли вони відходять. Бо поки вони є, ми ж не знаємо, що поруч з нами планети.

Дивлюся на теперішній пейзаж і думаю: чиїм сучасником буде мій син?

Чиїм сучасником себе можу вважати я?

І кого з наших теперішніх політиків майбутні історики назвуть по імені, а кого і в лупу не розгледять? І на кому поставлять Каїнову печать?

Друга річниця закриття Чорнобильської атомної станції. Панує зірка Лестаґ. Ну, і хто ж народився під цією зіркою? Нерон, Ейфель і творець мови есперанто Замменґоф. Ні, це ж треба, в цей день народився і Анрі Беккерель, фізик, що чи не перший помітив дивні властивості «смоляного каменя», як тоді називали уран. Навіть термін є такий — беккерель.

У нас тепер усе життя в кюрі і в беккерелях.

Закривали станцію під овації і фанфари, а її й досі ще не закрито. Овацій, виявляється, мало, треба ще й пару мільярдів для остаточного закриття. А там навіть з зарплатнею перебої. І фахівці роз'їжджаються. І чорнобильці мітингують. І «саркофаг» небезпечний. І сховища для ядерних відходів не добудовані. І Дамоклів меч хилитається. Отакий «Чорнобиль forever».

16 грудня. Преподобного Феодула. Завіяло і задуло.

Президент США запалив новорічну ялинку.

У Колумбії біля супермаркета вибухнув автомобіль.

Емісари ООН усе ніяк не знайдуть в Іраку зброю масового знищення.

Однак у Вашинґтоні вважають, що вона там є.

Джіммі Картер в Осло, при врученні Нобелівської премії миру, сказав: «Світ стає дедалі небезпечніший».

Один із політологів зауважив: «Якщо Вашингтон розпочне війну з Іраком, він відкриє ворота до пекла».

Завіси уже скриплять.

Незабаром католицьке Різдво. У Мексиці святкуватимуть «Ніч редьки». З'їдуться фермери, виставлять на уквітчаних стендах свій урожай. Оберуть переможцем господаря найбільшої, найкрасивішої редьки. Потім із тих білих тугих плодів вирізблять мініатюрні фігурки — Діву Марію, Ісуса, волхвів, ягняток.

Я заздрю своєму другові. У них там у Каліфорнії вже мерехтять деревця в міріадах кольорових гірлянд. У вітринах галантно розкланюються Санта-Клауси. Поблискують золотими ріжками цукрові баранці. Над Божим немовлятком у яслах схиляється святе сімейство. І вже, як прирожденний американець, друг мій на дверях свого котеджу, мабуть, почепив традиційний різдвяний вінок.

Він може скликати на Новий рік увесь наш курс. Він може скочити в Мексику на «Ніч редьки». Поїхати в гори Сьєрра-Невади покататись на лижах. Подивитися на перелітних метеликів у ландшафтному парку. Щоправда, він такий холерик. Він чорна блискавка смислу. Йому ніде не буде добре.

А про колібрі, це він так. Щоб захистити свій особистий простір.

У нас тут свій вертеп. Аж тепер уже судять тих хлопців з 9-го мартобря. Склепали вже звинувачення, судять. Але чомусь не в суді, а на околиці міста, в колишньому кінотеатрі «Загреб». Чи приміщень не вистачає, чи подалі від людських очей. Уявляю собі той театр тіней на тлі старого екрану з проекції минулого — підсудні інші, а судді усе ті ж самі.

Колись під таким судом уже був би тисячний натовп. У 60-х роках люди протестували, захищали підсудних, навіть якщо їх раніше й у вічі не бачили. Просто з почуття справедливості, бо суди були закриті, отже, неправедні.

А тепер жменька друзів, родичі, кілька депутатів з опозиції. Коротка інформація в пресі.

Вирок читали вісім годин. Витривалі судді, радянського гарту. Дали хлопцям від двох до п'яти років. Комусь навіть зарахували час, відбутий під слідством, — рік і дев'ять місяців. Засуджені інсурґенти простягали руки крізь ґрати, прощалися. Співали у клітці Гімн України. Плакали матері, кам'яніли батьки. Один студент не витримав і пошпурив у суддю стільця. Двоє закоханих цілувалися крізь залізне пруття.

А суспільству байдуже. Є слово, залишене йому у спадок від радянської влади, слово-заклинання, слово-прокляття, слово-тавро: націоналіст.

А відтак — жест Нерона, хай хоч і пропадуть.

— Я гидую суспільством, — сказала дружина. — Воно тупе й жорстоке. Воно посттоталітарне, постгеноцидне. І постлюдське.

З півночі йде циклон. У Москві вже люті морози. Люди хукають на руки, слизґаються по ожеледицях. Водії в дибаластих дублянках прогрівають мотори. Читав, що від переохолодження там уже вмерло понад сто осіб. Видно, то були безпритульні особи.

Людство у Всесвіті теж безпритульне. Крім гіпотези про глобальне потепління, є ще й інша — про глобальне обледеніння.

Колись пролітала комета Галлея — мені здалося, що вона озирнулася на нас і зареготала.

Я не Хлєбніков, фатальних закономірностей не виводжу, але ж...

Знову, як завжди, фінальна трагедія під кінець року. В горах поблизу Ісфахана розбився український літак. Летів з Харкова до Ірану на якийсь авіапоказ, з найкращими фахівцями на борту. Врізався у гірський хребет. Тепер збирають уламки в радіусі сорока кілометрів.

В Індії у християнських храмах прогриміла ціла серія вибухів. Дружина затулила малому очі, коли в кадрі чиїсь поморщені руки згрібали з підлоги кров.

Ізраїль своїх військ із Вифлеєму не виводить навіть на Різдво.

Так закінчується рік Коня.

Наступний буде роком, хто каже — Кози, хто — Чорного Барана. Як на мене, Баран тварина солідніша, ніж Коза. Біла, то ще нічого, а чорна, з ріжками й бородою — викапаний чорт. Астрологи віщують всіляке, а один розіклав карти Таро і сказав, що людина буде в плюсі.

А поки що Діди Морози вже ходять з газовими пістолетами.

В Англії Санта-Клаусам заборонили цілувати дітей і брати їх на коліна, щоб запобігти випадкам педофілії.

Береги Іспанії омиває чорний прибій.

Але є й позитивні тенденції. Цього року від ВІЛ-інфікованих матерів народилися здоровими 212 дітей. Видно, допомагають всенародні забіги.

Метелики «монархи» долетіли зимувати у Мексику.

Вдова Сержа Лифаря передала його особисті речі на батьківщину в Київ.

В Одесі відбувся конкурс краси серед сліпих.

І останній акорд під завісу Нового року.

26 грудня привезли тіла загиблих з Ірану. Вісімнадцять тіл уже впізнали, решту ідентифікує судово-медична експертиза. Несподівано серед загиблих виявилася семирічна дівчинка. Хтось, певно, взяв із собою, розважив дитину.

В Україні оголошено траур. Похилено державні прапори.

У Банґладеш вибух.

У Венесуелі вибух.

Береги Ґалісії усе ще очищають від мазуту.

Але на прохання Папи Римського Ізраїль таки вивів танки з Вифлеєму.

Новий 2003-й ми зустріли з батьком, в його родині. Недавно він переніс інфаркт. У сумі з попереднім це вже сигнал тривожний. Але він, як завжди, серед своїх книжок, біля свого письмового столу. Напівлежить у кріслі, усміхається нам очима.

Пити йому не можна, він і раніше не пив, а тепер і поготів. Ми п'ємо за його здоров'я, за його нові переклади у новому році. Він блискучий перекладач, але ж з мов живих на мову ледь животіючу, отже, по-сучасному мовлячи, — у що він інвестував своє життя?!

Я розумію, що батько відходить. Я розумію, що він теж це розуміє. Мені страшно за нього і за себе. Більше таких людей не буде, це вже останні. Він жив для України. Його батько вмер за неї. А я, а моє покоління... Ми якось дуже швидко втомилися, зрезиґнували. Нас тільки й вистачило, що на скепсис і на іронію. А скепсис — як сепсис для цієї нації в її теперішньому становищі. Іронія гірка, як абсент. От вона й дивиться в різні боки, як ті двоє на картині Деґа.

Хотілося музики, снігу і голосів нашої пам'яті. Натомість по телебаченню крутили печерний рімейк «Ніч перед Різдвом». Малий реготався до сліз. Дружина сказала, що введе у дисертацію дискурс новітніх рецепцій Гоголя в аспекті деградації культурного коду.

За п'ять хвилин до Нового року виступив президент, урочистий, усміхнений, на тлі державного прапора, підняв до всіх келих шампанського, побажав народові щастя, добробуту й процвітання. Я глянув на Тінейджера, він сидів у навушниках, слухав голоси природи.

«Январь того же года, случившийся после февраля», — сказав би гоголівський божевільний. Два місяці майже нічого не читав, не слухав, не записував.

І що? І краще. Більше часу віддавав сім'ї. Ходили у філармонію, слухали «Адажіо» Альбіноні, і так було приємно додому йти пішки! Я давно не бачив примружених снігом вечірніх вогнів, я давно не вів під руку красиву жінку. Мені подобався її профіль, пахуче пасмо волосся, відкинуте вітром на мою щоку. Вона була схожа на варшавську Сиренку — стрімка, ніби у півпольоті, струм пройшов поміж нами, як в далекі дні перших побачень, я зупинився і цілував її просто на вулиці, перехожі думали: от шаленці, це ж треба так закохатися! — не знаючи, що в нас удома вже восьмирічний син.

Все-таки озирнуся, що там врізалося у пам'ять.

Біля берегів Австралії дрейфувало якесь містичне судно, не розбите, не пограбоване — риба в трюмах, рятувальні шлюпки на місці, а екіпаж зник. Ніби перейшов у якийсь інший вимір.

У Шотландії приспали овечку Доллі. Скільки було шуму, коли створили цей перший клон, а приспали тихо. Бо ж народилася зразу стара, у віці своєї матері, часто хворіла.

Наприкінці січня розбився американський шатл «Коламбія». Екіпаж з семи чоловік, серед них перший ізраїльський астронавт і дві жінки. Літав-літав, уже й вертався на землю, і раптом не вийшов на зв'язок за 16 хвилин до посадки. Що там сталося — вибух, недогляд, втома металу? Може, зіткнувся з метеоритом чи навіть з космічним сміттям?

Уламки збирають від Техаса до Каліфорнії.

У Гонконґу вже якийсь новий вірус. Грип не грип, пневмонія не пневмонія, а люди мруть. Хто каже: вірус-мутант, хто — убуток бактеріологічної зброї. Вакцини проти цього нема. За сумою приблизних ознак назвали атиповою пневмонією.

Все, чого ми не знаємо, є для нас атипове. Типове тільки людське божевілля, з яким людство множить наслідки своїх непрогнозованих дій.

В Іраку шукають зброю масового знищення. Враження таке, що як тільки знайдуть, зразу вдарять по Іраку. А не знайдуть — тим більше. Кораблі коаліції курсують у Перській затоці. З авіаносців готові злетіти бомбардувальники. Америка хоче «встановити демократію в арабському світі», — пишуть газети. А моя теща сказала б: «Не лізьте в чужий город». Втім, в епоху глобалізації кому потрібна локальна мудрість моєї тещі?

Франція, Німеччина і Росія проти війни в Іраку, а ми як ми. «Офіційної позиції України поки що немає».

Я, коли чую такі реляції, хочу у віртуальну країну на острові Косумель.

Скрізь по світу маніфестації. Рим клекоче. Париж протестує.

У Мельбурні грандіозна антивоєнна акція.

У нас теж протестують, але якось мляво. Ми вже не

пасіонарна нація, наші детонатори давно вже заглухли, їх знищили, вивезли і знешкодили там за снігами. До того ж ми держава нейтральна, позаблокова, нас у війну не втягнеш. Проти війни теж.

Але чомусь наш президент навідався до Перської затоки. Був навіть якийсь репортаж із Кувейту, однак це його турне залишилось малопоміченим.

Неспостережливе у нас суспільство, не привчене питати.

Живуть же люди. Мають шанованих президентів. Чехи, нарешті, обрали собі нового. Довго не хотіли відпускати Вацлава Гавела. Нашому аплодували б, якби пішов. Але він саме розвинув шалену діяльність під завісу другої каденції — хоче провести політреформу. Змінити систему. Вивернути її, як панчоху. З президентсько-парламентської на парламентсько-президентську.

У нього тепер три лебедині пісні: політреформа, компенсуючі потужності і Єдиний Економічний Простір. Але найперше політреформа. Щоб як прийде до влади хтось не з їхнього клану, то вже наперед урізати йому повноваження. А при такому складі парламенту це вже зашморг для України. Залишиться тільки вибити табуретку з-під її ніг, що охоче й зроблять наші дони і шевальє.

— Мені вже не стане життя, щоб пережити ще один експеримент над Україною, — сказав батько.

Помічаю, що він почав активно спілкуватися зі світом. Хоч який ще слабкий після інфаркту, але читає листи, відповідає, відтак одержує їх багато — з Москви, з Варшави, з Мюнхена, з Тель-Авіва. Малий навіть захопився філателістикою — географія марок фантастична, немає хіба що Буркіна-Фасо.

Тільки чогось сумно. Як тоді, коли Папа Іван Павло II облітав на гелікоптері місця своєї молодості.

Дружина знову отримала валентинку, та ще й у формі серця. Певно, таки від консула — він уже, мабуть, посол. А я, хто я? В сумі своїх реґресій на перспективу ніхто. Науковець, який не збувся, оператор комп'ютерних технологій, звичайнісінький майстер на викликах. Правда, кваліфікований, викликають у міністерства, офіси, редакції. І поки я там щось ремонтую, вони при мені розмовляють, наче я не присутній, наче я робот, додаток до технологій, часом такого наслухаюсь, у пресі не прочитаєш.

А то якось розмовляли про батька, що от колись були знавці мови, перекладачі найвищого класу, а тепер всуціль калька з російської, переклад комп'ютерний, часом такі ляпсуси, що анекдот. Але що цікаво, вони про нього так розмовляли, наче він уже їм не сучасник, наче його давно вже немає. Може, це й правильно. Все повинно минати, бо інакше нічого не настане. Але коли минає твій батько... Боляче.

Друг з Каліфорнії теж прислав валентинку. Умовно кажучи, валентинку, електронною поштою. Це зручно, це швидко, я теж так пишу. А все ж листівочка від руки, індивідуальним людським почерком, дорожча. Колись навіть вважалося нечемним надрукувати приватний лист на машинці.

Або хоча б оці мої Записки. Записки тому й Записки, що їх треба писати, записувати. Переписувати, правити. Гоголівський чиновник щоранку стругав двадцять три пера, щоб написати свої екстракти. А тут набрав, залив, переставив. Мишкою клікну, маркером пробіжусь. Готово. Я вже й забув, який у мене почерк. За мене пише комп'ютер — кирилицею, латинкою, яким завгодно шрифтом, болдом, курсивом, італіком — чітко, красиво, акуратно, але мій почерк розсипався, від невжитку атрофувався, графологу тут уже нічого робити.

Збереглися мамині листи, написані звідусіль, де вона була на гастролях. Я завжди знав, який у неї настрій, як пройшов виступ, чи дуже втомилася, почерк говорив про все.

Збереглися батькові чернетки в шухляді — переклади він друкував на машинці, але шукане, сокровенне слово писалося від руки.

Фронтові трикутнички польової пошти, зв'язані навхрест коноплянόю шворкою. Довоєнні листівки, поштівки з марками, епістолярій минулих літ.

Більше таких раритетів не буде. Надалі нам світить високотехнічний глобалізований стандарт.

А поки ми тут святкуємо День Валентина, у мусульман їхнє велике свято Курбан-Байрам. Мільйони прочан з'їхалися на Великий Хадж. Після молитви на горі Арафат здійснили обряд побиття камінням диявола. Але ті, що вже побили диявола, і ті, що ще не побили, не змогли розминутися і побилися між собою.

Геніальна метафора. Диявол сміявся до сліз.

Місяць лютий був справді лютий. Все обледеніло й осклянiло. Подібна зима, кажуть, була півстоліття тому, в рік смерті Сталіна.

— Але тоді були великі сніги, — згадує батько. — А тепер морози на голу землю. Пропаде озимина.

А тут ще й мер несподівано заявив, що вже у травні доведеться купувати пшеницю за кордоном. «Свою продали дешево, тепер будемо купувати дорого», — сказав він. Це не могло не сколихнути суспільство, що-що, а ковтальні рефлекси у нього розвинуті. Але уряд запевнив, що нічого подібного, пшениця у державному резерві є. Якщо, звісно, його не проточили державні миші.

На кухню хоч не заходь, бо все щось почуєш із репродуктора. Один політолог сказав, що в нашому суспільстві більше не-громадян, ніж громадян. Ну, і що ж тепер буде? Не-громадяни ж їдять більше, ніж громадяни. І ремствують голосніше, що держава така й сяка.

А це ж не держава винна, це ті, кого вони обрали за своєю подобою.

Не-громадяни обирають не-громадян.

І телевізор хоч не вмикай. Вродливий, етнічно вдекорований баритон натхненно співає: «Україно моя! Хай боронять тебе заворожені крила джмеля!»

От хіба тільки й оборонять, що заворожені крила джмеля.

21 лютого. Міжнародний День рідної мови. Оскільки для не-громадян найріднішою є не-мова, тобто не українська і не російська, а гібрид-ерзац-мішанка, то, може б, саме їй надати статус державної? Думаю, це дуже об'єднало б суспільство — єдина державна, на всіх рівнях функціонуюча мова. Общепонятний суржик на субстраті фєні і мата.

Мав рацію Лев, інвертований на пустелю. Не минуло й півроку, як наш новий прем'єр забув, що не збирався у президенти. Уже зібрався. Він уже по-батьківськи усміхається народу, вже готує програму, вже патетично закликає: «Ми повинні сказати правду друг другу, дивлячись в очі».

А що, якщо я скажу?

Тільки де ж ті очі, в які хочеться подивитись?!

У Верховній Раді дебати. Ті, що вже побили диявола, і ті, що ще не побили, побилися між собою. Дебатують політреформу. Зчиняється такий рейвах, таке взаємопобивання камінням слів — сьогодні аж трансляцію перервали. Паузу заповнили Третім концертом для скрипки Паґаніні.

І тут я зрозумів, у чому сенс життя. Ось він — музика. Навіщо я слухаю цей балаган, навіщо читаю газети, навіщо дивлюся всю цю чортівню, якщо можна слухати музику Паґаніні?!

Але музика уривається, і знову інформаційний простір кишить новинами. Світ стрясають теракти, вибухи, катаклізми. Дивно, як планета ще крутиться, — це далеко не вальс.

Однак у Віденській опері таки вальс. Там гримить, мерехтить і кружляє щорічний Віденський бал. Вишукані пари пурхають під люстрами по паркетах. Моя дружина раптом запросила мене, я не встиг здивуватись і повів її так вільно й легко, у нашій невеличкій кімнаті, у відсвітах Віденського балу. Ми так невимушено закружляли у вальсі, що я подумав: «Чому ж я раніше був такий скутий? Їй же, мабуть, завжди не вистачало цієї краси, цієї магії танцю в понурих буднях!» Я дивився на її відхилені плечі, відчував жагучу пластику її тіла, хотів притягти до себе, але вальс диктував дистанцію, і ми спалювали її самим лише дотиком зачаклованих музикою рук.

— Ржунємоґу, — раптом почувся голос малого.

І чари зникли. Він стояв на порозі, в піжамці, протирав очі — видно, Штраус його розбудив. Мені стало ніяково, незручно, ніби побачив себе збоку, з поправкою на ґротеск. Мабуть, це й справді смішно: на тлі вальсуючих у телевізорі пар незграбні силуети тата й мами, що кружляють, наступаючи одне одному на капці. А дружина засміялася, ляснула легенько його під задок і, вимкнувши Штрауса, відправила спати. Потім підсіла до мене послухати новини, і телевізор нам пошепки повідомив, що у Південній Кореї вибухнуло в метро, була величезна пожежа, сто тридцять людей загинуло, багато потерпілих і зниклих безвісти (тобто згоріли на попіл?) Спершу думали, що теракт (тепер же, що б де не сталося, думають, що теракт), але з'ясувалося, що пакет з вибуховою сумішшю кинув психічно хворий.

Так закінчився февруарій.

Я купив пучечок зіщулених пролісків у підземному переході і пішов на похорон. Батько хворий, не міг, я пішов замість нього — ховали вдову його друга, давно вже покійного. «Життя — це проходження тіней», — сказано в Біблії. От вони і пройшли.

Але, Боже, як сумно, коли все вже стає минулим!

Якась комаха, допотопний метелик, міг зберегтися у бурштині. А людина ніде не збережеться. Нема того бурштину, в якому б вона збереглася навіки. І весь я, з усім моїм життям, буду змитий прибоєм нових поколінь. То якби хоч прожити це єдине моє життя по-людськи. Ні, приходять нові режими, нові ешелони влади і везуть тебе силоміць по своїх безнадійних маршрутах. І знову пускають Україну під укіс, і тебе разом з нею.

Ще одне мартобря. Ще одна експертиза «таращанського тіла», цього разу з Лозанни, підтвердила, що це таки Ґонґадзе.

Там вже й тіла того немає, самі лише рештки у морзі. То, може б, уже провести якусь головну експертизу, якусь експертизу експертиз, чи спитати у Господа Бога: «Боже, ніхто не знає, де тіло Ґонґадзе, але ж Ти єдиний знаєш, де його душа!»

І чомусь саме в цей день у Черкасах хотів накласти на себе руки генерал міліції (ще один генерал!). Вистрілив собі в голову. Вижив, але мовчить.

Дивуюся, чому у нас і досі не розцвітає література. На наших сюжетах у нас давно вже б мали бути і Едґар По, і Стівен Кінґ, і Аґата Крісті.

Або кінематограф. У нас же на кожному кроці Тарантіно й Хічкок.

«Форум національного порятунку» давно вже аніґілювався. Емоції вичахли й розрядились, як старий акумулятор. Людей уже не підважиш на вулицю. Однак опозиція призначає громадянську акцію: «Повстань, Україно!»

Не повстане. Акції призначаються, а повстання — ні.

До того ж вирує Масниця. Православний люд споживає млинці, не дуже кремпуючись тим, що пшениці таки на денці. Млинці у нас символ солярний, символізують сонце. Тим паче, остання неділя перед Великим Постом, тра відгуляти.

Отож прийшла опозиція на Майдан Незалежності, а там у розпалі народне гуляння. Співають, танцюють, їдять гарячі млинці. Хіба повстанеш, коли морда вилискує маслом?

Мабуть, час уже нам приймати новий гімн — «Донбас порожняк нє гоніт» і на біцепси нашої Незалежності наколоти тату Пальма Мерцалова. Цю чавунну пальму невтомно пропагує наш прем'єр, а тепер уже й кандидат у президенти. Вона вже експонується й рекламується мало не як символ нашої державності. Її освятили у Лаврі і вже відкрито взяли курс на Росію.

Власне, освятили копію пальми. Оригінал у Петербурзі.

— Метафора нашої вторинності, — сказав Лев, інвертований на пустелю. — Шапка Мономаха теж у Москві.

— Зате гроб Юрія Долгорукого у Києві, — скипіла дружина.

— Зауваження слушне, але чого ти з ним така роздратована? Все-таки гість.

— Ну, й терпи свого гостя, — сказала дружина. — А я не можу. Сноб. Цинік.

Дивно, що вона його так не любить, у чомусь вони дуже схожі. Обоє категоричні, обоє без сентиментів, проблеми бачать наскрізь, діагностують жорстко. Може, тому й не любить, що схожі.

Та я й сам його недолюблюю. Холодний тріск інтелекту і незворушна логіка. Однак не такий він і незворушний, коли бачить Ґламур. Його кидає в жар і в холод. Моя дружина зловтішається: — Диви, і йому ніщо людське не чуже.

Атипова пневмонія крокує світом. Косить людей в Китаї, Гонконґу, Сінґапурі. Скорочено її називають SARS. Бояться пандемії. Цей вірус уже вважають другим, після СНІДу, попередженням людству.

Але людство попереджай не попереджай, все одно, не почує.

Може, тому, що тих попереджень уже стільки, що люди звикли й адаптувались. То вичерпуються запаси води, то нафти, то пореться озонова дірка, то летить астероїд. А це вже японці попереджають, що до Землі наближається Марс. Років через десять наблизиться на інтимну відстань. Спасибі за такий інтим. Вперше за шістдесят тисяч років пролетить так близько. Може врізатись. Ось тоді й злякаємося вже оптом.

Тим більше, що у давніх римлян Марс був богом війни. У нього було три життя і одне безсмертя. Він був переможцем, а крім того, мав ще одну свою римську дефініцію — розширювач, тобто прирощувач імперії.

Ми ж нічим не приростаємо, крім своїх нещасть.

Може, через те я й розумію всі нещасливі народи. І маю надію, що хтось зрозуміє мене.

5 березня. Півстоліття з дня смерті Сталіна. З Росії привезли виставку посмертних гіпсових масок. Моторошне видовище ці гіпсові маски. Наче мертві обличчя замело снігами...

Але сталінські вуса проступають і крізь сніги. Саддам Хусейн чомусь дуже схожий на Сталіна. Колись, в ірано-іракську війну, аятолла назвав його маріонеткою сатани. І це, мабуть, недалеко від істини. Але ж бомба може не розібратись і влучити в іракських дітей.

Сполучені Штати поставили йому ультиматум — або він полишить Ірак, або розпочнуться військові дії. Вони таки відкриють ворота у пекло. Вже призначена й дата початку війни — 17 березня, і її переможного завершення — 10 квітня. Отже, передбачається «бліц-кріґ».

Саддам Хусейн звернувся до населення, щоб рили траншеї в садах.

Шкода садів. Шкода Семіраміду.

ООН проти війни. Рада Безпеки проти. Але США надумали вдарити і вдарять. Зате потім, коли загрузнуть, весь світ впряжеться у ту війну, треба ж буде якось витягати ситуацію з кривавого бездоріжжя.

Краще б не зачіпали біблійних місць. З біблійних місць можуть початися біблійні трагедії.

Час обертається, як гігантське колесо, людство сидить, кожен у своїй кабіні, з острахом визирає: чи не почалася війна?

16-те, 17-те, уже й 18-те березня! Хвалити Бога, не почалась.

У Ватикані у святого Петра украли ключі від раю.

Пекло, я так розумію, не замкнене.

В ніч на 20 березня війна таки почалась. Наймолодша цивілізація пішла на найдревнішу. По Багдаду випущено сорок крилатих ракет. Б'ють з кораблів у Перській затоці. Бомби скидають з неба. Багдад навіть не встиг заплющити очі. Вночі у клекоті вибухів вікна світяться, як золоте доміно. Операція називається «Шок і трепет».

У кого шок, то це в моєї дружини.

— Апофеоз чоловічої цивілізації, — каже вона. — Вони таки розв'яжуть третю світову війну.

По світу хвиля протестів. Мільйони людей виходять на демонстрації. Називають цю війну бійнею, вимагають спинитися. Але їх в ім'я демократії розганяють кийками і сльозогінним газом.

Коаліція штурмує Багдад.

В Іраку розгулялись піщані бурі.

Клубок прадавніх конфліктів завихорюється у вогненний стовп.

Бог війни може бути задоволений. Меч у крові, щит відблискує полум'ям. Над людством з реактивним свистом проносяться літаки.

Світ приростає джихадами.

У Еквадорі в британське посольство шпурнули гранату.

Країни відкривають свої кордони для біженців.

А в нас тут свої імпрези. Міняли літеру в державному Гімні, щоб Україна на одну букву менше вмерла. Відновлювали давньоколишні норми правопису. Клялися, що не продавали «Кольчугу». Ніяк не могли вписатися у світовий контекст.

Свистить наш конверсійний чайник на кухні. Це сигнал. Дружина вже погодувала малого, уклала спати. Настає наш особистий вечірній час.

У таку промерзлу провесінь, у такій гнітючій реальності, це наше пізнє чаювання, ця тиха розмова, цей перламутровий полиск чашок і терпкий аромат цейлонського чаю, — може, це й маленьке щастя, але воно наше.

Набираєшся тепла на цілий наступний день.

Бомби б'ють по Багдаду.

Рада Безпеки закликає перейти до гуманітарних акцій.

Президент Америки грає в ґольф.

А політична Феміда все щось зважує на своїх терезах. Спритні політики перестрибують з шальки на шальку. Перекидають гирки своїх інтересів. Свинцеві гроби чекають своїх вантажів.

Наша держава ніби ж позаблокова і нейтральна, але вже муштрує хлопців на полігонах, лаштує свій протихімічний батальйон у Кувейт.

Арґументи донів і шевальє такі: Україна неодмінно має бути присутня у миротворчих операціях. Це не воєнні дії, це гуманітарна акція. На те ж він і РХБ-батальйон, щоб захищати населення від радіаційних і хімічних небезпек. Тут, в Україні, він уже захистив, тепер захистить у Кувейті.

Що ж до воєнних дій, то вони там далеко. Рєдкая птиця долетить.

І ось уже до Кувейту щодня відбуває по два літаки. Деякі миротворці кажуть, що їдуть захищати мирне населення, інші відверто — щоб заробити. А один солдатик сказав журналісту: «Я хочу світу побачити».

— Який там світ на війні?! — плаче його бабуся.

На Багдад сиплються тонни бомб.

Вчора скинули дві глибинні.

Ох, ти ж, світова Мельпомено! Сьогодні Міжнародний День Театру. Який кривавий спектакль!

Кофі Аннан закликає припинити війну.

Європарламент прийняв резолюцію проти війни.

Але ворота в пекло уже не зачиняються.

Трупи на вулицях Багдада. Почались епідемії.

У Басрі ні води, ні світла. Місту загрожує гуманітарна катастрофа.

Табори біженців замело піщаними бурями.

Палає п'ятнадцять нафтових свердловин. Чорний дим валить на Кувейт.

А вони думали — нафта.

Наш РХБ-батальйон стоїть біля кордону з Іраком. Очі засипає пісок.

Птиця, може, й не долетить, розполохана бомбами, а снаряд таки долетів і гахнув кілометрів за сто від нашого батальйону.

І цілком несподівано для суспільства президент Буш назвав Україну в числі держав, що підтримали коаліцію. І чомусь наш президент не заперечив. Маленька Словенія заперечила, а велика Україна ні. Отже, потай вже перестрибнув, хитнулися лукаві політичні терези.

І враз у кольчужній справі була поставлена крапка.

Ось тут би й провести референдум, запитати суспільство. Ні. Президент ставить Україну перед фактом. Так вирішив він, так вирішив парламент. А потім, коли прийде час усвідомлень і наслідків, не буде з кого спитати. Вони вже всі будуть на заслуженому відпочинку, на державних пенсіях замордованої ними держави.

От і вписалися у світовий контекст. Наших хлопців теж, очевидно, пошлють на ту війну. Чи їм хоч пояснять, куди вони їдуть, чого вони їдуть, що то за країна Ірак? У школі ж, мабуть, не дуже вчили. Я теж не дуже вчив.

Але до чого ж ми задурені! Як нам змоделюють світ,

так і бачимо. Ніби в Іраку тільки і є, що кривавий режим Хусейна, кубло тероризму і диктатура. Та ще ота зброя масового знищення, через яку почалася війна, але якої там так і не знайшли.

Гортаю енциклопедію. «Весь Ірак — це музей під відкритим небом». «Ця земля — колиска кількох цивілізацій». Долини Месопотамії. Ніневія. Ріки Тиґр і Євфрат. Але ж дозвольте — Месопотамія, Межиріччя — та ж там жили перші люди після Потопу! Ріки Тиґр і Євфрат — це ж ті ріки, які протікали в раю! Отже, це десь там росло Древо пізнання, з якого з'їла те яблуко Єва. Отже, це там Каїн убив Авеля. Отже, з тамтешньої глини Бог створив Адама! Отже, звідти родом все людство?!

Вітаю себе з печаллю пізніх прозрінь.

Це ж там були геніальні арабські поети, філософи, звіздарі, математики! Це ж там на розкопках столиці ассірійського царства Ніневії знайшли бібліотеку з клинописних табличок! Це ж там творилася магія Сходу. Це ж звідти й Синдбад-мореплавець. Це ж там був і Вавилон — столиця царів, «золота чаша в руках Господа, з якої упивалися всі народи», як сказано у пророка Єремії. Де був і плач Вавилонський, і полон Вавилонський, і Александр Македонський, що увійшов у Вавилон тріумфально, та вже й не вийшов. Занедужав і вмер, там і похований.

І викарбувано було на його кам'яному надгробку: «Цього клаптика землі вистачило тому, кому замало було всього світу».

Чи ж збереглася його могила? Чи там уже кози пасуться...

Але як же я раніш не подумав? Отже, й Вавилонську вежу будували там, у долині Сенаарській, нащадки Ноєві сукупно з іншими племенами. Будували поспіхом, косо-криво, нетривкий розчин вживали, гнали вгору без тями, не заклавши як слід підмурок. То воно й завалилося, і Господь змішав їхні мови, і вони перестали розуміти одне одного.

Вавилон — це ж і означає у перекладі «змішання». Тільки тоді це було змішання мов, племен і народів, а тепер це зветься — коаліція.

Може, не випадково Історія знову завертає на Вавилон? Може, сам Бог диктує нам цю метафору, а ми ще не чуємо?!

Я сьогодні їхав, наче ж усе нормально, і раптом погнав на червоне. Сержант зупинив, питає, а я й сам не розумію. Згоден, порушив, а чому — не знаю. Не пив, тверезий, можу дихнути. Так, бачив і світлофор, і стрілочку, все бачив. Але ніби на мить випав із дійсності. Провалився в часі. Тепер же час вимірюється не часом, а катастрофами. Це якийсь розгром часу в мені. І мене в часі. Як це поясниш сержантові?

Я мовчав, навіть не виправдовувався. Він хотів виписати мені штраф, я автоматично ткнув йому купюру, він автоматично взяв і раптом потис мені руку. Теж якесь випадіння з дійсності.

Десятий день війни. Переможні кадри військової хроніки. За добу на Багдад було здійснено безліч вильотів, скинуто бомби й ракети з лазерним наведенням. Коаліція бомбила священне для мусульман місто Кіркук. Басрі загрожує епідемія холери. Іракський міністр інформації повісився. Від бронзового Хусейна залишилася тільки його ліва нога.

Приниження переможених додає переможцям драйву. Та варто було першим солдатам потрапити у полон, пафос упав, у британській пресі з'явилося тривожне передбачення: «Це буде страшна війна».

І ось уже перші оприлюднені втрати. Загинув австралійський журналіст.

Іракські селяни з дробовика збили американський вертоліт.

На американську базу в Німеччину привезли перших поранених.

Америка як спам'яталась. Протестують журналісти. Протестують актори. Золотий Оскар не дочекався своїх лауреатів: нагороджені відмовились від нагород. У Техасі маніфестанти прив'язали себе до дорожніх знаків, щоб зупинити рух. Але ж то рух на якійсь окремій трасі. А як зупинити рух на глобальних магістралях біди?!

31 березня. Понеділок і дощ. Останній день подання декларацій до податкової інспекції. Я можу не подавати. У мене зарплата не сягає податкової планки, і прибутків нема. Так що без клопоту. Ні я державі, ні держава мені.

Вдома тепло, затишно. Дружина порається на кухні. Я плаваю в інтернеті. Час від часу одне до одного озвемось. Не поговорити, просто озватися.

Малий притих, читає черговий том «Гаррі Поттера». Про Великих павуків і про Дерево, що гілками своїми, мов кігтями, хапає дітей.

На що вже Борька з його прихованим потенціалом, і той читає. Дівчатка з їхнього класу закохані в Гаррі Поттера. На книжкових розкладках з'являються підробки й наслідування. Популярність книжки така, що, кажуть, уже повії на виклики з'являються в образі Герміони.

Дванадцятий день війни в Іраку. Війська коаліції вступили в бій з гвардією Саддама. Загинуло вісімнадцять морських піхотинців.

Переправа через Євфрат називається «Шляхом смерті».

Нацгвардія Хусейна «Медіна» захищає Багдад.

Навколо Багдада — непереборний «червоний пояс». Коли його перейдуть, тут усе й станеться.

Перейшли. Не сталося. 5 квітня війська коаліції увійшли в Багдад.

На острові Сицилія заговорив вулкан Стромболі.

Американський літак вронив над Туреччиною дві ракети «Томагавк».

Вчора була хляпа, сьогодні снігове царство. Зґвинтилася земна вісь, пора вже садам цвісти, а воно сніг.

— Послухай, — сказала дружина, — давай вип'ємо гарячого вина. От просто вип'ємо гарячого вина і все. І ні про що не будемо думати.

Ми пили червоне гаряче вино. Ми ніколи раніше не здогадувались, що можна просто от так — увечері, без ніякого приводу, пити червоне гаряче вино і ні про що не думати. Малий спав, а ми швиденько зімпровізували ґлінтвейн, додавши до вина гвоздики й кориці і мандаринових шкуринок. Ми навіть не розмовляли, а просто пили. І якось швидко сп'яніли, вона раптом заплакала, ніби в ній розтанула крижинка, я на руках одніс її в ліжко, і це була невимовно щаслива ніч, бо ми відчули самі себе, і сніг за вікном, і зігріли одне одного.

Вранці вона не хотіла вставати, довго ніжилась, була субота, я приніс їй каву в ліжко. Малий проспав школу. — Ну, і хай, на здоров'я, — сказала дружина. Головне було нічого не вмикати, не слухати і не дивитись. Однак увімкнули, і знову дихнув на нас філіал земного пекла.

На двадцятий день чужої війни у Багдаді загинув молодий український журналіст. Знімав вступ американських танків у Багдад з балкона шістнадцятого поверху готелю «Палестина». Танкістові щось здалося —

може, блиснула оптика, — навів гармату і вистрелив. Закривавлене тіло з балкона внесло і вкинуло через вікно у кімнату, де працювали журналісти. Вони схопили його і другого вбитого, іспанського журналіста, стрімголов виносили їх на ковдрах до машин швидкої допомоги. Весь світ бачив ці кадри. Мабуть, і їхні рідні бачили. А що наш працював для аґенції «Reuters», виходить, що танкіст відкрив вогонь по своїх. Воістину шок і трепет, тепер уже у всіх.

Тієї ж ночі після тої звістки на чернігівській дорозі розбився ще один журналіст, машиною врізався у дерево. Брязнуло скло, відлетіли дверці, порозкочувались колеса.

У того залишився маленький син, у цього чотири донечки.

Тіло Тараса Процюка вже летить через Стамбул у Київ, тіло Хосе — в Іспанію, тіло Сашка Кривенка везуть у Львів. У небі розминаються мертві. На землі розбиваються живі.

Але ж сьогодні 10 квітня. Час бліц-кріґу закінчуватись.

І справді, невдовзі Пентаґон оголосив про завершення основних бойових дій. Американський народ радіє.

На конґресі у Греції діточки роздають главам держав оливкові вітки.

Джорджа Буша і Тоні Блера вже мало не висувають на Нобелівську премію миру.

Американку запитали у прямому ефірі, що вона почуває у цей день.

— Я щаслива, — сказала вона, — що все вже позаду і що іракський народ уже вільний.

На жаль, місіс. Все ще попереду. Бліц скінчився, а кріґ — ні.

Горить Багдад. Горить багдадська бібліотека. Плаче багдадський злодій — скінчилася його казка. Тепер вже не ті багдадські злодії, вони не літають на килимах, вони їх цуплять з магазинів, з палаців, з національних музеїв. Це ж тільки герої різні, а подонки всіх націй однакові. Завойовники теж.

Розкрадено найдавніші пам'ятки шумерської цивілізації. Спалено сотні тисяч дорогоцінних рукописів. Вивезено кілька тисяч шедеврів. Нарешті хтось спохопився — створено Міжнародний комітет захисту культурних надбань Іраку.

Пішли дні вже без чисел, єдино в чеканні, коли закінчиться цей кошмар.

Солдати гинуть. Мирні жителі гинуть. Багдад лежить у руїнах. А трансконтинентальні компанії вже оголошують тендери. І наші туди ж, кілька українських компаній теж хочуть взяти участь у відбудові. Але ж пріоритет відбудови належить руйнаторам. Там же все розподілено вже, всі підряди і супідряди, тендери, кредити і транші. Як у дитячій лічилочці: «Цьому дам, цьому дам, а тобі — не дам, бо ти болван. Дров не рубав, води не носив, каші не варив, Багдад не бомбив».

Тепер же не в тому річ, в якого бея під носом шишка, а в якого — нафтова вишка.

Наш батальйон хімзахисту відкликають з Кувейту. Йдеться вже про те, чи посилати наших миротворців безпосередньо в Ірак? 80% населення проти, але хто ж їх почує? Це якби перед виборами, тоді цінувався б кожен голос.

Народні обранці схиляються до того, щоб послати. Виключно з гуманітарною метою, у цілком безпечний польський сектор, де вони заввиграшки охоронятимуть ірано-іракський кордон і жодної участі у бойових діях не братимуть.

Водночас чомусь порушується питання — чи нададуть

їм статус учасників бойових дій, щоб після повернення вони мали право на пільги.

Ну, а хто не повернеться, теж не страшно. У Великій Британії вже дозволено клонувати людські ембріони, так що можна буде замовити клон. Тільки треба, щоб наш уряд передбачив це у бюджеті.

Наближається Марс. Розповзається SARS.

Вже й у Фінляндії зафіксовано перший випадок.

У Китаї школи закриті на карантин. Люди ходять, як забинтовані, у марлевих пов'язках.

І ось вона, радісна звістка. Президент Буш на борту авіаносця «Абрахам Лінкольн» оголосив, що війна в Іраку вже остаточно завершена. І тут же рвонуло, неподалік від Басри. Війна вступає в хронічну стадію.

Сьогодні бачив Око Всевишнього в інтернеті. Може, це якісь візуальні ефекти, може, й справді комусь вдалося сфотографувати, але крізь хмари й галактичні туманності, в позасвітті загадкових безмеж, чиєсь незбагненне Око я таки бачив, — може, Бог хотів подивитися на місця колишнього раю, де Він створив першу людину, де колись один Каїн убив одного Авеля, а тепер той гріх розрісся до таких масштабів, що несила вже розібратись, хто кому Каїн, хто кому Авель. Усі для всіх не люди.

Звична фонограма новин: голос муедзина з мечеті, гуркіт гелікоптерів, вибух, крик, машини швидкої допомоги — в Іраку, в Афганістані, у Пакистані.

У Вифлеємі, де Божа Мати сповила Ісуса, куди східні царі прийшли поклонитися Йому, де Рахіль оплакала своїх дітей, — знову стріляють. Там, на полях Вифлеємських, де Руф збирала колоски, — тепер можна збирати осколки.

У Туреччині знову землетрус. Труснуло так, що завалилася школа. З-під руїн витягли сімдесят дітей, але невідомо, чи це вже всі. Розкопують далі.

Дивимося новини разом. Дружина коментує, жахається, скрикує. А сьогодні прихилилася до мого плеча і заснула. Заснула на піку світових трагедій. Нормальна реакція нормальної людини. А що ж іще можна зробити, коли нічого не можеш зробити? Воно гриміло, гуркотіло, трясло екран, вибухало, а я боявся поворухнутись, щоб її не збудити. Показав малому очима, щоб вимкнув телевізор. Він вимкнув, і вона зразу прокинулась. Від раптової тиші. Бо її ж тепер не буває.

У якому світі ми живемо? На ніч нам показують хорори й трилери, зранку ми входимо у світ реальних кошмарів, децибели трагедій такі, що уже перестаєш їх чути. Нас привчають до кривавих видовищ, до пласких понять і печерних емоцій. Нас постійно тримають на подразниках, ми вже не здатні на потрясіння, інформація, як з бранспойта, збиває з ніг — може, це так і задумано, щоб ми перестали бути людьми?!

Нас підхопило якимсь грязьовим потоком, і несе, і не дає стати собою.

Сурмлять фанфари секс-революції. Продукується порно і еротичні шоу. Тепер найбільший комплімент жінці — що вона сексуальна. Хоча, як на мене, це комплімент сумнівний. Сексуальність напоказ — прерогатива шльондр.

Але мої критерії застарілі. Хай живе свобода інстинктів! Жінки прагли рівності — вони її мають. Вже не тільки борделі, є вже й новий вид обслуги — спраглу ласки жінку може обслужити за викликом — як їх тепер називають? — жиґоло, халстер, сексуальний робот для жіночого вжитку. Так що здоровий гицель тепер без роботи не залишиться, на край-біду піде у халстери. Десь у Європі вже відкрився перший публічний дім у маскулінному варіанті. Йдучи у ногу з часом, його відкрив колишній альфонс.

Свобода, рівність і блядство! — такий парафраз охлократії. Естетика нуворишів. Диктат грошових мішків. Моральний ексгібіціонізм придурків. На цьому постане література нового часу. На цьому розквітне шоу-бізнес. На цьому нові покоління втрачатимуть сенс життя.

Словом, нарешті знайшли себе. Можна злізти з дерева, можна вилізти на дерево. Свобода.

Бандитські серіали нашого телебачення плавно переходять у нашу дійсність. Відбувається якесь перетікання ідей, фабул, сюжетів.

Тільки й чуєш: там убив, там зарізав, там знайшли розчленоване тіло. Почастішали грабунки у поїздах, розбійні напади на дорогах. У Дніпропетровську розкрили банду кілерів, що приймали замовлення по інтернету. І в Києві теж, під спортивною вивіскою. Якась проліферація банд, ніби вони розмножуються вегетативним способом.

Деякі фільми вже просто, як інструктаж. Як пограбувати банк. Як зробити вибухівку. Якась дівка позбулася суперниці, вкинувши у ванну ввімкнутий у розетку фен. Потім так і пояснила в суді — бачила по телевізору.

Якогось підлітка затримали за підозрою у вбивстві батька, матері, брата й сестрички. А він просто відтворив якийсь трилер, навіть зробив контрольний у голову.

Діти в цих еманаціях звірства перестають бути дітьми. То дві подружки замордували третю, то якісь лобурі тероризують увесь клас. А недавно у московській області троє підлітків затягли у гараж калічку, інваліда дитинства Рому,назнущалися з нього й викинули, ще живого, у річку Звіроножку. Щось багато звіроножок розвелося по світу. Це ж із них потім рекрутуються скинхеди, бузувіри, недолюдки.

Словом, як у тій комп'ютерній грі.

Якщо той не уб'є того, то той уб'є того.

Перемикаю канал за каналом, сюжети як на підбір: «По дороге в Балтимор ее должны убить», «Ваш долг искать убийцу, а не любовника моей жены», «Она или не она заказала киллера?» Не державною мовою? Будь ласка, державною: «Я відірву твою голову і запхну тобі в зад». «Ще два трупи. Шостій жертві відрізали вуха». «Третя жертва залишилась без язика». Анонси у тому ж дусі: «Бандитский Петербург». «Убойная сила». «Менты».

А до чого ж тут ми, по цей бік екрану?

Я ж не пройдисвіт і не маніяк, я не збираюся грабувати банк і найматися в кілери, я не ходжу до проституток і не напиваюся в барах, — чого ж мені нав'язують ці сюжети? Чому я мушу стежити за перипетіями долі злодія і наркомана, бандита і повії?

Зрештою, це моя приватна територія. Це мій дім, мій телевізор, мій життєвий простір. Це мої вікна, мої двері, в які я не пустив би ніяку погань. Чого ж ви лізете через екран?!

І все-таки, однієї пізньої ночі, коли нам довго і щасливо не спалось, трапилося побачити гарний французький фільм з Анні Жірардо. Звичайнісінька ніби історія. Як зустрілися двоє. Як невідомо чому і звідки налітає цей гарячий вітер. Як виникає не просто потяг одне до одного, а якась непереборна туга одне за одним. Коли жодних слів, жодної постільної сцени, вони тільки дивляться одне на одного.

Як ми тепер з дружиною.

Як наш Лев, інвертований на пустелю, на Борьчину матір.

І як, мабуть, той консул на свою недосяжну Ліліт.

— Слухай, — сказала дружина. — Ми випали з культурних контекстів.

А й справді, коли ми були останній раз в театрі чи в якійсь галереї? Коли слухали оперу чи ходили в музей? Телевізор та й телевізор.

Пішли на виставку сучасного аванґарду. Круто відірвалися. Найбільше вразила «Марія №142». Пронумерована Марія це вже щось. Куди там Пікассо з його «Жінкою в кріслі»? І всі модерністи разом узяті. А втім, чого я дивуюся? Я ж теж пронумерований. Ми всі пронумеровані. Оприходували нас, пронумерували, видали ідентифікаційний код. Довжелезну десятизначну цифру, а що вона ідентифікує? Реєстр фізичних осіб для податкової інспекції? А де наша людська ідентифікація? Національна? Культурна? Чи в епоху глобалізації вже не треба?

Взагалі мистецтво зробило величезний крок уперед. Що там ті китайці з їхніми пензликами, японські мініатюри і весь цей Іван Марчук з його космічно-капілярною технікою, всі ті голоси його душі і «Нові експресії»? Вчорашній день. Нафталін. Сучасне мистецтво не визнає канонів. Приміром, дриплінґ. Що в руки трапило — віхоть, лопатка, дірява бляшанка, кулінарний шприц — квецяй, маж, не кремпуйся. На фіґ талант, натхнення, якісь там ідеї. Головне, щоб було стьобно. Шок, скандал, провокація — ось ферменти мистецтва, його елітарний тренд. Все має бути спонтанне й гранично відверте — як фізіологічний акт, як бажання лайнутись або відлити в неположеному місці.

Відливають на все. На батька, на матір, на літературу, на історію. Сміються до гикавки над самим словом «патріотизм».

Я вже навіть не страждаю від цього. Цілковите розуміння, що від тебе нічого не залежить, звільняє від відповідальності.

У нас є шевальє. Хай відповідають.

Але вони щось дуже почали вчащати до Москви. Візити щодалі неофіційніші, приязніші, з поцілунками й гостюванням на дачі президента Росії.

Відновлюються радянські традиції, взаємний обмін святами. Той рік був Роком України в Росії, цей — Рік Росії в Україні. «...того и гляди, что опять появится красная свитка», — цитує дружина Гоголя.

Але якось це контрастує з побожністю недавніх членів партії. Ридає Сталін на тому світі — як швидко перелицювалися його кадри! То ж були такі атеїсти, а тепер б'ють поклони і хрестяться.

Ось привезли мощі Андрія Первозванного, прибув архимандрит Христодул з Афона. Президент і його достойники приклалися до святої стопи. Яке зворушливе навернення до релігії! Наче й не їхня партія руйнувала храми, наче й не вони випускали ракету «Сатана».

У суспільства ретроградна амнезія. Воно уже все забуло. Воно навіть не робить зусиль пригадати. Через те з цим суспільством можна зробити що завгодно. Обікрасти його, принизити. Привласнити його власність. Вирубати його ліси. Возити ядерні відходи через його голову. Будь-яку дамбу навісити йому над головою. Схаменеться, коли вже пізно.

— Що ж ти хочеш від суспільства, яке за одне століття пережило три суспільні формації? — сказав Лев, інвертований на пустелю. — Монархію, та ще й російську, соціалізм, не апробований на дрозофілах, а тепер ще й олігархат під псевдонімом «демократія». Ніколи не жило нормальним життям, не знає ні своїх прав, ні обов'язків.

Це ж не Англія, де є тяглість традицій. Де навіть Конституції немає, а всі права і обов'язки написані у людей в голові.

— Розумна нація, — каже дружина. — Недарма ж у них на троні переважно жінки. І в Нідерландах уже років сто королеви. Час би вже й нам обрати жінку.

Я знаю, до чого вона хилить. Але я ще не готовий обирати жінку. Та ще й колишню бізнес-леді. Я хочу обрати нашого нетипового екс-Прем'єра. Ось на кого я не вказав би кісткою кенґуру. Та й то. Що я знаю про нього? Мені він подобається. Це моє суб'єктивне враження. А як там об'єктивно, я ж фактично не знаю. Для мене він такий, яким я його бачу. Це властивість мого зору, я не спотворюю об'єкт.

Але коридори влади — це лабіринт Мінотавра. По тій багнюці чистим не пройдеш. Все хтось обляпає або вкусить. Там треба антимоскітну сітку одягти на голову.

—І обкуритися димом, — додала дружина.

А час іде. Майклу Джексону вже 45. Мадонна вже пише казочки про принца і руду лисичку. Депардьє відкрив ресторан у Парижі. Шварценеґер балотується в губернатори штату Каліфорнія. Його вже облили компроматом, шпурнули в нього яйце. Але це не страшно. Майже в кожного політика щось шпурляли. В Тоні Блера — помідори, в Білла Клінтона у Варшаві теж якийсь дев'ятнадцятиліток швиргонув яйце. Але Клінтон поставився до цього з розумінням. Він сказав: «Молодь завжди має бути на когось сердита», зняв піджак і пішов далі в рожевій сорочці.

Шварценеґер також не розгубився. Він зауважив, що тепер той хлопець винен йому ще й бекон, бо яке ж яйце без бекону?

Головне для публічного політика — вміти з гідністю втертися.

Сьогодні у школах пролунав останній дзвінок.

Школярі на радощах влаштували фестиваль шпурляння портфелів — хто далі закине. Одна дівчинка закинула на шість метрів. Друга на одинадцять. Що-що, а портфель наш малий закинув би найдалі.

Щось у нас з його вихованням пішло не так. Може, я занадто м'який, може, дружина занадто сувора? В той же час до неї він горнеться, а зі мною дистанція. Батько казав: прірва. Згодом буде й прірва. Сумно. Я програміст. А запрограмувати свою дитину на щось путнє не можу.

Ходив з дітьми на Майдан Незалежності. Малий з Борькою настрибалися на батуті. Я тільки не знаю, чому це називається Майдан Незалежності. Розваг, кав'ярень, бутиків, барахолок — чого завгодно, крім Незалежності. Слова українського не почуєш, так, ніби це філіал столиці сусідньої держави.

Але в підземній «трубі» знайома мелодія розриває душу — колись за цю пісню можна було й на станцію Потьма загриміти. Пам'ятаю, батькові друзі її підпільно співали, мати притишено виводила своїм оксамитовим меццо: «А ми тую червону калину підіймемо...» Вперше її на повен голос заспівав хор «Гомін» на граніті нашої студентської революції. І це було потрясіння, це була моральна перемога, вияв свободи духу! Тепер її співає у підземному переході жебрак, сивий змучений чоловік з бандурою. Люди пробігають повз нього, й не глянувши. Зрідка хто кине яку монету, тільки українці зупиняються, як ударені в груди, і потім швидко-швидко йдуть, заганяючи сльози кудись глибше у душу.

Киян ця мелодія не вставляє. Мимоволі і я вже звикаю до цієї огидної лексики. Живемо у липкій атмосфері звироднілого суспільства. Моральний лепрозорій розповсюджує коросту слів.

Батькові я про цю пісню не сказав. Цей незрячий

жебрак з такими шляхетними старокозацькими рисами може бути якраз із тих, що на їхню честь закладали той Парк пам'яті борців за Незалежність, і президент з мером посадили по деревцю.

Дзвонив до знайомих, питав колег по роботі, що живуть у тому районі на околиці міста, — як там той парк? Чи прийнялися дерева? Чи бувають там люди, чи працює корт? Ніхто не знає, ніхто навіть не чув про такий парк. Чи він не став місцем відпочинку, чи його ще не відкрили, чи люди просто не знають, на чию він честь? У кожному разі пам'яті про борців за Незалежність там нема. І тут нема. Ніде немає пам'яті про борців. Ларки з пивом функціонують, а пам'ять ні.

Дні котяться, як на роликах. «Январ—май, а там і літо», — казав циган.

Знову проблема відпочинку і спеки.

Хотілося б до моря, але й цього року не вийде. Та, може, й краще. Бо тільки й чуєш — там сальмонельоз, там стафілокок, там елементарне нехлюйство. В якомусь дитячому таборі перетруїлися діти, семеро лежать в реанімації. Кухаря госпіталізували з діагнозом реактивний психоз. У Суходольську на Луганщині взагалі півміста загриміло в лікарню. Труби зношені, десь прорвало, каналізаційні консистенції потрапили у водогін, фекальні маси плавають по місту. Люди похворіли на вірусний гепатит. Не встигли отямитись від Суходольська, те саме й у Жовтих Водах, у наших знаменитих колись Жовтих Водах. Знову ж таки, несправний колектор, нечистоти скинуті у ріку. Тепер бояться холери, мало не оголошують надзвичайний стан. Справу порушує прокуратура. Питну воду підвозять у цистернах. Оце такі тепер у нас тихі води і ясні зорі.

У водоймах навколо Києва купатись не рекомендовано.

Київське море — «колиска радіонуклідів». Дніпро теж проблематичний для купання, хоч людей там завжди, як шпротів. Ліс — від спеки аж порох сиплеться. Півсосни, буває, пожовкло, не знаєш, всохла чи від радіації.

Їздимо з малим у Гідропарк, там катамарани не такі гарні, як на тому німецькому озері, лебідь не закохається, а все ж якийсь плотик з колесами, якась вода, якесь повітря, плаваємо.

На роботі в мене кондиціонери у вікнах — наче клітки для мертвих канарок. Все одно задуха. Люди ловлять повітря пересохлими ротами, цмулять холодне пиво і мінералку.

Аж ось коли до мене дійшов колись бачений фільм, — я його тоді сприйняв як фантастику. Інопланетянин потрапив на Землю, допався до води, жив тут серед людей, невпізнаний, навіть вступав у контакт із земними жінками, аж іскрило, але все поривався кудись у космос, все йому ввижалася якась дивна планета, занесена пісками, і дві фігурки з балончиками на грудях — жінка його і дитина, — що бредуть тими пісками у пошуках бодай крапелиночки води...

Але ж і фільми показують по телебаченню, але ж і фільми! Якийсь малюк в американській стрічці хвалиться іншому малюкові: «А ти знаєш, що я можу пропердіти мелодію американського гімну?»

Наші теж можуть. Вони це давно вже зробили з українським гімном. І не малюки, а дорослі. Вони вже це зробили і з Україною, з культурою, з усім.

Але чому, звідки це все взялося? Які шлюзи прорвало? Чому стоїть у суспільстві густий дух плебейства? Чому до влади дорвалися шахраї і невігласи? Чому все купується і продається? Чому домінує жлобство на державному рівні? Чому все це називається — демократія, народовладдя?!

— У Біблії це називається: «Пішло угору Хамове плем'я», — сказала дружина.

6 червня, день народження Пушкіна.

І хоч Єльцин казав, що Пушкін — «ето наше всьо», в Одесі з його пам'ятника вкрали бронзову паличку. Так що не тільки Шевченка оскверняють. Хамове плем'я може осквернити все. І наші святині, і їхні. Збили літери на барельєфі Даля. Пошкодили пам'ятник Героям Крут. В Одесі украли «Рибачку Соню». На Майдані у козака Мамая відпиляли баклагу. Навіть бронзового «Чижика-пижика» на Фонтанці у Петербурзі крали кілька разів.

Друг мій з Каліфорнії надіслав нові знімки. Такі чудові краєвиди, і він сам, і його сім'я. То вони на Гавайях, то в якомусь каньйоні, то у своєму ж саду з трояндами. Я здрукував їх на фотопринтері і одвіз його матері. Ми провідуємо її по черзі, часом їй дружина мого батька потрібніша, ніж я. Живе сама в опустілій квартирі, на ніч кладе біля себе вузлик, де все готове на смерть. Вона так тішиться, що йому добре. І так хоче, щоб він не знав, що їй зле. Вона чимось схожа на професорську вдову, тільки та була самотня, а в цієї є Каліфорнія. Живе од дзвінка до дзвінка, розглядає ці фотографії, гортає маленький Атлас світу, крізь лупу збільшуючи океан. А вечорами вмикає телевізор, дивиться «Голос Америки» в надії, що дружина Ґонґадзе покаже їй Каліфорнію.

11 червня, теракт у Єрусалимі. З початку століття це вже сотий.

У розтрушеній бомбами Чечні обвалився під'їзд будинку, привалив одинадцять чоловік, з них троє дітей.

Автобус Мілан—Венеція врізався у стіну тунелю.

В Німеччині пасажирський поїзд зіткнувся з електричкою через несправний семафор.

Якийсь всесвітній семафор несправний. Не туди іде людство.

Спека ще пекельніша, ніж торік.

Розпечений пісок став стерильний.

У Карибському морі побіліли коралові рифи.

Вулиці Рима й Мілана безлюдні.

На півдні України розвелося небачено сарани. Над полями ширяють вертольоти і дельтаплани, посипають ту сарану. А її не бере, стійка до отрутохімікатів.

108 дітей з радіоактивно забруднених районів поїхали відпочивати у Швецію. Може, хоч там не така спека. Північне море, фіорди.

Ґламур продає путівки, їй вже не до курортів.

Борька цілими днями у нас. Минулися йому фіорди й серфінґи. Минувся батько. Грають у комп'ютерні ігри, слухають попсу.

Дружина обурюється: уже й у Планетарії барахолка. Біжутерія, трикотаж, фурнітура. Аксесуари для літнього відпочинку. Тепер там ґудзики замість зірок.

Приміщення вихоплюють з-під редакцій. З-під академічних інститутів. Оце вчора стояв газетний кіоск, сьогодні там лахи розвісили. Щойно була книгарня, а вже — бутік. Бар. «Еротичний клуб».

Розперезалось Хамове плем'я.

— Я тобі скажу прикру річ, — сказав Лев, інвертований на пустелю. Так, наче він колись казав не прикру. — Є обличчя нації. Не твоє, не моє, не чиєсь окреме. А портрет нації загалом, як він склався у рецепціях світу. Та й у своїх власних очах. «Народ без честі, без поваги», словами поета. Є ж якась причина, що портрет саме такий.

— Пензель був у руках імперії.

— А кому ти це поясниш? В галереї народів світу

українці виглядають саме так. Сучасна історія наша не додала кращих рис.

Все, що я не дозволю собі подумати, він скаже.

Кожен його візит мені коштує нервів.

— Чому ти його терпиш? — питає дружина. — Невже немає симпатичніших людей, на тому ж твоєму «Кварку»?

Є. Але симпатичні це симпатичні. А ми з ним з однієї пустелі.

Часто провідую батька, дзвоню. Слухавку бере Тінейджер або та жінка, неприязнь до якої тане, і я відчуваю, як його це радує. Вони теж страждають від спеки, але куди поїдеш з таким хворим? Добре, хоч з вікна видно пару дерев.

Тінейджер, як завжди, сидить за комп'ютером. Відбув навчальний рік як повинність, і good-bye. Враження таке, що його нічого не в'яже з тим класом, зі школою.

Я розумію, за розвитком він випереджає ровесників. Але не можна ж бути таким відлюдьком. У його віці всі об'єднуються в якісь модулі. Той репер, той хіпер, той неопанк. А він окремий, і не говорить сленґом. Він взагалі не говорить. Він сам по собі. Я не бачив, щоб він усміхався. Куди вступатиме, не каже. Можливо, до університету. Можливо, в політехніку. А може, він хоче в Оксфорд, я ж не знаю. Дивиться, як-із-космосу-і-ніяких-позивних.

Сьогодні перервали всі передачі, ми злякалися, думали — держава Буркіна-Фасо напала на Україну, аж ні, це наш президент звернувся до народу. Знову про політреформу. Умовляє, переконує, вимагає змін до Конституції.

Не чіпали б вони Конституцію. Краще б виконували, а не підминали її під себе. Підминають. А президент ще й відзначає це як особливе досягнення: «Всі, тією чи іншою мірою, продемонстрували здатність до компромісу».

Враження таке, що суспільство тренують на компроміс, привчають до компромісу, найбільше цінують потенціал компромісів. А як на мене, це поганий потенціал. В кінцевому підсумку це зрада.

— Ти знаєш, — каже батько, — у мене таке відчуття, що я вмираю разом з Україною. Я хотів би померти перший.

— Не кажи так, — прошу я. — І ти ще поживеш, і вона буде вічна.

— Бачиш, — каже він, — коли Україна поневолена, змучена, але бореться, то вона є. А коли вона ось така ніби вільна, ніби незалежна, а насправді невизначена, хистка, компромісна, то вона вже не спроможна бути.

Я хочу йому заперечити, я повинен йому заперечити, але на думку спадає лише те, що українці завжди говорять одне одному: майже ритуальне шевченківське «Борітеся — поборете».

Сьогодні вночі транслювали бокс у прямому ефірі, з Лос-Анджелеса. Віталій Кличко бився як Геркулес, але переміг Ленокс Льюїс. Такий був офіційний вердикт. Лікар зупинив поєдинок, бо Кличко був увесь розбитий, обличчя в синцях і ранах, кров заливала очі, він уже не бачив суперника. Але він вимагав продовження бою, він не здався. Він бився уже не з Леноксом Льюїсом, він бився зі своєю поразкою. І не виглядав переможеним.

А тут ходиш, поправляєш окуляри. Морда ціла, ніде ні подряпинки, а весь у комплексі поразки. Бо не борешся. Бо навіть не знаєш, з ким, за що і проти кого боротись.

А великий рефері Час відраховує секунди, роки, століття.

Життя це жорстокий ринґ.

А політика — ранґ.

Наш президент думає, що як пошле військовий континґент в Ірак, то Америка і Велика Британія його поважають. Росія не те що не послала, вона взагалі проти війни в Іраку, а президент Росії запрошений в Англію з державним візитом, його там приймають на найвищому рівні, він почесний гість королеви. Заговорили навіть про генеалогічні зв'язки англійської корони з російською, хоч краще б про це помовчали, з огляду на те, що Росія вчинила з останнім своїм монархом. Та й російський президент походить із дещо специфічних кіл.

Але в його особі вітають Росію, бо то держава грізна й велика, переконана у своїй величі, і орел у неї двоголовий, може дзьобнути на два боки. В її жилах тече й пульсує нафта, з її ніздрів пашить голубий газ. Примучені нею генії відомі на увесь світ. Хоч яка паскудна імперія, а в очах світу важить.

А наші все закликають народ встати з колін.

З такої позиції на старт не вийдеш.

Цікава новація у нашому правовому полі. Чи не вперше у світовій практиці почали запрошувати на допит через засоби масової інформації. Прямо по телевізору: такий-то або така-то, з'явитися на таку-то годину. Це щоб хтось встиг утекти, чи як? Чи щоб тінь на когось упала, що викликають в прокуратуру? Я не юрист, але мені здається, що це брутальне порушення самої суті юриспруденції. Хто має право так шарпати і травмувати суспільство, що злочини залишаються нерозкриті, а хід слідства уже, як спектакль?

Генпрокуратура знову взялася за леді Ю. Тепер їй інкримінують спробу дати хабаря нашим кришталево чесним суддям. Одночасно й військова прокуратура Росії теж порушує справу, і теж через хабар, який вона колись дала чи хотіла дати непідкупним російським офіцерам. Оскільки ж вона не з'являється, її ганьблять повсякчасно, загрожують застосувати санкції. Генпрокурор закликає заплющити очі на те, що вона жінка. По-моєму, вони всі вже там позаплющували очі на все. Така наша українська Феміда — у грецької зав'язані очі, у нашої заплющені.

27 червня. Керує зірка Деят-Постеріор. Ще крутіша, ніж моя Альґерат. Народився Маузер, один з Маузерів, що створили маузер. А хто ще, я не встиг почути, бо подзвонили у двері. Дві причмелені жінки з якоїсь секти пропонували пізнати істину.

Вчора помер сер Деніс Тетчер, чоловік «залізної леді». Мабуть, єдиний, хто знав, наскільки вона залізна.

І зовсім уже наприкінці місяця померла знаменита колись кінозірка Кетрін Хепберн. Американська пташка на генеалогічному древі наших князів — пишуть, що вона з роду князя Володимира, у тридцять першому коліні. Хоча як це можна було вирахувати? Тут хоча б до третього знати.

Липень почався терактом у Москві на Тушинському аеродромі. В суботу, коли тисячі москвичів відпочивали на природі, їли морозиво, обмахувалися від спеки, і раптом вибух за вибухом — дві смертниці, чорні вдови, підірвали на собі «пояси шахідок». Добре, хоч не встигли увійти в гущу людей, жертв було б іще більше. А так, як сказав один російський політик: «Погибли шестнадцать человек, я не считаю шахидок».

Цим усе сказано: то люди, а то шахідки. От поки на землі хтось когось не вважатиме за людей, так все й буде.

Того ж дня у новинах чув предивне повідомлення: «Сьогодні мешканці Землі відправили послання до п'яти зоряних систем». І що ж вони їм написали? Яким позитивним досвідом поділилися?

У Кандаґарі обстріляли мечеть.

В Ель-Наджефі обстріляли мечеть.

В Ель-Фалуджі обстріляли мечеть.

Я не військовий і не політик, але я нікому в світі не радив би обстрілювати чужі мечеті. Як і церкви, і костьоли, і пагоди.

Москвичі знову скорботно кладуть квіти, поминають загиблих.

Путін уже не закликає «мочіть в сортірах», він уже виходить на новий цивілізаційний проект: «Виколупувати терористів з печер».

— Печер багато, — сказала дружина. — І в основному не в Росії.

Але нічого. У Ялті відбувся саміт ГУАМ, на якому створено «Віртуальний антитерористичний Центр». Так що начувайтеся, терористи.

На що вже комп'ютерна гра, а й та називається «Війна з тероризмом». Вчора діти цілий день грались — бах! бах! За умовою гри треба неодмінно влучити в терориста, бо якщо промахнешся і попадеш у мирне населення, то й воно стає терористами. Борька промахнувся, що почалось! Всі стріляли, всі падали, вже й не розбереш, хто терорист, хто не терорист.

На Івана Купала поїхали за місто, в Музей села. Тепер же тільки і є справжнє село, що в музеї. Посиділи на траві. Жінки сплели собі великі страпаті вінки з полину й польових квітів, заразом і купальські, й захисні від сонця. Малий з Борькою ганяли, дуріли, лазили по старих вітряках. Увечері запалахтіло багаття. Хлопці ловили дівчат і стрибали парами через вогонь. Я теж зловив свою дружину, боявся, правда, що не перестрибнемо. Це вперше у мене такий острах, я завжди був достатньо спортивний. А це раптом відчув холодок сумніву, і то не в тому, чи стане сили на стрибок, а — чи вистачить куражу й відчайдушності, як у тих хлопців і дівчат? Або навіть у тієї веселющої огрядної молодиці, що, як Солоха, летіла над полум'ям, обсмалюючи литки і лиштву. Вистачило. Дяка Богу, вистачило. Отже, ми ще молоді, ми ще побудемо молодими. Я обняв свою дружину, я її просто згріб і притис до себе на цьому язичницькому святі, ми стояли і дивилися у вогонь. Малий з Борькою тягали хмиз, підкидали у вогнище, іскри часом долітали аж нам в обличчя, ми відхилялися, взаємно переймаючи рухи, щоб обпектися поцілунком.

Лев, інвертований на пустелю, мабуть, теж хотів би обняти ту красиву камею. Але вона стояла осторонь, німо дивилася у вогонь, їй вже ні з ким не хотілося бути в парі.

Анахронічна ми нація. Поняття у нас традиційні, звичаї стародавні. Стрибаємо через вогонь, віримо в його очисну силу.

Он у штаті Невада влаштували забаву, так то забава. Супер. Полювання на голих дівчат під умовною назвою «Бембі». Це ж не те, що у Гоголя, коли п'яні ляхи у корчмі стріляли в молодиць холостими зарядами. Це вже сучасне сафарі, справжні чоловічі ігри. Бац! — і гола натура впала, стікаючи фарбою кольору крові. Який драйв для мужчин, який сексуальний допінґ! Вона лежить, імітуючи останні здригання, а вгодований бевзь біля неї картинно спирається на рушницю.

Фото для сімейного альбому, буде що показати внукам.

Зникає поріг. Життя, смерть, фарба, кров — яка різниця?

Шмаркатий школярик натис курок, застрелив учительку, однокласників, самого себе — може, він думав, що після того встане і вип'є пива?

12 липня. Народжені у цей день під подвійною зіркою Крокус — Гай Юлій Цезар, авіатор Уточкін і банкір Вадим Гетьман, убитий у під'їзді свого будинку кілька років тому, на зорі нашої Незалежності. Теж резонансна, і теж нерозкрита справа.

Кров'ю забризкана зоря нашої Незалежності. І Альґерат, і Крокус, і Деят-Постеріор.

Мало теперішніх трагедій — доганяють з минулого.

Крізь пам'ять двох сусідніх народів знову проступила нерозкаяна кров.

Я нічого не знав про Волинську масакру. Я наскочив на це, як на міну. Особливо переживає дружина, їй же подвійно болить — і Польща, і Україна. «Гоголь», — каже вона. І в цьому випадку Гоголь. «Народ приобрел хладнокровное зверство, потому что он резал, сам не зная, за что».

Тривають переговори, дебати важкі й бурхливі. Поляки звинувачують українців в етнічних чистках (але це ж не були етнічні чистки, це ж була війна у війні!), вимагають вшанування польських жертв на Волині (але ж були й українські жертви!). — Але ж польських жертв було більше! (Хто їх тоді рахував? Поляки убивали українців, українці поляків, — ось історична правда. Її треба визнати і покаятись.) — Але ж до чого тут ми, це ж було 60 років тому! — я вже дебатую сам із собою. — У чому ж наша провина, за що ми повинні просити прощення?! Мене ще ж і в задумі не було, чому ж відлунюється мені?

І раптом я зрозумів. В тому ж і полягає християнська суть прощення, що просять невинуваті. Винуваті і не попросили б, їх і не можна простити. Це маємо зробити ми, задля честі свого народу, задля порозуміння з іншим народом, задля пам'яті безневинних жертв. І тільки тоді можна сказати вслід за Яцеком Куронем: «Минуле залишімо Богові».

Єдиний вихід. Простити і просити прощення. І не випоминати надалі одне одному, хто кого більше вбив.

Ні, справді, не можна читати нашу історію без брому. А бувають же люди, що читають собі спокійнісінько, навіть під віскі, під водочку, під коньяк. Рюмашечку тяпнув, індіанцями (гугенотами, євреями, чеченцями) закусив, і — порядок. А тут несеш не свою провину, наче якусь історичну карму. А часом уже й підгинаєшся під тим тягарем.

Здається, я вже теж починаю розуміти, чому моя сестра пішла з кришнаїтами. Просто вона замислилася раніше, ніж я. І захотіла просвітлення. Забуття. Нірвани. Порятунку від сум'яття думок.

Світ дедалі більше втягується в іракську війну. Ось уже й ми, позаблокові, посилаємо своїх миротворців туди. Я, правда, не знаю, чому це називається миротворці? Солдати за наймом, у чужу країну, на чужу війну, зроду це називалося — найманці. Суспільство навіть і не пручалося, воно не знає механізмів пручання. Президент вирішив, уряд підтримав, депутати проголосували.

І з почуттям виконаного обов'язку парламент пішов на канікули.

Потім уже інші політики скажуть: «Ми вас туди не посилали».

Як і тоді — в Афганістан.

16 липня. Всесвітній День Справедливості.

Воно й видно, куди не глянеш, сама справедливість.

Якась дивна історія сталася в Англії: наклав на себе руки експерт з озброєнь Девід Келлі. Принаймні так пишуть, що наклав руки. Вийшов на прогулянку, а знайшли мертвим. Серед трав на природі. Багато знав, чи його підставили, чи сталося щось несумісне з життям? Так це й залишилось таємницею. В інтер'єрі Історії ще одна шафа зі скелетом.

Найкраще бути політиком.

Політики не сумніваються у правильності своїх дій.

«Навіть якщо ми помилилися, я певен, що історія нас вибачить», — сказав Тоні Блер. І не випив брому.

Але за даними розвідки там, в Іраку, все-таки щось є. Не може ж бути, щоб чогось не було. Хоч якісь пересувні лабораторії. Їх шукають, а вони пересуваються. Тому й ніяк не можуть знайти.

Ось і зараз шукають якусь центрифуґу, яку нібито закопав один іракський вчений на своєму подвір'ї за наказом сина Хусейна Удая дванадцять років тому. То поки вони там розкопують трояндові кущі у внутрішніх двориках, на північний схід від Багдада знову рвонуло. Це вже третій вибух за тиждень.

Відтоді, як президент Буш урочисто проголосив закінчення війни, вона знову там почалася. Солдатів коаліції за цей час убито більше, ніж за саму війну. Увійти у ворота пекла легше, ніж вийти звідти.

Польські миротворці уже в Іраку.

Скоро й наші туди прибудуть, у польський сектор біля Вавилона.

— Навіть місце символічне, — сказала дружина. — Біля руїн Вавилона! Взагалі уся ця глобалізація — новітній Вавилон. Тільки тоді вавилонська вежа привалила жменьку тих нерозумних племен, а тепер привалить все людство.

Тим часом новий скандал. Без скандалу ми не можемо. То касетний, то кольчужний, а це уже зерновий. Попередження мера справдилося: запаси зерна скінчилися. Вже не те що, а й для посівної нема. У нас же так — як не вимерз урожай, то згорів, то його розпродали, то розікрали. Десь подівся навіть державний резерв. Так що всупереч нашій національній символіці — синє небо над золотим полем — імпортуємо пшеницю з країни, символ якої — кленовий лист. Навіть з країни чардашу і токайського вина. А це вже й з Німеччини, судно пришвартувалося у миколаївському порту.

«На Іллі — новий хліб на столі», — сказала б моя теща.

Так завершується сага про житницю Європи.

Чомусь давно ворона не каркає. Мабуть, здохла від спеки. А може, вона ровесниця Ґрюнвальдської битви і відлетіла в сузір'я Ворона на свій перигей?

Відпустка, відпочиваю. Не пишеться й не читається. Набрав на комп'ютері два абзаци і хилить в сон. Розумію тепер, що таке сієста у південних народів. Сонце пряжить, все завмирає. Перечекати зеніт.

Двісті років не було такої спеки.

Планета кипить і вариться, над нею парують хмари. Часом усе це вибухає грозами, після чого ще більша задуха.

В Англії якийсь сер стрибнув голий в океанаріум, — акула, таке вздрівши, вмерла від стресу. Тисячі людей хопив тепловий удар. У Севільї п'ятдесят сім градусів на сонці, у Провансі сорок у затінку. Київ майже безлюдний. Хто сидить на дачах, хто на курортах, хто рятується у Дніпрі. Хай там хоч яка радіація, хоч нукліди й важкі метали — купаємося у Дніпрі, пірнаємо у Дніпро, стоїмо по шию у Дніпрі. З гори на нас дивиться князь Володимир з хрестом, шкода, що кам'яний, хай би знову охрестив киян, їм це було б корисно, бо Київ уже зовсім, як Вавилон. Втім, як і кожний тепер мегаполіс у світі.

Малий наш уже брунатний, ніби каштанчик. Дружина, як Наомі Кемпбелл. І сам я, як островитянин, плету їм віґвами із шелюги.

По Києву ходять «Свідки Єгови», у них тут Міжнародний конґрес на стадіоні «Олімпійський». По Києву багато хто ходить. У нас тут мотиляється такого-всякого люду. Всі конфесії, партії, угруповання й секти, братства і панібратства, і «Посольство Боже». Тамплієри, місіонери і проповідники. Нелегали і неформали, кілери й наркоділери, і шахраї міжнародного класу. Як колись було все заборонено, так нині усе дозволено. Сипонуло, як з мішка. Ми країна вільна, у нас тут прохідний двір. Часом щось таке загніздиться — ніякий протяг не видме.

Словом, рік Чорного Барана не стоїть на місці, а людина все не в плюсі.

Слідство у справі журналіста, вбитого у Багдаді, завершилось. Може, тому, що й не починалося. Просто надійшла відповідь, що то був нещасний випадок, цілком природний в умовах війни. Надалі такі випадки будуть іще природніші, оскільки солдатам коаліції надано імунітет безкарності за подібні випадки у подібних обставинах. Так що гати-стріляй по журналістах, розбомби весілля, торохни по святих місцях — все тобі спишеться, все тобі пробачиться, і ніякий Міжнародний суд тебе не засудить.

Ще дивно, що звернули увагу на знущання у тюрмі Абу-Ґрейб. І навіть якомусь сержантові дали вісім років за зґвалтування. Могли б також списати на умови війни.

Щоправда, у сенсі гуманізації воєн уже дещо робиться. Чув, наприклад, що одне військове відомство ініціює розробку екологічно чистих куль, які не містять свинцю.

Тому що свинцеві кулі завдають шкоди здоров'ю убитих.

А також непогана ідея — використовувати бджіл і метеликів для виявлення ядерної зброї. Я ще б порадив заворожені крила джмеля. Дуже ефективно, як показує досвід України.

Знову спалах на Сонці. Геофізичне збурення. Потоки плазми, мабуть, досягли Землі. Болить голова, дружина прикладає кубики льоду до лоба.

Вночі не можна заснути, суне вантажний транспорт, деренчать шибки.

Втекли на дачу до Борьчиної матері. Бо хоч яка вже там обгоріла дача, та ми й самі погорільці власної долі. У кожному разі якась травичка, якась тінь.

Машину вела Ґламур. Фактично, це дуже красиво, коли така камея сидить за кермом. Особливо руки, гарні жіночі руки на кермі, з димчастим топазом у персні. Моя дружина сиділа поруч з нею, на передньому сидінні, вони перемовлялись, а ми з дітьми, двоє, вважай, мужчин, мовчки сиділи за ними, мов загіпнотизовані тим топазом.

Ця вишукана Ґламур виявилася така неледача, а Лев, інвертований на пустелю, такий натхненний її присутністю, що за ці пару тижнів ми й напрацювалися, і відпочили, та й дух згару вже не так дошкуляв. Дача, ясно, стояла, мов привид, але веранду обплів виноград, город вже не глушів у бур'яні, під вікнами цвіли мальви й жоржини, хлопці шастали як у джунґлях, Борьчин шнаусер весело дзявкотів. Жінки ходили в бікіні, ми собі теж зробили Анталію. Спали — хто на веранді, хто в недогорілій кімнаті, Лев інвертувався на горище по вузенькій драбині і спав на свіжому сіні, яке сам же й накосив.

Борьчиній матері наснилося, що горять двері. Вона

серед ночі схопилася й кинулась до вікна. Лев, інвертований на пустелю, з гуркотом злетів з горища, перехопив її, заспокоїв і одніс на руках до ліжка. Але, з усього видно, баналу не буде, бо зразу ж вийшов на ґанок, викурив сигарету, а потім тихенько, щоб нікого не збудити, побрався назад на горище.

Телевізор тут не працює. Газет нема. Відпочили.

А приїхали в Київ, знову те саме. Сусіди в паніці, зачиняють кватирки, кажуть, вибухнув «саркофаг». Потім з'ясувалося, що нічого подібного, даремна тривога, а не полишає відчуття, що рано чи пізно вибухне.

Суспільство підміноване чутками. Психіка перевантажена. На такому ґрунті виросте будь-який психоз.

Дедалі більше людей з ушкодженою психікою.

Може, я теж один з них, бо чого ж я живу не своїм нормальним людським життям, а божевільним життям світу?

Коли я останній раз от просто так полежав і подивився у стелю? Коли прочитав якусь книжку? Уже й не пам'ятаю. Ще мемуари, документалістику, наукову брошуру, а література не йде.

Може, така література, чи такий я?

— Це література перехідного періоду, — каже мій батько. — Прийде наступне покоління і створить справжню.

То вже ж прийшло. І створило.

Новий скандал, наразі дипломатичний. Напився працівник посольства, високодостойний репрезентант України — колись один такий упав під стіл у Канаді, тепер відзначився в Польщі. Затриманий у нетверезому стані за кермом, вчинив опір поліції, а доправлений у відділок, бешкетував ще й там.

От якби вже той консул теж упав десь під стіл. Але чому я думаю, що це саме він пише моїй дружині валентинки? А може, це той підліток з вікна навпроти задивився на неї? Чи спортсмен, що бігає щоранку у нас під вікнами? Чи старенький професор з її кафедри, чий погляд на неї відмолоджує його душу? Вона ж скрізь, де пройде, за нею голови повертаються, як соняхи.

Сонце моєї долі, якір моєї свободи — жінка! Вчора вона мене бачила у вікні перукарні. Я саме сидів у кріслі, наді мною блискали ножиці. Я завжди ходжу до цієї перукарки, мила дівчина, меланхолійна, уважна, добрий майстер, не вколе, не обчикрижить.

— Я бачила, як вона торкала твої скроні, — каже дружина, — як вона повертала тебе за плечі і дивилася на тебе у дзеркалі!

Вона ревнує, не може бути, вона ревнує!

— Ну, торкни мої скроні, — кажу я, — подивися на мене у дзеркалі. Я тебе кохатиму, а ти дивися, тепер нас четверо, ревнуй мене до самої себе, ревнуй!

Я сам ревнував її до свого двійника, якого вона так пристрасно обнімала у задзеркаллі.

Знову попались наші Синдбади, флібустьєри чужого бізнесу, тепер вже у Перській затоці, під панамським прапором, з контрабандою іракської нафти. Запевняють, що нічого не знали, думали, везуть фіґи й фініки, гроші не пахнуть, нафта, виявляється, теж — а це уже мародерство, це вже з розряду моральних катастроф України. Але вона звикла. У неї скрізь стоять кораблі, то за борги, то за контрабанду, то за наркотики. Але я не звик. В цій країні стає соромно жити.

Я вже не записую, а скидаю інформацію на диктофон. — Ось, — кажу дружині, — послухай. У центрі Багдада вибух. В Ізраїлі вибух. Біля Коморських Островів виловили аномальну рибину. Нельсону Манделі 85.

У чорнобильську церкву передали мощі святого Феодосія. У Москві розкрили банду «оборотнів» у погонах. І в Києві розкрили аналогічну.

А може, вона й не аналогічна, а все це — один і той самий розгалужений спрут?

Затримано тутешнього «оборотня», офіцера, що в процесі демократичних перетворень перетворився на організатора банди. Він заявив, що знає, хто вбив Ґонґадзе, але скаже тільки в суді.

— Значить, до суду не доживе, — коментує дружина. — Умре в тюремній камері за таємничих обставин.

Як у воду дивилася. Він таки вмер, той несподіваний свідок у справі Ґонґадзе, недавно затриманий «оборотень», організатор банди, він же й борець з організованою злочинністю, а відтак втаємничений як у злочинність, так і в боротьбу з нею. Помер раптово, у тюремній камері, за таємничих обставин. Тіло хутенько піддали кремації, наступного дня уже й поховали. Встиг, правда, якось передати листа до якоїсь громадської організації, назвав, кажуть, імена убивць і натякнув, що існує тільки йому відомий, глибоко законспірований сховок із сенсаційними викриттями у справі Ґонґадзе.

Але вже через пару днів генпрокуратура запевнила, що нічого нового у тому листі нема. І в сховку нічого нема. Порожній.

Враження таке, що слідство замітає сліди.

Тіні хіросімських журавликів пролітають над світом. 58-ма річниця.

Той льотчик, Клод Ізерлі, збожеволів, скинувши атомну бомбу на Хіросіму. Тоді там загинуло понад чверть мільйона людей. Їхні опромінені скелети гналися за ним все життя.

За теперішніми політиками не женуться.

Щойно мер Хіросіми закликав назавжди відмовитися від атомної зброї, як тут же Північна Корея заявила, що продовжить ядерні випробування.

Люблю Куросаву. Його фільм про Нагасакі. Взагалі всі його фільми. Пам'ятаю, як у «Снах Куросави» людина струшує піджак від радіації. Мені здається, що це я струшую піджак у своїх чорнобильських снах.

Біля Канарських островів затонув човен з імміґрантами з Марокко.

Теж хотіли на Канари.

Судять терориста, що торік підірвав нічний бар на острові Балі. Майже мій ровесник, трохи старший. Його судять, а він усміхається. Засудили до смертної кари — усміхається. Його так і назвали: «Усміхнений терорист».

А що ми знаємо? Він тамтешній, здається, з острова Ява. Може, у нього своя філософія смерті. Може, він хоче, щоб його поклали під великим деревом. Може, він не усміхнений, а в них так годиться.

Просто час уже зрозуміти, що на земній кулі є люди, викроєні інакше, ніж ми. І не лізти до них зі своїм лекалом. Ну, і вони ж хай не лізуть до нас зі своїм.

Але тепер уже пізно. Перемішалися племена і народи. І все посіяне вже зійшло.

А й справді, чому я все це записую? Теж мені літописець Нестор.

Батько каже, що це в мене від діда, теж любив писати. При арешті конфіскували. І читати любив, навіть у таборі примудрявся діставати книжки. Був дуже здібний до мов, у в'язниці вивчив німецьку. Потім йому інкримінували — чому саме німецьку, може, він німців чекав? А йому хоч і самоанську, аби підручник, і ту б вивчив. Оця спадкова цікавість до світу у мене в генах сидить.

Але кому потрібні ці мої Записки? Хто їх буде читати? Син мій — це вже покоління інших пріоритетів. Старі люди відходять. Молодим байдуже. І все ж дружина каже: — Пиши! Принаймні для себе.

Скинув на дискетку, дав почитати Леву, хай прогляне у своїй пустелі. Прочитав. Зацікавився. Але каже:

— Некомфортне чтиво, навряд чи хто надрукує. Якийсь глобальний роман чи що. Втім, спробую, покажу у себе у видавництві.

Ну, це він перебільшує. Куди мені до роману? Я ж не письменник. І всю цю глобалізацію я не люблю. Просто якщо від мене нічого не залежить, то і я не залежу ні від чого. Я тримаю свою лінію оборони.

Видавництво й справді не взяло. І їх можна зрозуміти. Вони вже були прогоріли на українській літературі, і тепер їм потрібні гарантії, що видання не буде збиткове. А хто ж їм такі гарантії дасть? Тим більше, під невідомого автора. От якби я сам спонсорував це видання і сам закупив тираж, тоді інша річ. А так вони покрутили дискетку в руках і навіть з деяким жалем віддали. Порадили підсилити інтригу, підкинути сексу, сублімувати інформацію в детектив. І неодмінно щоб хтось подбав про розкрутку.

Ясно, я цього всього робити не буду. Це ж не белетристика, це Записки. Як написалося, так написалося.

А щодо інтриги, то це вони даремно, інтрига скрізь і у всьому. Глобальні сюжети не потребують розкрутки. Вони цілком достойні пера комп'ютерної мишки.

Самі урагани чого варті. Жаннет і Ель-Ніньйо, Ізидора і Френсис — як вони перегукуються через океани, як вони прагнуть одне до одного! Це великий роман. Це Трістан та Ізольда стихій.

Або той німецький учений, що шукає слід снігової

людини десь у горах Північної чи Східної Європи, — хіба це не пригодницька повість?

Чи снайпер-невидимка у «Шевроле-каприз» — не психологічний трилер?

Чи недоторканні бандити у парламенті — не детектив?

Чи послати хлопчаків під Вавилон — не історична трагедія?

Дружина каже, що пошукає інше видавництво. А я кажу, хай видавництво пошукає мене. Жартую, звісно. Нікому я не потрібен. Зрештою, скину в блоґ, опублікую у віртуалі. Якась жива душа прочитає.

А може, й озветься. «Кисакукутыскаковагорода?»

Сьогодні потрапили в дощ. Возив дружину на закупи, щоб їй самій не ходити, а вже коли під'їжджали до двору, линула злива. Вода заливала скло, я зупинив машину.

Ми сиділи, як у дощовій капсулі, омиті від усього на світі. Їли виноград, сміялися і цілувались. У дружини були щасливі очі. Шкода, що такі зливи бувають короткочасними.

П'ятий місяць іракської війни. Горять і вибухають нафтогони. Зброї масового знищення так і не знайшли. Саддама Хусейна теж не знайшли. Чутка, що він уже вбитий. Однак арабський супутниковий канал транслював голос, таки схоже, його. Оплакує смерть Удая і Кусая. Загрожує Америці. Кажуть, зголив свої сталінські вуса, відпустив бороду і тепер невпізнанний. Весь час у русі, ніде надовго не зупиняється. То його бачили в арабській одежі на задньому сидінні машини «Ніссан». То в напрямку сирійського кордону, то іранського, то раптом у місті Мосул — зайшов у лікарню, потім вийшов і розчинився у повітрі. Послали туди військові підрозділи, гелікоптери. Блокували квартал, обшукали будинки, а він зник, щез, мов крізь землю провалився.

Ось уже й Маковія, середина серпня, перші птахи вже лаштуються відлітати у вирій. А нащо їм відлітати, у нас тут скоро свої тропіки будуть.

Плавляться асфальти. Тануть вершини Альп. Перегріваються атомні станції. Парижани стрибають у фонтани.

І пожежі. Страшні лісові пожежі.

У Португалії згоріло майже сто тисяч гектарів лісу. В Іспанії палають ліси. Горить французька Рів'єра. В Австралії полум'я охопило величезні масиви. Біжать страуси. Хапаються за голову кенґуру.

Убивча спека.

Вчені заговорили про початок глобального потепління.

Папа Римський з прочанами і туристами молиться в Римі про дощ.

В Індії бомба вибухнула на мосту.

У Багдаді біля йорданського посольства.

Швидкий поїзд Київ—Варшава протаранив на переїзді авто «Міцубісі-Кольт», протягнув кількасот метрів, після чого машина злетіла в урвище.

В Росії був спалах сальмонельозу.

У Казахстані випадок «бубонної чуми».

У Франції літак упав на дерево.

У Китаї оперували дівчинку, у якої три ноги.

Події начебто неспівмірні. Це якщо у світових масштабах. А в масштабах людської долі — моя дружина має рацію — сльоза дитини більша за космос. Для Борьки смерть його батька найстрашніше горе. Хлопчик, контужений на львівському авіа-шоу, а потім ще й травмований на «Норд-Ост», — це вже інший вимір біди. Ліберійський ампутант, про якого ніхто не знає, і астронавти з «Коламбії», про яких знає весь світ, старі самотні люди, що доживають віку в Чорнобильській зоні, і молоді хлопці, що гинуть на іракській війні, — усе це всесвітні лики трагедій, і нема їм числа. Як каже мій батько: «Буває горе велике, буває більше, а буває ще більше». В діапазоні таких градацій ми й живемо.

— Читав би ти краще світську хроніку, — каже дружина.

Лайза Мінеллі розлучається. Філіп Кіркоров обматюкав журналістку. У Брітні Спірс з'явився бойфренд.

На якомусь курорті в Італії — міжнародний турнір зі спортивних поцілунків.

У Роттердамі — чемпіонат з битви подушками.

У Донецьку поставили пам'ятник Кобзону.

Принц Савойський Емануеле Філіберто взяв шлюб з французькою актрисою Клотильд Куро.

І вперше в історії людства чоловік оженився в космосі — російський космонавт українського походження з громадянкою США. Щоправда, на своєму весіллі фізично не був присутній, бо саме пролітав над екватором, але його наречена стояла у штаті Техас і дивилася в небо, обнявши картонний силует коханого.

Час нам усім дивитися в небо. Наш земляк космонавт Попович сказав, що над людством нависла смертельна небезпека, і що наш порятунок — Космос.

Земля з Космосу — блакитна, ніжна, пригадує він.

То як же її, блакитну й ніжну, покидати?

Тінейджер, той знайде собі заняття і там, увійде в галактичну мережу. А наш малий з його Гаррі Поттером? А мій батько у кріслі? А могила моєї матері?

Один американський астроном вважає, що мільйони років тому у Марса був свій Місяць. Колись скажуть, що у Сонця була своя Земля.

Наші миротворці уже на марші в пустелі, в камуфляжі піщаного кольору, добираються до місця дислокації. Броня розпечена, пісок шкварчить. Міражі мають обриси Вавилонської вежі.

Читаю в проурядовій газеті: «Україна отримала свій шанс заявити про себе у шаховій партії, яка розгорнута на шахівниці планети Земля».

Інших шансів у неї не було заявити про себе, крім як встрянути у чужу війну?!

Колись Александр Македонський теж, між іншим, там воював. Але ж не лише кров і попіл — цілу цивілізацію після себе залишив, еллінізм. Зруйнував Тір, спалив, перекатрупив, але ж і заснував Александрію. Морський порт. Центр культури й науки, а згодом і столицю Птолемеїв. І зараз стоїть.

А нинішні цивілізатори — що вони залишать по собі? Руїни, корпорації, синдикати? Людей на повідку у тюрмі Абу-Ґрейб?

Втім, добре було Александру Македонському. Коні нафти не потребують. Мечі, списи, метальні знаряддя — це не бомби й ракети. Та й щодо їжі його фаланги були невибагливі: хряпне шматок козлятини між розпечене каміння, вином з бордюга зап'є і вперед. Та й взагалі, метафори кульгають. А надто, коли йдеться про світову шахівницю. Це не гамбіт Стейніца. Це гамбіт Буша.

— А ти замислювався, хто придумав цей термін — глобалізація? — сказала дружина. — Нам накинули, ми й прийняли. А може, це Воланд придумав? Згадай глобус Воланда, що наливався вогнем там, де починається війна.

Вона має рацію, все приймаємо на віру. А якщо й не приймем, то що від цього зміниться? Ти ж на цій шахівниці пішак, завжди над тобою нависають чиїсь пазурі й клішні, хочуть тебе переставити згідно своєї гри.

І всі ці супутні терміни — новий світопорядок, золотий мільярд. А що за світопорядок, хто його запроваджує? Хто визначатиме цей золотий мільярд? А не золотий, отже, відбракують? За якими критеріями, за яким правом? Хто ті ґросмейстери, що переставляють фігурки на шахівниці планети Земля?

Уже ж колись сфери впливу ділили, пакти укладали.

— Пам'ятаєш чаплінського «Диктатора», — каже дружина, — як він підфутболював глобус? Вони його таки підфутболять.

Дванадцятий рік нашої Незалежності. Військового параду і на цей раз не було. І літаки не ширяли з огляду на недавню річницю скнилівської трагедії. Були оркестри і спортивні змагання. До свята виготовили мільярдний п'ятак. Напої продавали в безпечній тарі. Пройшов окремий президентський полк.

На урочистих посиденьках виступив президент і ошелешив усіх заявою, що 12 років — це віха. Це цикл. І що цей цикл завершився.

Увечері на Майдані відбувся концерт «Справжня українська якість», як і належить справжній українській якості, — за участю матьорої російської попси.

Проте чемпіон світу, інтелектуал від боксу Віталій Кличко, таки дав українську якість, в дуеті з відомим співаком прегарно проспівавши Гімн України. Розчулені кияни подарували йому гетьманську булаву, і він її поцілував під аплодисменти Майдану.

А що? Був би хороший гетьман, по-сучасному мовлячи, президент. Може, послав би їх усіх в нокаут.

Зоряний дощ. Сподіваюся, що моя зірка Альґерат ще не впала.

Вночі ми тепер з дружиною спимо на балконі. Боже мій, як це гарно — кохати жінку під метеоритним дощем з-під сузір'я Персея! Це такі феєричні ночі, непорівнянні навіть із тим місячним затемненням, бо тепер під зорями я бачу її обличчя. Імпульси нашої пристрасті не в пекучих кодах еротики, не в топографії ерогенних зон, а в нерозгаданих таємницях психіки. Бо інакше можна було б мати десять коханок, різної масті, різних темпераментів, але тоді б це були варіації сексу, чоловіча колекція, сума досвідів і утіх. А мені потрібна саме ця жінка, жінка з обличчям єдино коханої.

Я вже не боюся їй не сподобатись. Я приходжу до неї в будь-якому стані і настрої. Втомлений і розбитий, в гуморі і не в гуморі. Це може бути жага і ніжність, бажання тепла й притулку, пристрасть до непритомності і вишуканість до перверсій. Мені не треба чорних ураганів плоті, знання грецьких поз і картинок з Камасутри. Пристрасть — це натхнення тіла, а кохання — це натхнення душі. Любов як функції геніталій залишмо приматам.

Мені потрібен космос її очей.

Наші миротворці вже облаштовуються в Іраку, базовий табір у долині Сенаарській, неподалік Вавилона. Це ж треба, навмисно не придумаєш, базовий табір біля руїн Вавилона! Як там було у пророцтві? Що коли впаде Вавилон і стане румовищем, і притулком для шакалів, то кожен, хто його побачить, «буде, вражений, посвистувати, дивлячись на його рани». Не знаю, чи посвистують наші хлопці, їм уже, мабуть, не до того. А чому б справді не побачити світу, як казав той хлопчина? Там же, куди не глянь, історія і легенда. І сам Багдад — чого його бомбити, краще б походили по музеях. Побували б на розкопках Ніневії, побачили б палац Сарданапала, а може, і який уламок клинописної таблички. Розпитали б про могилу Александра Македонського.

Але їх там на екскурсію, мабуть, не водять. Вони ж, либонь, і гадки не мають, що знаходяться на території колишнього Раю.

Ну, і що ж там вродило на Древі пізнання Добра і Зла?

З голови чомусь не йде пісенька Вертинського: «Я не знаю, зачем, и кому это нужно? Кто послал их на смерть недрожавшей рукой?»

Це ж і мій син виросте, і його кудись пошлють «недрожавшей рукой». Неодмінно ж десь набрякатиме глобус Воланда, політики таки ж призведуть. То хай би й зійшлися, як хижі звірі, показали одне одному зуби і розійшлись. Але ж ні, покоління за поколінням посилають на війни молодих, здорових і гарних, а самі, як пінгвіни, розкланюються на самітах та фуршетах.

Солдати коаліції, схоже, вже зовсім освоїлися в Іраку. Вже задивляються на їхніх жінок. Жінки справді шалено вродливі. Досить тих очей, що часом блиснуть з-за паранджі, як на тебе війне всіма казками «Тисячі і однієї ночі».

Ще гримлять вибухи, ще палахтять нафтогони, ще на вулицях Фалуджі валяються мертві, а військові влади вже ініціюють мирні проекти. Сприяють створенню лояльних місцевих структур, засновують десятки газет для «конкуренції ідей», пропагують цінності вільного світу, крутять свої блокбастери й трилери з еротичними сценами, від яких солдати іржуть, а мусульмани закипають гнівом.

Наївні цивілізатори, засвоїли б хоч би ту маленьку російську максиму: «Восток — дєло тонкоє, Пєтруха!» А то ж ідуть зі своїми поняттями у чужий універсум і дивуються, чому звідти каміння летить.

Погано читаємо Нострадамуса. У нього сказано, що Велика Східна Війна триватиме сім років, а потім ще двадцять. Та ще й після того невідомо скільки.

Друг озвався з Каліфорнії. Просить провідувати матір, розпитує, як вона. Сама ж вона йому правди не скаже. Що й хворіє, що журиться. І я не скажу. Недавно підвозив її на цвинтар до чоловіка, ледве провів між бордюрами. Квіти полили, сосновий віночок поклали. Нікуди вона не поїде.

На кам'яному надгробку вже викарбуване і її ім'я, поруч із чоловіковим. Тільки дата смерті ще не проставлена.

А недавно друг дзвонить, стривожений. З учорашнього вечора не може додзвонитись до матері, телефон не відповідає. І я, відчувши необхідність негайної дії, помчав до неї.

Виявляється, не так поклала слухавку. І сидить, переживає, що він же мав подзвонити, а чомусь не дзвонить. Вона втрачає зір, майже нічого не бачить, просить йому не казати. Та я то не скажу. «Але що ж буде завтра однак?» Поправив слухавку, відразу ж задзвонив телефон. І я, відганяючи думку, що колись він таки не додзвониться, сказав йому якомога веселішим голосом:

— От бачиш, а ти хвилювався.

Помер ще один з улюблених акторів моєї дружини — Бронсон. «Пасажир дощу», один з «Чудової сімки», і чого він їй так подобається? Помер від старості й пневмонії, не красунчик, не супермен, а жорсткий, невродливий, з різкими рисами чоловік, схожий на індіанця, а насправді родом чи не з Литви, який, перш ніж зійшла його зірка на голлівудській Алеї Слави, встиг побувати і шахтарем, і льотчиком — літав на бомбардувальнику в часи Другої світової війни.

— Це ж не якийсь стереотипний секс-символ, — сказала вона. — Це чоловік. Це мужчина, яким він повинен бути. Тоді й почуваєшся жінкою.

A propos, мужчина. Сучасний мужчина, слід уточнити. Днями під час зйомок французького фільму у Вільнюсі актриса Марі Трентіньян отримала по голові від коханого, і в комі, з черепно-мозковою травмою була перевезена до Парижа, де й померла.

No comments, як кажуть американці.

Серіали серпня тривають.

Землетрус у Греції. Торнадо в Америці. Тайфун в Японії.

На заході Непалу селевий потік з гір накрив село.

В Ємені якийсь тип увірвався в мечеть і перестріляв людей на молитві.

І зовсім уже наприкінці літа вибухла бомба у місті Неджеф, біля священної для шиїтів мечеті імама Алі, зятя пророка Мохамеда. Убито понад сто чоловік, поранено двісті. Буквально на порозі мечеті загинув шиїтський лідер, дуже шанований там аятолла, що, своєю чергою, здетонувало нові акції помсти. Так що тепер не тільки коаліція на Ірак, а й суніти на шиїтів, шиїти на сунітів, всі на всіх загалом. Сказано, Вавилон.

Мабуть, існують якісь рефрени подій, суголосність у часі і в просторі. Знову затонув підводний атомний човен, і знов у Баренцовому морі, як і три роки тому, теж, здається, у серпні, але тоді атомний крейсер «Курськ», гордість російського флоту, а цього разу старий, списаний, якого вже доправляли на утилізацію. Море було неспокійне, вітром одірвало понтони, однак чомусь екіпажу було наказано не покидати аварійне судно.

Дев'ять із десятьох загинули, один був родом із Севастополя.

Почастішали чутки про небесні тіла, що можуть врізатися у землю.

То там, то там бачили НЛО.

Мешканці шотландського міста Файнбі наприкінці серпня нарахували їх аж 16.

У парламент Японії вдарила блискавка.

Біля Коморських Островів виловили аномальну рибину.

Як нова політична нація заявили про себе пігмеї. Вони рішуче проти того, щоб їх їли сусідні племена.

І знову чомусь було багато пожеж.

Уже й спеки немає, а пожежі все не вщухають. Якийсь полтергейст. У Петербурзі горів Маріїнський театр, згоріли всі декорації. Палали дунайські плавні, пішли з димом тисячі снопів очерету. У Японії горів завод автомобільних шин. На Волзі — танкер «Вікторія», по ріці розпливається кілометрова нафтова пляма.

У Криму згорів корпус пансіонату «Алмаз». Тепер на тому попелищі пожежники просіюють попіл, підтрушують обвуглені кісточки — шукають дворічну дівчинку. Поки що не знайшли, є надія, що, може, якимсь чудом дитя врятувалося.

На Бермуди налетів тропічний ураган «Фабіан».

На східному узбережжі Америки ганяє «Ізабель».

А в Парижі на кладовищі Таїс відбувся масовий похорон жертв цьогорічної спеки — безпритульних, невпізнаних, спалених у крематорії.

Так скінчилося літо 2003 року.

В нашу поштову скриньку вкинула свою рекламу фірма «Штани».

З курортів з'їжджаються депутати. Видно, добре відпочили, бо один з них сказав по радіо: «Я ще маю сили перескочити через паркан».

Осінь почалася зі страшенної зливи. Діти бігли до школи, як гномики в капюшонах, з букетами розпатлошених айстр. На Подолі ревло й клекотіло, люди мчали, мов бокораші, доганяючи заламані вітром парасольки. Машини форкали, як бегемоти, сунули по фари у воді. Це був циклон з боку Одеси, надалі прогнозують з Балкан.

Наш президент, як завжди, подався до Москви засвідчити свою відданість ідеї Єдиного Економічного Простору. А заодно й презентував свою книгу, написану мовою сусідньої держави, гостро полемічна назва якої «Україна — не Росія» вразила всіх масштабністю історичного мислення.

І вже через тиждень з початку осені стався перший інцидент з нашими миротворцями в Іраку. Солдат на блок-посту відкрив вогонь по мікроавтобусу, що не зупинився на його вимогу. Стріляв, пишуть, з метою самооборони, але — на влучення.

Далі події розвивалися стрімко. Глобалізація так глобалізація. Тероризм тепер теж глобальний.

Шість вибухів у Катманду.

Два теракти в Ізраїлі.

У Багдаді вже мало не щодня.

В Росії на перегоні Кисловодськ—Мінеральні Води підірвано електричку.

У Тегерані обстріляно будинок посольства Великої Британії.

Чорна діра терору втягує всі країни. Людство ходить навшпиньки, щохвилини обминаючи свою смерть.

Ну, хай уже я з'їхав з глузду, хай та жінка з її горіхами, хай той «син Горбачова» з ретранслятором у животі, але уряди, президенти, наділені владою лідери, — куди ж вони ведуть людей і народи?!

Пропадемо, згинемо, прикуті до своїх держав, коаліцій, блоків, ідеологій і упереджень, як ті божевільні до койок, і ні Христос, ні Аллах, ні Будда не просіють наших кісток крізь вселенське зоряне решето, і Космос не буде ідентифікувати нерозумне людство, що десь там на маленькій планеті знищило саме себе.

8 вересня. Міжнародний День солідарності журналістів.

Журналісти поминають своїх колег. Торік їх загинуло дев'ятнадцять. Позаторік тридцять сім. Іракська війна забрала уже двадцятьох.

Колись, пам'ятаю, був репортаж з якоїсь із громадянських воєн чи військових переворотів. Журналіст на задимленій стріляниною вулиці, а в спину йому якийсь розкарячений краб випускає чергу з автомата. Юнак падає, намагається підвестись, знову постріл, тіло затіпалося й затихло. І це ж встиг зняти його колега, оператор, у якого за плечима, може, стояла і його смерть.

А в нас, у мирний час, вже й після Ґонґадзе? Одного вбили бейсбольними битами у під'їзді, у Слов'янську. Другий повісився у білоруському лісі. Третій загинув у Багдаді, розстріляний з американського танка. Після чого четвертий врізався в дерево на бориспільській дорозі.

Ще один помер у готелі біля тюрми, у якій свого часу сидів за інакодумство, а журналістські дороги привели його знов туди, та й урвались під ранок. «Від гострої серцевої недостатності», — писали тоді газети. А що таке гостра серцева недостатність у 47 років? Це як у Михайля Семенка: «Я умру не від смерті, я умру від життя».

А ще ж був той, якого знайшли мертвим на могилі матері в Одесі. І той, убитий молотком по голові, що витягли з річки Кальміус. І з ножовими ранами у Донецьку. І обстріляний у Полтаві картеччю. І головний редактор одеської вечірньої газети. І той, що його ще до Ґонґадзе вивозили в ліс, примушували копати собі могилу і, поставивши поряд каністру, погрожували облити бензином і підпалити.

А якщо озирнутися ще й у 90-ті роки? Той, який чомусь вибухнув у власній квартирі. Той, що спалахнув смолоскипом на приміській колії. Той, котрого знайшли повішеним у старій котельні на околиці міста.

Вже можна писати історію війни проти журналістів

у нашій незалежній державі. То чи не час уже надати їм статус учасників бойових дій?

Та й чи тільки у нашій? З тією лише різницею, що деінде журналістів стріляють, переслідують, кидають до в'язниць, а в нас тенденція більше до повішення, до шантажу, до убивства втемну, бейсбольними битами. У випадку Ґонґадзе — до відрубування голови. Так що якби який сучасний Бенвенуто Челліні, то тепер він мав би створити не Персея з мечем і головою Медузи, а бравого правоохоронця з сокирою у правій руці і головою журналіста у лівій.

Друга річниця трагедії у Нью-Йорку.

В Америці траур і в Швеції траур. Вчора там скоєно замах на міністра закордонних справ АннуЛіндт. Якийсь тип у супермаркеті накинувся на неї з ножем і смертельно поранив. Відкинув куртку, спортивну шапочку і звичайний побутовий ніж, і втік. Сьогодні вона померла.

І така була дивна її усмішка з усіх газет і телеекранів — у день жалоби, коли вогники свічок рухалися вулицями Нью-Йорка, коли в небо вдарили два прожектори, символізуючи дві уже неіснуючі вежі, коли люди плакали і молилися біля того руйновища, і діти зачитували імена загиблих, — одна жінка усміхалася, та й та посмертно.

Схоже, що трагедії стають буднями людства.

І що люди вже їх сприймають в режимі дзапінґу — ввімкнув, вимкнув, перемкнув.

Увечері дивилися передачу «Чи готові ви зустріти терориста на порозі свого дому?» Цілком слушне запитання, якщо Україна вже встряла у ту війну. Особисто я не готовий.

Фільм називався «Вісь зла».

А може, мені хто скаже, де тепер вісь добра?

По-моєму, це такий шампур, на який уже всіх нанизано.

Мені набридло. Господи, як мені все це набридло! То хоч була ілюзія, що варто боротися, що можна щось перебороти, змінити, виправити, а тепер — що?

Ні рецепта, ні панацеї ніхто не дасть. Драбину Бог з неба не спустить, як біблійному Якову.

Еманації всіх трагедій скупчились у ноосфері.

Я що, прийшов у життя, щоб у мене його відібрали?!

Навіть програмісти, в цілому народ стриманий і коректний, а й ті раптом збунтувалися і влаштували у Запоріжжі фестиваль — хто далі закине свій комп'ютер з його інтернетом, усі ці ноутбуки і сканери, принтери і модеми, хто потрощить к чортовій матері свій процесор або дисплей.

— А тобі часом не хочеться, — запитав я Тінейджера, — пошпурити мишку, потрощити комп'ютер?

— А як же тоді віртуальна держава на острові Косумель? — запитав він.

Він має рацію. Свою реальну державу ми втрачаємо.

Ми вже як той сухогруз, що недавно розломився у Чорному морі. Одну частину відносить у бік Європи, друга дрейфує до Росії. А на вцілілій кормі матроси варять борщ.

16 вересня. Три роки з дня загибелі Ґонґадзе. Резонансна справа так і не розкрита. Резонансу дедалі менше. Звикли й адаптувались.

Лише колеги-журналісти знову зробили живий ланцюг і запалили свічки. А поблизу того місця, де при лісовій дорозі було знайдене «таращанське тіло», встановили високий кам'яний хрест.

Знову над Києвом пропливла тінь відрубаної голови.

А цикл справді завершився. Недарма наші дони і шевальє так шастали у Москву. І поки наші патріоти скузувалися тут між собою, міняли принципи й конфігурацію, вони там наводили братні мости між народами, бодай частково регенеруючи СРСР під умовною назвою — Єдиний Економічний Простір. Навіть не спільний, а єдиний.

І ось уже чотири президенти, як і тоді, у 1922-му, — чотири! — тільки тепер замість Грузії Казахстан — зібралися в Ялті. Готується договір.

Знову заходимо на те саме коло. І скрипить нам та сама вісь.

«Робимо перші кроки до зради», — сказав один депутат.

Думаю, що вже передостанні.

Більшість депутатів проголосували за, опозиція — проти, а решта всі перемовчали. Я пив каву і боявся підвести очі на дружину.

— Знаєш, — сказала вона, — я вперше відчула такий сором за мужчин своєї нації. Не так страшний той договір, як те, що вони такі безхребетні.

І додала зовсім тихо:

— Це ж не мужчини. Вони можуть схопитися за голову, за серце, за матню, за кишеню. Але вони ніколи не схопляться за зброю.

Що я можу їй сказати?

Я схопився б за зброю, я пішов би на барикади. Мій День Гніву уже настав. Але у нас в яку ситуацію не ступиш, гарантована провокація. Ти кинешся на барикади боротися за правду, за справедливість, «За вашу і нашу свободу!» — я дуже люблю це гасло польських повстань — а поруч раптом вигулькне ідіот і наверзе такого, з чим ти себе не можеш ідентифікувати.

Я нічого не боюся. Я боюся тільки причетності до ідіотів.

Вересень на відльоті.

А там і жовтень. Тринадцята річниця нашого голодування на граніті. Нашого політичного голодування. Та скільки там тої політики було, багато ми тоді вимагали? Вимоги практично були мінімальні, зате вибух протесту максимальний.

І річ не в тому, що того граніту вже нема, річ у тім, що немає тих нас.

А Україну таки докотили до прірви. І знову треба боротися, знову треба хапати голіруч те колесо Історії, щоб не зірвалося. Але хто, хто здатен тепер це зробити?! Вистачило ума скористатися свободою, на інше не спромоглись.

Хоча барикади у нас є. Є навіть Остання барикада. Щоправда, це не остання й не барикада, а всього лише кав'ярня, де тусуються, п'ють вино і жують канапки. Та ще був один бренд барикади — бренд! — бо тепер навіть барикаду можна звести до бренду, — однойменна телепрограма, де молоді інтелектуали вербалізували свій сарказм.

Верді вже тут нічого робити.

Урочисто завершується Рік Росії в Україні.

У Москві фестиваль «Вареники без кордонів», танці і співи.

Здійснено дружній транснаціональний переліт на теплових аеростатах. Гігантські повітряні кулі, стартувавши в Москві і подолавши п'ять тисяч небесно-земних кілометрів, приземлилися на Майдані Незалежності, додавши ще й спортивно-святкового пафосу до ідеї Єдиного Економічного Простору.

Президенти України й Росії безнастанно зустрічаються. Йдеться до ратифікації договору.

І, очевидно, на розвиток ідеї Єдиного Економічного Простору Росія раптом почала будувати дамбу навпрошки через Керченську протоку, пригрібаючи острів Тузлу собі. Щодня й щоночі підганяють по 100 КАМАЗів, вивертають у море тонни каміння й щебеню. Дамба стрімко росте в наш бік, ніби з дна морського підіймається кам'яний хребет якогось допотопного чудовиська. Міґрація риби порушена. Здивованих островитян підбивають переходити в російське підданство. Україна обурилась: це провокація! — і виставила своїх прикордонників. Одне на одного дивляться у бінокль.

Міністерство закордонних справ дає ноту протесту. Президент терміново повертається з Латинської Америки. Там тої Тузли кіт наплакав, але для пробного каменя дружби досить.

Ось уже й тисяча днів нового століття. Сьогодні, 29 вересня, — тисяча днів! Завтра тисяча один день, отже, й тисяча одна ніч. А одвічна Шехерезада — Історія — розказує дедалі кривавіші казки.

1 жовтня. Перші втрати, перші свинцеві гроби з Іраку.

Свій застрелив свого, з необережності, не знав, що автомат заряджений.

І перекинувся бронетранспортер, задавив власного командира. Тіла з Багдада через Німеччину доправлять до України.

І аж тепер з'ясувалося, що у наших миротворців екіпірування неважне, взуття натирає ноги. То чого ж ви їх туди послали, на ту розпечену «шахівницю»? Там же пісок під ними горить. Там же той ірано-іракський кордон, який їх кинули охороняти, одне з найнебезпечніших місць. Там їхній патруль вже напоровся на міну. Там же з-за кожного рогу на них чигатиме смерть.

А осінь гарна. Листя літає, як золоті метелики.

Поїхати б у ліс по гриби. Почути шурхіт сухого листя. Вловити димок від спалюваних картоплищ. Але скрізь по лісах таблички про радіацію. З малим не поїдеш. Самим не хочеться. Сиджу в інтернеті.

Важка осінь. У Криму вбито татарську родину, шість людей.

На обухівській дорозі під колесами депутата загинув 20-річний хлопець, що приїхав будувати елітні дачі, хотів заробити на весілля.

У Мелітополі загинув ще один журналіст. Знайшли повішеним на ручці холодильника, кваліфікували як нещасний випадок.

У Броварах знову вибухнула ракета. Цього разу не з військового полігону, а на приймальному пункті металобрухту.

В Артемівську, на Донеччині, злетіло в повітря сто вагонів боєприпасів. Снаряди падають на місто. Комусь упало прямо на лоджію. Місто в паніці. Поранило школярку. Контузило офіцера. Все горить, траса перекрита. Дерева падають на лінії електромереж.

І це тільки те, що потрапило в поле мого зору. Те, що я записав. Чого не міг не записати.

У Черкасах чомусь стрілялися міліціонери. Якась загадкова серія суїцидів. І навесні ж там стрілявся генерал міліції, специфічним пострілом у підборіддя. Ходять чутки, що це якимсь чином пов'язано зі справою Ґонґадзе, з перепохованням і підміною трупа, і що це не самогубства, а хтось усуває свідків. Але й цей сюжет пішов у затемнення.

В Артемівську усе ще вибухає. Створено оперативний штаб. Склять вікна шкіл і дитячих садочків. Жителі збирають боєприпаси за містом, як розтрушені з машин буряки. Їм не звикати. У 2000-му там теж вибухало.

Дружина виводить мене на хвилю оптимістичних новин.

В Австралії кенґуру врятував хазяїна, якого привалило дерево.

З Тузлою нібито уладналося, зупинили дамбу.

Австрійський спортсмен перестрибнув через Ла-Манш.

Ілюзіоніст Девід Блейн завис над Темзою у плексиґласовій капсулі.

А в тій самій далекій Австралії знайшли реліктову валлемійську сосну. Так що новий 2004 рік можна зустріти під сосною юрського періоду.

І таки сталося повне затемнення Місяця, прогнозоване ще два роки тому. 8 листопада, в ніч на неділю, місяць був щез, як у Гоголя, на кілька хвилин.

Ми з дружиною стояли на балконі, вона, сміючись, цитувала, як чорт підкрадався до Місяця і вже простягнув було руку схопити, але відсмикнув, посмоктав обпечений палець, дриґнув ногою і заскочив з іншого боку. Потім таки схопив і, дмухаючи, як на жарину, перекидаючи з долоні в долоню, сховав до кишені. А коли Місяць виринув, хмари побігли — уявлявся нам силует Вакули, що осідлав чорта і летів у нічному небі.

А може, то була хмара, що несла вже торбу зі снігом.

Вранці ми не хотіли вставати. Сніг таки справді випав. За вікном було біло-пребіло. Хотілося почати життя з чистого аркуша. Але, п'ючи каву, розгорнув газету і прочитав, що в Іраку, в місті Нассірія, загинуло дев'ятнадцять італійських військових, що брали участь у якійсь акції біля Вавилона. Жити перехотілося.

Сьогодні передавали: в розшуку тисячі призовників, що ухиляються від осіннього призову. І від весняного ухилялись. Не хочуть хлопці в армію. Ні Україну захищати, ні в Ірак нести демократію. Нічого не хочуть. Зникла мотивація, нема відчуття Батьківщини.

18 листопада. Сьогодні загинув ще один миротворець. Молодий офіцер, перекладач з арабської. Застрелився з табельної зброї. Коротко. Без пояснень.

А потім було ще й предивне повідомлення, що наші миротворці здійснили «блискучу військову операцію біля міста Ес-Сувейра». Змійкою у ЗМІ проповзло нове формулювання: «Участь у стабілізаційних силах в Іраку».

Отже, їхали як миротворці, а потрапили у «стабілізаційні сили».

Ну, і що ж вони там стабілізували?

У Грузії Революція троянд.

Народ вийшов на вулиці. Опозиція увірвалася у парламент, озброєна лише трояндами. З вікна президентського палацу вилетіло крісло президента.

Що то Грузія — у них і глибокої осені Революція троянд!

Але Україна — не Грузія.

Там лінію оборони тримають живі.

А ми вперше за всі роки заборон, а потім уже й суспільної амнезії, відзначили 70-ліття Голодомору. І, дослухавшись до американця з племені чероко, у якого в душі своя негаснуча свічка скорботи, поклали собі на пам'ять мільйонів жертв кожної останньої суботи листопада ставити у вікні поминальну свічу.

Я стояв біля вікна і дивився у ніч. Рідко де горіла на підвіконні свічка.

Рік пролетів, як дресирований тигр крізь вогненне кільце катаклізмів.

На світовій шахівниці все щось ходило, падало, вибухало. І «Фабіан» шукав свою «Ізабель».

Пройшли якісь дивні відімкнення світла. Столиці великих держав поринали у темряву. Люди застрягали в ліфтах, натикались на стіни. Сталося кілька землетрусів — у Японії на острові Хоккайдо, у Китаї. А найстрашніший — в Ірані, в ніч під католицьке Різдво. Загинуло кілька тисяч людей. І все ж вдалося під самий Новий рік з-під руїн врятувати вагітну жінку, а потім ще двох дітей, вичисливши їх за співом канарок із-під завалів.

Наприкінці року заарештували Саддама Хусейна, на його батьківщині в Тикріті. Витягли з-під землі, із якогось бункера, страшного, зарослого, експонували на камеру, заглядали в рот, підсвічували піднебіння червоним ліхтариком, на весь світ показавши, яка у нього кривава паща.

Я розумію: ворог. Але є ж якісь закони військової і людської честі. Він уже переможений, полонений. Пощо робити з нього печерного чоловіка?

Ось такий Дід Мороз під всесвітню ялинку людства.

На якесь індійське село упав уламок боліда.

В Егейському морі потонуло судно з нелегалами.

Іспанському прем'єр-міністру набридло бути прем'єр-міністром.

От якби й нашому вже набридло. Та ж ні, він не тільки націлився у президенти, він уже став єдиним кандидатом від влади. Бо влада як влада — забезпечує собі наступний етап своїх реінкарнацій.

Опозиція протестує, їй не дають слова, вона вимагає і, вичерпавши всі арґументи й засоби, блокує трибуну, зриває засідання, вмикає на повну потужність сирени й клаксони, навіть ночує у сесійній залі, спить на бойовому посту під трибуною. Крик, галас, зламані шиї мікрофонів. У парламенті — як у селі Мандрики з незавершеної повісті Гоголя «Страшний кабан»: «трескотня и разноголосица, прерываемые взвизгиваньем и бранью».

Несамовитий шум, рев і завивання — фонограма нашої дійсності. Голова тріщить, на Сонці протоновий спалах.

— Де ж твій віртуальний літак? — питаю Тінейджера. — Чого ж він не прилітає?

— Мабуть, захопили віртуальні терористи, — похмуро відповідає він.

2004-й рік. Рік Зеленої Мавпи. Вона сидить на пальмі Мерцалова і їсть банани. Три роки, день у день, я записував це нове століття — досить. Не хочу, щоб моє біополе було, як решето, все в дірках і пробоїнах.

Та й, власне, нічого нового, все той самий прейскурант кошмарів, хіба що в кубі й квадраті. Якщо раніше одна ракета влучала в одні Бровари, то тепер вже один за одним вибухають склади боєприпасів. Якщо досі літаки розбивалися поодинці, то тепер уже два в Росії і вилетіли, й розбилися синхронно. Якщо позаторік був один теракт на острові Балі, то недавно уже три поспіль на курортах у Єгипті. Якщо й раніше пускали поїзди під укіс, то тепер уже загрожують Франції по всій мережі її залізниць.

Світ входить у фазу безвиході. Війні в Іраку не видно кінця. Ще кілька наших миротворців загинули — хто в бою над ріками вавилонськими, хто підірвався на фугасі, кого підстрелили із засади. Бог війни вже навіть не загинає пальців.

І голови. Голови, голови, голови — як з якоїсь всесвітньої плахи. Щодня їх комусь стинають або погрожують, що зітнуть. То британцю, то американцю, то двом французам. То біля метро у Москві вибухом відкинуло голову чеченки. То в Іраку зразу дванадцять обезголовлених непальців. То дві італійки, дві Сімони, з чорними мішками на головах. Спочатку хоч якось реагували на всі ці жахи, а тепер вже збилися з ліку, звикли й адаптувалися. Критична маса катастроф заклинює до неможливості їх сприймати. В Іраку навіть бізнес, кажуть, такий з'явився: компакт-диски зі сценами страти заручників. Фільми жахів набридли, порно приїлося, всілякі збочення теж — чим ще підігріти холонучу кров людства?

Розумію Тінейджера. Одягти навушники і слухати голоси природи.

Під Новий рік дружина подарувала мені мобільник з музичним сигналом, і тепер час від часу Тореадор кличе мене в бій.

Зима. Сніг. Снилося, що на мене упав кінь з балкона.

Чи варто витрачати своє життя на життя не своє?

Люблю цю жінку і хочу бути щасливим.

Тоні Блер визнав, що зброї масового знищення в Іраку не було.

Але там уже громадянська війна. Так що масове знищення буде.

В Америці відбувся конкурс на швидкісне поїдання сосисок.

В Індії обвалився гірський тунель.

У нас на півдні пролетів смерч. Підіймав у повітря трактори й вивертав з корінням дерева. Майже як у Маркеса — Ремедіос Прекрасну, підняло якусь бабу в городі і перекинуло на сусідський сарай.

Три місяці наче вітром здуло. Незчувся, як уже й весна.

Путін вдруге балотується в президенти.

Клінтон їздить по світу, презентує свою книжку.

Наш президент відбув з державним візитом до султана Брунею.

Я зрозумів, я не маю рації. Чому люди повинні все пам'ятати, про все думати, якщо я сам уже не витримую? Треба зайнятися автотренінґом. Стати або спокійним, до цинізму, як Лев, інвертований на пустелю, або абстрагуватися від усього, як мій друг у Каліфорнії.

Циніка з мене не вийде, а спокійнішим я став. Не цілком, правда, але намагаюсь. Не завжди вдається, все щось дістає.

У Москві в День усіх закоханих обвалився розважальний центр «Трансвааль». З дитинства пам'ятаю: «Трансвааль, Трансвааль, ты весь в огне». А тепер це всього лише аквапарк, сталево-скляна-бетонна конструкція, що обвалилася на голову молоді, яка пурхала там на ковзанах, поняття не маючи ні про англо-бурську війну, ні про апартеїд. Там кров лилася, там боролися за свободу, Нельсон Мандела сидів 27 років, а їм розважальний центр. Ну, назвали б Цицикамма, у Південній Африці є такий парк. Або Лімпопо, річка така є. Але ж ні, Трансвааль. Красиве слово. Може, їм що Трансвааль, що трансвестит?

Профанація чужих трагедій, навіть на рівні слів. У Києві одна фірма називається «Ґрааль».

— Знову тебе втягнуло, — каже дружина. — Знову

реагуєш на все на світі. Воно тобі треба? Так можна збожеволіти.

Можна. Може, я вже й збожеволів. А може, я — навпаки — нормальніший від нормальних, просто у мене більше сигнальних лампочок у голові.

— Специфіка українського божевілля, — сказала дружина. — «За всіх скажу, за всіх переболію». Тільки на себе не вистачило.

Чую її вузенькі прохолодні долоні на своєму лобі. У неї, мабуть, є якісь екстрасенсорні здібності. От вона торкнулася — і як рукою зняло.

Але... Але...

Знову налітають події, не встигаю записувати.

— А обіцяв, що у своєму житті матимеш місце для свого життя, — докоряє дружина.

— Життя світу — це теж і моє життя, — виправдовуюсь я.

11 березня рвонуло на залізниці в Іспанії. Нечуваний теракт. Люди їхали на роботу, рано-вранці, ще, може, хтось і дрімав. І раптом вибух, рознесло вагони, скинуло з рейок. Під насипом криваве місиво. Двісті загиблих, понад тисячу поранених. По світу поминальні служби. В Іспанії День скорботи.

Іспанський прем'єр сказав, що треба знищити тероризм у зародку.

Буш закликав боротися з глобальним тероризмом.

То він глобальний чи він у зародку?

Думаю, що й не глобальний, і не в зародку. В геометричній прогресії.

— Ти можеш про інше? — спитала дружина.

— Можу. В день виборів президента Росії у Москві згорів Манеж. У центрі Багдада обстріляно два готелі.

— А зовсім про інше?

— Тепер зовсім іншого не буває.

— Ні, буває, — сказала дружина. — У московському зоопарку народилося тигреня з блакитними очима. У Варшаві в королівському замку виставка Рембрандта. А в якомусь містечку в Італії прийняли закон про гуманне ставлення до тварин. Забороняється кидати живих лобстерів у киплячу воду. І навіть собачу будочку треба ставити в екологічно чистому місці.

Мені завжди хочеться торкнути губами шовкову дужку її брови.

Ось уже й рік з початку війни в Іраку. Затягнувся бліц-кріґ. Американці протестують, виходять на демонстрації. Виклали перед Білим домом портрет Буша з фотографій загиблих американських солдатів. Їх уже 706.

А сьогодні, на Благовіщення, коли Бог благословляє все живе на землі, уже й нам прийшла не блага вість. Вчора ще запевняли, що наші миротворці участі у військових діях не беруть, а сьогодні вже — перший убитий в бою. Не в перестрілці, не від нещасного випадку, а в тяжкому тригодинному бою!

І наш гарант, забувши, що гарантував їм безпеку, бадьоро запевняє: «Але ми посилимо там вогневу міць».

Холера ясна, як кажуть поляки, то ви туди посилали миротворців — мир творити чи посилювати вогневу міць?!

Але ж у нас нема до кого звертатися. Це ж «временщики», тимчасовці. Нароблять шкоди й підуть. Їм же не до хлопців в Іраку, то ж для них біомаса, ми всі для них біомаса, їм головне — вибори, наразі місцеві вибори як репетиція президентських, проба сил, відпрацювання методів, розставляння своїх людей.

В одному з тихих західноукраїнських міст стався буквально бандитський заколот. Місцеві влади кинули на опозицію криміналітет. Депутати вертаються травмовані й побиті. У парламенті колотнеча. В дискусіях домінує арґумент кулака. Хтось уже навіть похмуро пожартував — чи не вивести миротворців з Іраку і ввести їх сюди?

9 квітня, у Страсну п'ятницю, поховали того миротворця, першого вбитого у бою. Його поховали на сільському кладовищі, в голубому береті. Люди плачуть. Мати ламає руки. «Хлоп'ята юні, чорноброві знов чорнобривцями стають...»

Малий притих, ходить коло мене, сіпає за рукав. Вони з Борькою порадились, як зробити, щоб куля не вбила. Ось, у комп'ютерній грі, дуже просто — треба повернутись до неї боком.

— Добре, — сказав я. — Передам. Дуже слушна порада.

Наприкінці квітня загинуло ще двоє миротворців, третій тяжко поранений. Батальйон був обстріляний майже впритул. На вулицях горить українська бойова техніка.

Філіппіни вже вивели свої війська.

Іспанія виводить.

Польща скорочує свій континґент.

А наші захрясли у тих вавилонських пісках, і принаймні до президентських виборів ніхто їх звідти не виведе.

А ти кажеш, воно мені треба. Воно нікому не треба.

Але патріоти у своєму репертуарі — провели конференцію «Українське суспільство від розбрату до єдності». Яка може бути єдність на такій Голгофі? І де вони бачили розбрат? Роз-брат, це коли між братами. А хіба ці люди, що запустили пазурі в Україну, нам брати? Віками її розпинають, штрикають у груди, перевіряють, чи ще жива, чи здригнеться? Віддеріть їх від тіла нації і відкиньте чимдалі, отоді й буде єдність.

А якщо це справді розбрат між братами, то такі брати нічого не варті.

І не давайте мені знеболюючого. Я повинен нарешті відчути правду.

В ніч на 1 травня ще десять країн стали членами Євросоюзу, і серед них Польща. Дружина то радіє, то плаче. Переживає за Україну, радіє за поляків. Вони там співали й танцювали до ранку. На весь світ транслювався концерт з Королівської площі, гриміла «Ода до радості» Бетховена.

Президент Польщі підняв європейський прапор.

Поляки передали українцям прикордонний стовп Євросоюзу.

От і опустилася перед нами ще одна завіса. Тільки та була залізна, а ця прозора, Шенґенська. Весь наш політичний хорор буде видно, як у кіно.

59-ту річницю перемоги над фашизмом відзначили грандіозним салютом — в степах України вибухнув склад боєприпасів. Снаряди свистіли над головами, вибухали в садах і городах. Трава під ногами горіла, солом'яні стріхи ставали дибом. Люди бігли, як у війну, але тепер вже розбомблені своїми.

Третій день гримить, з великим розльотом.

Евакуйовано чотири села.

А ще ж недавно вибухало в Артемівську.

Вибух у Дамаску.

Вибух у Пакистані.

У Багдаді постійні вибухи і вуличні бої.

Словом, скоро, як на Івана Купала через вогонь, людству доведеться стрибати через вибухи.

Рідко яка пташина долетить до середини Стікса.

— Тобі треба було бути істориком, — сказала дружина.

Можливо. Але якимсь таким дивним істориком. Я ж не досліджую певні періоди, не інтерпретую фактів, подій. Просто я хочу знати, крізь що проходить людство, крізь що проходжу я.

Кадр змінюється кадром, миготять і кліпають кліпи, перемикаю канал.

У Каліфорнії горять ліси.

На південну Африку випав сніг.

У Таїланді помер леопард від пташиного грипу.

У Колумбії вкрали єпископа.

Сюрреалістичний Вавилон сучасного світу.

Американські вчені уловили сигнали з Космосу, десь між сузір'ям Риб та Близнюків. І то ж не була музика сфер. Надпотужний радіотелескоп, що стоїть у Пуерто-Ріко, зафіксував щось дуже схоже на сигнали з іншої галактики.

Видно, вони там розхвилювалися, вже подають знак.

У степах і далі гримить. Осколки, як шрапнель, б'ють по вікнах. Горіла школа. Горіла нафтобаза. Кілька снарядів ударило в цвинтар. Прямим попаданням пошкодило газопровід. Поїзди наче спіткнулись, завмерли на місці. У Мелітополі оголошено надзвичайний стан. У Запоріжжі цілу ніч приймали потерпілих. Станція переливання крові просить здавати кров. Але ж там десь і Запорізька атомна станція! Добре, якщо не в радіусі розльоту. Мало нам Чорнобиля.

Тим часом у Росії вдруге обраний Путін під президентські фанфари пройшов анфіладою кремлівських кімнат. Двері перед ним розступалися, як Сезами, ряди почесних гостей шанобливо схиляли голови. Склавши присягу на Конституції, він виголосив промову про велич Росії і вийшов на Соборну площу. Народ не безмолствував, народ занімів од захвату. Внутрішньо калатав Цар-колокол, аж підскакував, хотів вистрелити Цар-пушка. Гриміло урочисте глінківське «Слався!» Царственно пройшов президентський кортеж.

Щоправда, в День Перемоги у Грозному прогримів кривавий салют — 56 поранених, 6 загиблих, серед них і глава республіки Ахмад Кадиров. Але на велич Росії це не вплинуло.

У нас баритони співали: «Перемога, перемога, перемога! Не забудемо нікого і нічого». Військовий хор грянув: «Эх, путь-дорожка фронтовая! Не страшна нам бомбежка любая». Розчулені ветерани змахували сльозу. В степах продовжувалась бомбьожка. Пішов дощ, може, трохи пригасить.

Прем'єр оглянув територію з повітря, облетів постраждалі райони. Бачив вибух в ілюмінаторі. І дійшов висновку: «Треба наводити порядок у військових силах». Президент висловив докорінно іншу думку. «Ми живемо в техногенному світі, — сказав він, — і від техногенних катастроф ніхто не застрахований». А до чого тут техногенний світ? Воно ж вибухнуло від нехлюйства, вибухнуло вдень, о першій годині дня. Щось пиляли, щось крали, хтось кинув недопалок.

Групи розмінування «зачищають» територію. Населенню дозволено повернутися у чотири села. Люди гірко жартують: «Перемогу відсвяткували, можна вертатись додому». Але як їм жити? Де гарантія, що знову не вибухне? Воно ж там порозліталося, все не визбираєш.

— Самі винуваті, — сказав Лев, інвертований на пустелю. — Вони заслужили, щоб у них літало над головою.

— Ти що?! — жахнувся я. — Люди?! Заслужили?!

— А вони що — не бачили, що у них там під боком валяється десятки років? Вони задумалися, звідки воно вивезене і на кого було націлене? Два мільйони боєприпасів заростали травою. Хлопці тягали на металобрухт, комерційні фірми чиргикали. Їм же і в голові не було, поки над головою не свиснуло.

Що тут скажеш? І нам у голові не було. Під Києвом теж заростало травою. І під Харковом. І під Львовом. В Артемівську чомусь вибухали й вагони. Звідкись вони ж приїхали. Може, це саме ті, що вивозили артилерійський склад із-під Києва? Ми ж теж не питали, куди.

Отакі з нас громадяни.

Словом, час розкидати снаряди, час їх збирати.

Недовибухлі боєприпаси знаходять по городах, кущах і байраках. Поїзди кримського напрямку пустили в обхід. До всього ще й кури похворіли на пташиний грип. Робиться таке кволе, кахикає — помітили люди, вернувшись до своїх обстріляних хат. Тепер там ходять з епідемстанції, як марсіани, в зелених комбінезонах, у масках, хапають курей за лапи, кидають у мішки. Воно б'є крильми, кудкудакає. Хай уже той леопард, ще бракувало людям і курячих епідемій.

У школах, нарешті, розпочалися заняття. Дітям рекомендують ходити обережно, обминаючи вибухонебезпечні предмети. То що їм, на пуантах ходити, як по мінному полю? Баба козу має висилати уперед на довгій шворці?

Вєрка Сердючка співає: «Ще не вмерла Україна, єслі ми гуляєм так!»

Гуляєм. Але як сказав телеведучий з ящика: «Святковий настрій дещо зіпсований». Дещо! Обстріляли мирне населення. Привезли трьох убитих з Іраку. Народ протестує, матері виходять з плакатами: «Поверніть нам наших дітей!», — але президент заявив, що ми там «виконаємо свій обов'язок до кінця».

Який обов'язок? Перед ким? До якого кінця?!

21 травня. День народження Ґії Ґонґадзе. Це б йому було 35 років. Всього лише 35! А його вже немає четвертий рік.

Нова біда. Ректора Ужгородського університету знайшли з ножем у серці. І відразу ж було повідомлено, що це самогубство, та й по всьому.

Щось забагато цих загадкових самогубств у нашій державі, нещасних випадків, нерозкритих убивств. Але суспільство адаптувалося вже до всіх трагедій. Всі до всього звикли. Всі од всього втомилися. Справу Ґонґадзе вже теж сприймають як серіал.

Наростає підземний гул президентських виборів. Ще де ті вибори, а карлики вже посунули з усіх екранів. На безконечних ток-шоу токують, як глухарі.

Об'єднуються дони й подонки. Роз'єднуються патріоти.

Дивлюсь я на цих політиків і думаю. А були ж колись лідери нації, такі, як Ганді. Народ назвав його Махатмою, по-їхньому це — Велика Душа.

Господи! Де ж наша Велика Душа?!

Чи ми вже тепер більше цінуємо Велику Кишеню?

Однак є ще у світі й диваки, які живуть своїм окремим життям. В'їхав у Київ італієць, поляк за походженням, — Януш Рівер. Худий, засмаглий, на велосипеді. Стартував з Риму ще на початку століття, поклавши собі за 10 років відвідати 110 країн. Зупиняється, де хоче. Ночує, де доведеться. Під зорями, то й під зорями. Під скиртою, то й під скиртою. У нас тут ночував у старому вітряку в Музеї просто неба. Може, він самотній. Може, пережив якесь потрясіння. Може, одробив своє і просто хоче свободи. Тримає курс на Китай, Індію і Непал. Може поїхати в Кенію на велосипеді. І не конче вбивати лева, йому вже на цьому не залежить. Йому 68.

Оце, я розумію, землянин. Хоче побачити Землю, на якій живе.

«А якщо вмерти, то тільки в дорозі», — жартує.

І знову тисне на педалі.

Нестеменні ознаки наближення виборів.

Листівки, відозви, газети, буклети. Медійна артпідготовка. Безсоромний піар. Агітація забиває всі рецептори. Стрілочники нашого бездоріжжя переводять стрілки, політики з великої дороги переставляють семафори, б'ють ліхтарі і підмінюють назви станцій — то було хоч «в комунє остановка», а тепер хто куди.

А цей народ їде, як у товарняку, нужденний, задурений, принижений і забитий, щось жує, визирає з вікон, ремствує, а й не подумає зірвати стоп-кран, або хоч пробратися по вагонах, подивитися — що там за машиніст? Може, він дурний, може, п'яний, може, навмисно веде не туди, може, він взагалі не вміє водити поїзд, може, у нього до потилиці приставлений пістолет?

Горіховий наш інтелект. Вибираємо тих самих і тих самих, а потім жахаємось — що це за чудовиська у нас при владі? Та це ж сон нашого розуму їх і породив.

Третього липня президентська кампанія стартувала офіційно.

Кандидати, як по команді, рвонули на перегони. Україну заклеїла агітація. У Сінґапурі за таке обклеювання у громадських місцях можуть оштрафувати, посадити або й дати бука з бамбука. А тут кожна партія обклеює своїми лідерами усе, до чого береться клей.

В Японії створили синю троянду.

У нас — блок «Сила народу».

Народу справді зібралося сила-силенна. А що народ у нас співучий, то й кандидата у президенти висували на Співочому полі. Він дуже гарно говорив, дякував за довіру і, прихиливши коліно, поцілував краєчок національного прапора. Народ зірвався в аплодисментах. Народ вбачає у ньому лідера, вождя, батька нації, тим паче, що він уже має опінію батька гривні. Як на мене, трохи завелика дистанція — від гривні до нації. Але народу видніше. Співоче поле співало. І чомусь було дуже багато помаранчевих прапорів. Я раніше таких не бачив. Палахкотіли над полем, як полум'я. Кажуть, це нова символіка блоку: оранжевий форс-мажор з підковою посередині. Що ж, дай Боже, підкова у нас — щаслива прикмета.

— У баварців фестиваль пива, — каже дружина. — У Венеції фестиваль шоколаду. А в нас вибори, вибори, вибори!

Вибори стають грізною реальністю нашого життя. Не встигаємо одбути одні, як неухильно насуваються інші. Фактично, це ж і не вибори. Як сказав мій друг з Каліфорнії, це переставляння ширм. Влада — опозиція, опозиція — влада. Часом з обох боків виткнеться така пика, що хочеться бити обидві.

Кандидатів до трьох десятків, на всі електоральні смаки. Є бомж, є слюсар, є академік. Є поет, режисер і посланець Бога в одній особі. Є комуністи, соціалісти і провокатори. Є слов'янофіли і українофоби. Є червоні, зелені й ніякі. Один приїхав реєструватися на бронетранспортері. Другий — на поливальній машині. Бруд, яким вони обливають один одного, не змиєш ніяким шлангом.

Але реальних кандидатів двоє. Наш нетиповий експрем'єр, що в аурі народної адорації стрімко набуває рис справдешнього лідера, і кандидат провладний, в розпорядженні якого адмінресурс, сприяння московських політтехнологів і підтримка всіх донів і шевальє.

Він уже твердо ввійшов у роль єдино можливого переможця. Він проносить себе крізь мітинги з поставою і усмішкою вождя. Звідусіль на нас дивляться білборди з його портретами, в народі їх називають «біґмордами». Часто їх хтось обливає фарбою або пише щось непоштиве, через що в кущах несе почесну варту міліція, чигаючи на зловмисників, що породжує дошкульні жарти й анекдоти і стимулює інтерес до його двох судимостей, скасування яких і досі ще не доведене.

— Та найтемніший правитель М'янми не обрав би собі такого наступника! — обурюється дружина. — І якби хоч одна судимість, а то ж дві!

— Якось негуманно випоминати людині гріхи юності, — зауважив я.

— А хто б йому випоминав, якби він не перся у президенти? — вибухнула вона. — Та ради Бога. Може, він золотий чоловік. Може, хороший господарник. Але закон є закон. Читай додатки до Конституції. Двічі судимий президентом бути не може.

— Якби мені хто сказав, — каже батько, — коли нам крутили руки під судами, коли хлопці гинули по тюрмах і таборах, і ще й мріяти не могли про свою незалежну державу, що десь у шахтарському посьолку вже підростає майбутній президент України, зриває шапки з перехожих і матюкається, відбуває вже другий термін, десь тут же, на зоні, поруч з політв'язнями, юний рецидивіст із табірною кликухою Хам, — чи могли б ми повірити в такий абсурд, змиритися з таким блюзнірством?!

Мій батько зовсім розхворівся, сьогодні викликали швидку.

По Києву пронесли олімпійський вогонь.

У Памплоні бігали наввипередки з биками.

В Іраку розпочався суд над Саддамом Хусейном.

У Гаазі — над Мілошевичем.

А у нас тут свої вікопомні події. Святкуємо 10-ліття президентства нашого президента. Хоча що святкувати? З тринадцяти років омріяної Незалежності десять років забрав цей фактично випадковий у нашій історії чоловік, який навіть не знав, яку державу будуємо, за правління якого Україна увійшла в смугу принижень і нестатків, корупції й ганебних скандалів, занепаду й переродження. Однак преса оцінила цей період як епоху великих звершень.

До такої знаменної дати випущено сувенірну медаль з діамантами із серії «Президенти України». У нас уміють вшанувати великих.

І не були б то шевальє — чув, що вони вже навіть обзавелися гербами. Цікаво, яка там геральдична символіка? Мабуть же, не свині й шакали, а все благородні символи — орли, леви, соколи. Хоча це той випадок, коли більше пасувала б пляшка горілки і крилатий російський мат. А декому — то й одрубана голова над схрещеними кістками.

Майорські плівки на експертизі в Голландії на предмет ідентифікації голосів. А навіщо так далеко? Ми ж і так їх чуємо тут щодня.

Враження таке, що цю справу свідомо спускають на гальмах. Міняються слідчі, міняються прокурори. Імітація слідства триває. Час від часу ловлять якусь підставну особу, потім, виявляється, блеф. А це вже навіть затримали генерала, одного з ключових свідків, а може, й безпосереднього вбивцю. Потримали і раптом чомусь відпустили. Тепер імітують пошуки по закордонах, але поширюють думку, що його вже немає в живих. Щоправда, у пресу потрапив лист, ніби від нього, який зразу ж оголосили фальшивкою. В листі генерал запевняє, що Ґонґадзе убив не він, а зовсім інший генерал, і подає некрофільську версію підміни й переміщення трупа, до якої нібито були причетні черкаські міліціонери і той генерал, що стрілявся специфічним пострілом у підборіддя.

Розважається диявол. Переставляє фігурки.

12 липня. До виборів 111 днів. Красива цифра — як три гвіздочки.

Баритони співають: «Прокидається наша могуть!»

По реґіонах гарцюють групи підтримки, «золоті голоси» України співають разом із «платиновими» Росії.

Провладний кандидат відкрив у Києві «Російський клуб».

Кандидат від опозиції здійснив сходження на Говерлу.

Колись у Китаї той, хто мав стати імператором, найперше піднімався на священну гору. Не конче найвищу, але конче священну. У нас зі святинями скрутно, вони переважно заплььовані. Тож лідер опозиції піднявся на Говерлу. Принаймні вона у нас таки найвища.

— Тобі не здається, що в цьому є якась мойсейність? — спитала дружина.

— Завжди ти іронізуєш, — сказав я. — Просто він любить сходити на Говерлу, з людьми, зі своїм народом.

— Між іншим, Бог звелів народові сидіти під горою, поки Мойсей принесе їм скрижалі. Бо понатоптують і насмітять, — зауважила вона.

— Вони підбирали сміття під час сходження, — заперечив я. — І за собою, і за туристами.

— У Мойсея були випростані плечі, — сказала вона. — Бо коли щораз нагинатися й підбирати сміття, то й за сорок років по сорок народ із пустелі не виведеш.

— Ти дуже категорична, — сказав я. — Кожен народ

повинен мати свою гору Синай, де Господь говорить з Мойсеєм.

— А чи не пора перестати почувати себе Мойсеями, а просто працювати? — сказала вона. — А якщо хтось таки почувається Мойсеєм, то хай це буде таємницею між ним і Богом.

Сперечатися з нею марно. Вона фугас. Розмінувати її можна лише поцілунком.

Президентська кампанія виходить на фінішну пряму.

Штаби кандидатів гарячково виробляють стратегію, десанти агітаторів висаджуються в реґіонах. Вирують мітинги і народні віче. Гуготять масштабні розважальні акції. Горять офіси, вибухають машини. Шкандибають підбиті довірені особи.

Політичні клоуни жонглюють словом «народ».

Перші жертви серед народу.

Комусь підпалили хату. Комусь підперли двері труною.

Багатодітний батько, що збирав підписи за кандидата від опозиції, облив себе з каністри бензином і самоспалився, доведений до відчаю, хто там буде розбиратися — ким.

На троєщинському ринку вибухають сміттєві урни, — гине жінка, стогнуть поранені громадяни. Чи це теракт, чи кримінальні розбірки — ще невідомо. Однак уже задекларовано, що це справа рук опозиції, кількох уже й схоплено, і звинувачено, що це вчинили саме вони з метою дестабілізації суспільства, відпрацьовуючи технологію антиурядових дій.

Якісь бандитські преамбули до президентських виборів.

У влади ведмежа хвороба, їй ввижається «каштанова революція». Чомусь саме каштанова, хоч наші знамениті каштани всихають і жовкнуть, — коріння в асфальті затерпло чи радіація вплинула? Однак після грузинської Революції троянд у влади ботанічний синдром.

Але політологи кажуть, що це безпідставна тривога. Народ у нас дуже інертний, суспільство не громадянське, так що протести дорівнюватимуть нулю.

Знову нуль. Невже це єдине колесо, на якому їде наша Історія?

Снилося, що я Тарас Бульба. Хотів повести козаків у бій, а ні в кого не виявилося шаблі. Всі шарудять у сіні.

Важкий рік. Високосний. Рік, позначений печаллю непоправних втрат. Лише за ці кілька місяців з початку травня померло шестеро людей, і яких! Джеймс Мейс, американець, якого покликали наші мертві. Микола Вінграновський, дивовижний поет, без якого в українській поезії утворилася чорна діра. Яцек Куронь, етичний камертон Польщі, до якого прислухалися всі. Кость Степанков, актор магічної вроди й таланту. Чеслав Мілош, польський поет, нобеліант, діагностик «поневоленого розуму». Франсуаза Саґан, чарівна травесті французької прози, яка свого часу у свої вісімнадцять років написала книгу таких сексуальних досліджень, куди теперішній кошкалді.

Словом, «Witaj, smutku». Відходять останні знакові постаті XX століття.

Вони полишають нас з такою невідворотністю, — то дев'ять днів по Вінграновському, то сорок по Мейсу, то вже сорок по Вінграновському, і знову печальна вість. А я ходжу на кожний той похорон, за себе й за батька, він їх знав і любив. Прощаюся з ними, кидаю жмені землі у їхні свіжі могили. Потім роблю великий обхід давніших могил. А їх уже там багато. І Стус. І Світличний. І Миколайчук. І Чорновіл. А ще далі у часі Алла Горська і Симоненко. І далі, й далі у вічності — всі, про кого співає один з наших молодих співаків: «Це дивляться з темних небес загиблі поети й герої».

І я раптом розумію, що це ж не могили. Це окопи. Це ті мертві, що тримають лінію оборони.

А живі мітингують. Борються за крісла. Проводять конґреси, брифінґи, прес-конференції. Закликають одне одного сісти за стіл переговорів.

Для мене це все одно, що шарудіти в сіні.

У поштову скриньку щодня вкидають якусь макулатуру. То агітаційні рептильки, то рекламу, то брошурки несосвітенного змісту. Сьогодні хтось вкинув «Конституцію Статистичного Всесвіту, аргумент 9-й». В цьому аргументі 9-му сказано, що Сонце — потужне джерело Пропорційної Атомної Радіації, і якщо на нього подивитися крізь призму інфрачервоних променів, то наша Земля схожа на апельсин. Далі берете апельсин і обштрикуєте його 22-ма довгими пластиковими канцелярськими кнопками. «Затим треба уявити, що кожна така кнопка — це Ракетне Сопло, а Бренд Всесвіту — Сонце в мініатюрі». І якщо на кожне Сопло подати атмосферний тиск в 1 кг, то зрозуміло, що такий Атомний Статистичний Двигун не здатен переміщатися в просторі.

«Таким чином Сонце зупинилося над Києвом, а не над Ґаваоном».

Душно. Погано. Здається, я теж «підчепив тут одну хворобу. Нею можна пишатись. Вона психічна», як сказав поет.

Дружина каже, що мені треба відпочити. Борьчина мати запрошує на свою дачу. Але мені підкреслена російська мова цієї Ґламур теж набридла. І навіть її бездоганна стильність у сіро-бузковій гамі кольорів. Це таки дуже стоїть між людьми — чиясь нелюбов до чиєїсь мови. А Ґламур явно не любить українську, тільки що вміє чемно це приховати. Для нас вона робить виняток, ми їй симпатичні, але за великим рахунком це психопатологія. Жити в Україні і не любити Україну. Зробити з мови політику, за мовною ознакою дискримінувати націю — та розкажи це кому нормальному, не зрозуміє. Зрештою, я хочу, щоб мій син не мав цих проблем, а він їх має, і в школі з дітьми, і з Борькою. Борька нахабний, і наш малий піддається, мимоволі переходить з ним на російську, інакше це убоїсько з глибоко прихованим потенціалом обсміє його і задражнить.

«Границы русского мира проходят по границам употребления русского языка», — сказала перша леді Росії.

Отже, кордон російського світу проходить через кухню нашого президента, по коридорах влади, і по нашому коридору теж.

А де ж наш український світ? Де в Україні наш український світ?!

Хіба що під час футбольних матчів. Спортивний патріотизм у нас є. Одна якась перемога на футбольному полі — і вчорашні ненависники всього українського уже скандують на весь стадіон: «Ук-ра-ї-на! Ук-ра-ї-на!» Вимахують прапорами, підскакують, і в пароксизмі національної гордості ідентифікують себе саме з цією державою.

Перемоги піднімають на дусі, поразки знікчемлюють. А в нас уже стільки тих поразок, — навіть перемоги обертаються на поразки, як от наша омріяна Незалежність, яку ми зґавили і тепер почуваємось у своїй державі, як меншина у резервації.

Щоправда, останнім часом доля нам трішечки усміхнулась, кутиками вуст. Наша Руслана перемогла на Євробаченні у Стамбулі, і тепер співає скрізь, дивуючи світ енергетикою своїх «Диких танців». І вже анонсує наступний кліп — «Танці серед вовків». Дуже слушна метафора з огляду на наш історичний і особистий досвід.

Олімпіада в Афінах теж надихає. Дев'ять разів піднімався наш прапор і звучав наш оптимістичний Гімн, звістуючи світу, що Україна ще не вмерла.

Відкриття Олімпіади було грандіозне. Грецька співачка виходила, як із піни морської, у хвилях синьо-сріблястої сукні, і співала античним голосом. Пройшли спортсмени всіх континентів, усіх рас і народів, кожен під своїм прапором, у ритмах свого темпераменту.

Ішли Кірибаті, Комори й Мальдіви. Йшли Федеративні Штати Мікронезія. Йшов Барбадос, Ґамбія і Ґабон. Ерітрея, Бануату і Сенеґал. Замбія, Тонґо і Ґвінея-Бісау. Я люблю ці далекі, мало нам відомі держави. Люблю ці маленькі народи, їхню екзотичну одежу, їхні стрункі, прогартовані сонцем постаті. Відчуваю в цих людях якусь первозданну вроду. Може, ми всі родом з Африки, тільки потім вицвіли.

Наша делегація була численна, в одежі стримано уніформній і, як завжди, з баластом чиновників, неавантажних для Олімпійських ігор.

На жаль, я не встиг розгледіти, чи були Канари? Те плем'я, що пересвистується, воно ж, мабуть, усе спортивне. Втекти від цивілізації — то неабиякий спринт.

Наш прем'єр, що не збирався у президенти, теж приїхав на Олімпіаду. Помолився на горі Афон, підтримав олімпійців своєю присутністю, і зі всім своїм почтом, як і належить прем'єру великої і заможної країни, зупинився у найдорожчому готелі на пароплаві «Роттердам». Пароплав м'яко похитувався на воді, світився вечірніми вогнями своїх респектабельних ресторанів і кают. А я чомусь подумав про того багатодітного батька, котрий, щоб самоспалитись, позичив десять гривень на каністру з бензином.

Ну, що — розмінялись в історії? За що ж віддав своє життя і той мій дід, що загинув на фронті, і той, що загинув на Колимі?

У Сумах збунтувалися студенти. У нас була революція на граніті, у них революція на траві. Місяць жили в наметах, а оце вже третій день пішки ідуть на Київ. Міліція їх переймає, б'є кийками. Суд забороняє їм іти. Кількох заарештували. А вони йдуть. Протестують проти об'єднання трьох вузів.

Я думаю, що це протест узагалі.

Київські студенти виходять їм назустріч. Житомирські оголосили акцію мобільної непокори. Львівські з ними солідарні. Та й не лише студенти.

Щось нуртує в цьому суспільстві, шукає виходу і вдаряє в глуху стіну.

7 серпня на Хмельницькій атомній станції відкрили й освятили компенсуючу потужність, 2-й блок. А вже за тиждень — три аварійні зупинки. Однак запевняють, що ситуація штатна, зупинки планові, небезпеки нема.

А ще ж відкриють і на Рівненській, де вже й так постчорнобильські села живуть під страхом генетичних ушкоджень. Недавно на тій станції виявили фахівців з липовими документами, порушено десять кримінальних справ. Але наших співгромадян це не хвилює. Їм утовкмачили і вони вірять, що компенсуючі потужності компенсують нестачу електроенергії, що без них нам ніяк не можна, бо інакше поринемо в темряву.

Потім забудуть і сам цей термін — компенсуючі потужності і, як кров у наших жилах, цей струм у наших дротах любісінько продаватиметься за кордон. І ніхто нам не компенсує відмерлих зон України і вже непозбутнього страждання втрати Малих Батьківщин.

І що воно таке? Компенсуючі потужності нічого не компенсують. Гарантуючі гаранти нічого не гарантують.

У степах вже було вщухло. Коли ж раптом один снаряд як сказився — влетів прямо в село. Військові запевняють, що не знають, як це сталося. Я їм вірю. Бо якби вони знали, то цього б не сталося.

І загинув ще один наш миротворець. Пішов набрати води з біблійної річки, а воно й пальнуло. На березі був установлений радіокерований фугас.

Взагалі наша дійсність — це колосальний детектив з елементами фантасмагорії. Можна обстріляти села своїми ж снарядами. Можна послати хлопців на чужу сумнівну війну. Можна не платити зарплату робочим людям. У законодавчому органі може засідати кримінальний авторитет. У виконавчій владі угніздитись корупція. У православному монастирі оселитися тамплієри. Так досі й невідомо громадськості, що то за міґруючі тамплієри і яке вони мають відношення до давно неіснуючого французького ордену. Недавно вони знову раптом вигулькнули, у Кам'янець-Подільському. Придивлялись до старої фортеці, хотіли взяти в оренду, і знову зникли.

Втім, громадськість не дуже й запитувала. У громадськості в одне вухо влітає, в друге вилітає. Схоже, на цю аудіотурбулентну властивість нашого слуху влада і розраховує, коли сьогодні говорить одне, завтра інше, а позавтра вже й зовсім протилежне.

Святкуємо. Цього разу — день народження президента. Дата не кругла і навіть не квадратова, але еліта мистецька, і всяка, рвонула у його кримську резиденцію

«Мухолатка» засвідчити своє шанування. Видно, думають, що піде на третій термін. Бо вже Конституційний Суд шляхом казуїстичних маніпуляцій винайшов для нього таку можливість — вважати третій термін за другий, бо перший пройшов не за цієї Конституції, через те допустимі будь-які реституції. Тим паче для нації, звиклої до профанації. Особливо, якщо попросить народ.

Але народ чомусь не просить. Це ж не фільм про Івана Грозного.

У київському зоопарку сумна подія. Померла слониха. Слон Бой залишився вдівцем.

Я його пам'ятаю змалку, мене мати завжди водила у зоопарк. Тоді ще у нього були два бивні, потім один украли.

Як можна украсти бивень у слона?! У нас можуть. У нас все можуть. У нас навіть Незалежність украли. Ми думали, що вона є, а її вже не було.

Атмосфера помітно міняється. На стінах з'являються метрові написи: «ВСЬО БУДЕТ ДОНЕЦК!» В лексику міцно входять блатні слоґани. В'язні полтавської буцегарні, відчувши свою електоральну значущість, виявляють бажання поїхати миротворцями в Ірак.

Тим часом кандидат від опозиції в рамках літнього відпочинку завойовує серця електорату на півдні. Але його маршрути відстежуються, то на Ай-Петрі за ним учепиться хвіст, то назирці їздять якісь машини. Щоправда, кримська міліція запевняє, що це ніяке не стеження, просто лідера опозиції охороняють від психів.

Психів там справді багато, хоч, може, й не більше, ніж скрізь. Вони його зустрічають погодинно оплаченими протестами, а дехто, мабуть, і щиро, криком і лайкою, і гаслами парканного типу. На херсонській дорозі його машину тричі намагався зіпхнути у кювет КАМАЗ із причепом, що наводило на сумні аналогії.

А він їздить, він молодий, він невтомний. По дорозі зупиняється, розмовляє з людьми, купує кавуни на південних базарах, засмагає під кримським сонцем. І так біблійно розламує коровай, так картинно роздає його в простягнуті руки, що це вже скидається на рекламний ролик, його часто крутять по телебаченню.

— Ну, це вони перебрали, — каже дружина. — Для Месії він надто спортивний.

А мені він подобається. Таки ж харизматик, а не маразматик. Приємно.

Тринадцяту річницю нашої Незалежності відзначили гідно. Грало сорок п'ять військових оркестрів. Майоріли прапори і плакати. Високих гостей зі світу, правда, не було, зате привітав султан Брунею. Міжнародний авторитет як росте, то вже росте. Трибуна стояла під Тріумфалосом, на тлі скляних пірамід і Жовтневого палацу, в підвалах якого колись були катівні НКВД, а потім над ними двигтіла сцена від всіляких культурних імпрез. Тож і тепер там через весь екран за трибуною тяглося довге біле полотнище з анонсом гастролей театру Віктюка — «МАЙСТЕР І МАРГАРИТА». Я не зразу навіть помітив, а дружина аж скрикнула: — Диви! — Я дивився і думав, що все ж це не випадково. Коли ховали Брежнєва і виступав на мавзолеї Андропов, навскоси через весь екран пролетіла ворона. А тепер он стоять на трибуні наші достойники на тлі анонсу «МАЙСТРА І МАРГАРИТИ» — як Воланд, Азазелло, Коров'єв і Бегемот.

Гриміла музика, цвіли фонтани і квіти, і раптом мені здалося, що зараз із того підвалу, як із пекельного булгаківського каміна, почнуть виходити нескінченним строєм скелети, на ходу одягаючися в тіла й одежу колись закатованих там людей. Дружина дістала з полиці Булгакова і, поки гупав чобітьми парад і нечутно рухалися тіні з підвалу, читала вголос уривки з «Великого балу Сатани»:

«В это время внизу из камина появился безголовый, с оторванной рукой скелет, ударился оземь и превратился в мужчину во фраке». «Воланд остановился возле своего возвышения, и сейчас же Азазелло оказался перед ним с блюдом в руках, и на этом блюде Маргарита увидела отрубленную голову человека с выбитыми передними зубами».

— Ґия, — негромко обратился Воланд к голове. — «И тогда веки убитого приподнялись, и на мертвом лице Маргарита, содрогнувшись, увидела живые, полные мысли и страдания глаза».

Азазелло передав блюдо з головою Коров'єву. Парад продовжувався.

Вечоріло. Празник плавно перейшов у дискотеку. «На эстраде за тюльпанами, где играл оркестр короля вальсов, теперь бесновался обезьяний джаз», — читала дружина.

«На высоте, на холмах, между двумя рощами, виднелись три темных силуэта. Воланд, Коровьев и Бегемот сидели на черных конях в седлах. Плащ Воланда надуло над головами всей кавалькады...»

Азазелло, очевидно, пішов у народ.

На урочистому засіданні виступив президент, продемонструвавши блиск і злиденність політичної мислі. Зокрема він обґрунтував закономірність приходу до влади у новій державі старих компартійних кадрів. Дисиденти, мовляв, і патріоти, просидівши все життя у таборах та в'язницях, досвіду керівництва державою не мали, тож «номенклатура була єдиною наступницею влади». Він стояв за трибуною, як за штурвалом, —

сокири не треба, коли такі люди при владі, вони давно вже збили Україну з курсу. Насамкінець він відзначив успіхи України під своїм керівництвом і неабияк ошелешив новиною, що вона вже стала «економічним дивом Європи». Йому бурхливо аплодували стоячи. Майже як генсекам за радянських часів.

Пресу облягли «темники». У самому слові є щось темне, ніби це не від тем, а від темнощів, темноти.

Але раптом на телебаченні з'явився Канал чесних новин. І справді схоже, що чесних, бо його вже відключають по реґіонах. Десь навіть порубали кабель, десь підпалили щитову. У Києві він ще тримається. Журналісти молоді, сміливі, я вже дивлюся тільки цей альтернативний канал. А ще мені там подобається типова афроукраїночка Ґабріела Масанґа. Вона з таким темпераментом розказує про погоду, такою органічною українською мовою рекламує якусь «Плацент-формулу», біжутерію, цілющі квіти альпійських лук. І на завершення з легким відтінком ностальгії додає: «А на африканському континенті тепло».

Може, десь там Януш Рівер їде у саванах. Може, відпочиває під баобабом. Чи вже взяв курс на Кенію і десь вантажиться на пором зі своїм велосипедом.

Скінчилося літо. Ґабріела Масанґа обіцяє сонячну погоду з невеликою хмарністю. По світу бушують тайфуни і урагани, тепер уже чоловічого роду — «Ґастон», «Чарлі», «Френсіс» і навіть «Іван Грозний».

На південь Італії налетів сіроко, наніс піску з Сахари, люди вкривають виноградники.

В Азії мусонні дощі.

В Японії ураганом змило в океан двох дівчат.

«Чарлі» пройшов над Кубою.

«Ґастон» лютує на узбережжі штату Кароліна.

На Флориду налетів «Френсіс» — видно, шукає свою фуріозну «Жаннет».

На Карибах женеться «Іван Грозний». Вивертає з корінням дерева, яхтами в'їжджає в будинки, викидає крабів і камбалу з дна морського на верхівки пальм.

Як там той острів Косумель з поштою і летовищем, чи не змило в океан наш віртуальний літак?

Друг дзвонив з Каліфорнії, кілька разів переривався зв'язок. Мабуть, десь на Флориді захитало антену.

У Тібеті монахи повертаються з літнього усамітнення. У нас депутати з курортів. За літо зал засідань зазнав значних реконструкцій. Крісла розширили на вісім сантиметрів, зручніше буде дрімати. Люстру під куполом закріпили, щоб не впала депутатам на голову, бо це завдало б невідшкодовних збитків національному інтелекту.

Але чомусь на відкритті сесії не було лідера опозиції. Кажуть, прихворів, застудився. Воно й не дивно, такий перепад температури після його південних турів. Сонце вже, мабуть, спинилося над Ґаваоном. Осінь. Дощить.

Зате леді Ю з'явилася, як ундіна, тоненька й засмагла, з хвилястим золотистим волоссям.

— І чого такі гарні жінки йдуть у політику? — не втримався я.

— Якби мужчини були як мужчини, то й не пішли б, — відрізала дружина.

Скільки я собі казав: мовчи. Все-таки характер у неї нестерпний.

Вранці 1 вересня, коли наш малий уже пішов до школи, раптом передали про Беслан. Три доби кошмару ми жили в надії, що тих заручників у беслanській школі врятують. Спершу повідомляли, що їх там не більше трьохсот, насправді ж було понад тисячу, і то ж насамперед діти, що прийшли до школи, — святкові, з букетами, а потрапили в чорну пастку терору. Їх визволяли штурмом наосліп, пробоєм в стіну, коли все падало, все вибухало, наче й не було недавнього досвіду «Норд-Осту». Самі терористи не подужали б перебити стільки людей. Вони були в масках, вимагали припинити війну в Чечні. Заручники задихалися у страшній тисняві у спортзалі. Терористи вибили вікна через брак повітря. Ніхто з ними від влади на переговори не вийшов. Кілька шахідок чи підірвались, чи підірвали себе. Ситуація вийшла з-під контролю. І тоді терористи зняли маски, це означало, що вони готові йти до кінця. Марна річ встановити, хто по кому перший відкрив вогонь. Школа горить, горять сусідні будинки. З обгорілої школи виносять живих і мертвих. Пишуть, що за ці три дні Беслан втратив своїх жителів більше, ніж за Другу світову війну. Часом з одного двору по шестеро дітей, з однієї сім'ї по двоє. Поранених поспіхом розвозили по лікарнях, найтяжчих літаками відправляли в Москву. Тепер їх розшукують обезумілі від горя батьки. Приголомшені діти не можуть пригадати своє ім'я, не пам'ятають, хто вони й звідки. У Беслані ростуть могили, і християнські, і мусульманські. В Росії оголошено дводенний траур. По всьому світу хвилина мовчання. В Італії запалили два мільйони свічок.

В одній з британських газет написано: «Беслан змінить світ». Ні, не змінить. Цей світ уже нічого не змінить. Він уже звик і адаптувався.

До всього. До Чорнобиля. До Хіросіми. До усіх гарячих точок. До теракту в Нью-Йорку. До «Норд-Осту» в Москві. До чеченської війни. До війни в Іраку. Звикне й до Беслану.

Час іде і здмухує попіл.

Безмірна людська здатність до адаптації.

Ще лише третя річниця трагедії у Нью-Йорку, ще чорніють вирви тих манхетенських веж, а вже десь у коробочку з шоколадом вкладено сувенірчик — мініатюрну копію вежі, в яку врізається крихітний літачок.

Вже якась естрадна вертигузка хотіла зробити шоу в костюмі шахідки.

Вже, списавши все на історію, в Росії міркують, чи не прокласти туристичні маршрути по місцях сталінських концтаборів. Екскурсоводів вистачить, там є кати на пенсії, а хто хоче гострих емоцій, зможе взяти напрокат арештантську робу і переночувати в бараку.

Вже й у нас у Чорнобильській зоні розцвітає екстремальний туризм.

Дивно, що немає ще коміксів про Чорнобиль. Комп'ютерна гра вже є, малий з Борькою годинами грають, ловлять терористів, що засіли в ядерному реакторі. А що ж тут такого? Адреналін.

«Прошло несколько лет, и граждане стали забывать и Воланда, и Коровьева, и прочих», — процитувала дружина. Вона завжди цитує то Гоголя, то Булгакова, то мою тещу.

Про війну в Іраку вже теж забувають. Там уже й не шок, і не трепет — операція в Ель-Фалуджі називається «Гнів примари». Буйна фантазія у військових, назви прямо з кінобойовиків. Неясно тільки, хто кому там примара, і чому такий кривавий у тієї примари гнів. Населення в паніці полишає місто. На вулицях валяються мертві. Червоний Хрест вважає ситуацію в Ель-Фалуджі гуманітарною катастрофою.

По-моєму, гуманітарна катастрофа тепер всесвітня. Мертві тіла валяються не повсюдно, але скрізь повно мертвих душ. І якийсь глобальний Чічіков торгується з глобальним Собакевичем за «золотий мільярд».

В Іраку стратили італійського журналіста. Третій день коаліція бомбить Ель-Фалуджу. В Багдаді вибухнув офіс «Червоний півмісяць». У Парижі рвонуло перед посольством Індонезії.

Так і дивись, чи не літають де шматки твоїх співвітчизників.

— Слухай, — сказала дружина. — Поїхали в ліс.

І ми поїхали. Не в цей близький, приміський, затоптаний, а в той наш далекий, справжній. Ми давно вже не були в цьому лісі. Він заріс і задичавів. Малі берізки повиростали стрункі й високі, і шуміли аж у небі. Казковий ліс, чистий, тепер тут люди не ходять. Грибів хоч косою коси. Є просто гігантські, і боровички, і польські, й красноголовці. Дідухи стояли, як парасольки. Опеньки визирали з-за пнів. Білочка запасалась на зиму.

Вечоріло. Ми сиділи на поваленій сосні, одне навпроти одного, а згори зірвався вже пожовклий листочок і, тихенько кружляючи, падав. І це єдине, що було між нами, — цей березовий листочок. Ми простежили його очима, поки він летів, їли якісь канапки. Слухали тишу, а по мохах нечутно ходили гномики і ховали мед поезії у лісах.

У друга мого в Каліфорнії олені цього року не об'їли троянди. Він поставив парканчик, а вони такі — побачать перепону, не здогадаються обійти. Зате білка об'їла персики. Тобто натягала їх, щоб підсохли, потім з'їсть кісточку. Розлузає і з'їсть.

Він уже остаточно вирішив залишитися у Каліфорнії. Бо які тут перспективи? Тягти лямку, як оце я, заробляти на прожитковий мінімум? Перетворитися на одиницю електорату? Перегорати в попелі тих самих проблем? Боротися за Україну, яка за себе уже не бореться? Віддати сина у школу, де його дражнитимуть хохлом?

А там вони уже звикли. Там їм добре. Там у них є все. Умовляє матір на переїзд. Вона вже ніби й згодна, тільки просить трохи відкласти. Бо постійно щось десь вибухає, пасажири в аеропортах проходять через детектори. На деяких рейсах, кажуть, літаки вже літатимуть у супроводі винищувачів, які в разі підозри на теракт можуть превентивно відкривати вогонь.

Мабуть, світ скучив за Третьою світовою війною. Фактично вона вже почалась.

То там, то там глобус Воланда наливається вогнем і кров'ю.

— Пам'ятаєш, — каже дружина, — як Воланд сказав Маргариті: якщо ви зблизька придивитесь, то побачите й деталі.

У нас, ясно, не глобус Воланда, а всього лише маленький голубий глобус, який я колись подарував малому, але я нахиляюсь над ним, знаходжу цяточку Іраку і бачу, як вона росте, вібрує, перетворюється на рельєфну карту, і по ній повзе манюсінький танк. Він збільшується, збільшується, посуваючись до мечеті. І вже видно обличчя танкіста, з запаленими очима, в шоломі, і може, це той, що убив нашого журналіста в Багдаді. Залп по мечеті — і все огортається димом. Ось будиночок, як сірникова коробочка, вибух — і осідають стіни на мертву жінку з дитиною. А це, я не розумію, що це. Якийсь білий дим у Фалуджі, і на асфальті не трупи, а наче відбитки тіл. Я нахиляюся ближче, впритул, придивляюсь...

— Білий фосфор, — каже дружина. — Він випалює тіло з одежі. Це одежа уже без тіл.

«Робота Абадонни бездоганна».

І ми, що віддали свій третій у світі ядерний потенціал, що заповідались на державу позаблокову і нейтральну, — ось уже й нас стосуються погрози Аль-Каїди. Ось уже й наші військові відпрацьовують на пленері способи боротьби на випадок захоплення школи, лікарні, атомної станції. Росія хоче створити систему рівнів терористичної небезпеки. У США вона вже є. У Білорусі збираються навчати рятувальників зі шкільної парти. У нас, я пропоную, з пелюшок.

Так почалася осінь. У Києві багато оранжу. Листя, листівки, тріпотіння оранжевих стрічок на гілках у сквері. Навіть на ручці дверей у під'їзді хтось пов'язав помаранчевий бантик.

Спершу я навіть не зрозумів. Думав, це діти бавляться. Я собі їздив на роботу, приїжджав стомлений. Дружина перша одягла помаранчевий шалик. Їй дуже пасує цей колір, я похвалив. І нарвався: — Ти й досі не помітив! Це колір свободи. Це наша символіка! — Тоді я теж одягнув помаранчеву краватку. І нарвався вже на роботі. Мій колега, злісно мружачи очі, сказав: — Похоже, ви тоже под етімі знамьонамі?

Я обурився: — А що це вас обходить? Яку хочу, таку й одягаю. — В нашому здоровому колективі війнуло холодком. Далі намітилася тріщина. Далі розкол, конфронтація. Дехто з деким перестав вітатися.

І все через вибори, шляк би їх трафив. Можу загриміти й з цього «Кварка», начальник мною незадоволений. Він уже чоловік передпенсійного віку, а провладний кандидат обіцяє підвищення пенсій. Нашій бухгалтерці він просто подобається як мужчина. А кілька моїх колег, наслухавшись нісенітниць, бояться націоналізму, моя українська мова їх тепер вже дратує. А ще хтось угрівся при цій владі і не хоче, щоб щось мінялось. Хто боїться Америки, хто Росії, хто одне одного.

Так розпоровся всі ці роки декларований мир і злагода у суспільстві.

Четверта річниця загибелі Ґонґадзе. Вже четверта! Європарламент закликає українську владу знайти убивць. Якщо досі не знайшла, то чи й шукала? Доказова база знищена. Оперативна документація зникла. Ключового свідка випустили. Новий генпрокурор — за цей час уже третій — сказав, що справу треба починати з нуля. Нічого вони не почнуть. Нуль дуже гадючий.

Лише колеги й друзі Ґонґадзе, як і щороку, поїхали на те місце, де колись було знайдено «таращанське тіло», помолилися біля кам'яного хреста. Увечері об'єдналися у живий ланцюг і провели акцію «Досить брехні». Влада чекала провокацій, виставила кордон — влада завжди чекає провокацій, а як нема, то сама їх створить. Люди йшли зі свічками, Ґія усміхався з портрета своєю незабутньою усмішкою. Потім всі розійшлися, і дощ загасив свічки на асфальті.

Влада закручує гайки.

Вона скрутила б і голови, але крізь прозору Шенґенську завісу все видно, мусить з цим рахуватись. Але таки не витримала. Вчора схопили радника міжнародної правозахисної організації Freedom House. Ніч протримали в каталажці, без пояснень посадили в літак і витурили з України. Незвичний до такого сервісу іноземець скаржиться, що зроду з ним ще такого не було, це його перша у житті ніч за ґратами! Ото щоб знав, що таке фрідом на пострадянських просторах.

Але щось довго не видно лідера опозиції. Всі розвивають шалену діяльність, а його нема.

І раптом, як грім із ясного неба, звістка, що його отруїли! Ніякий не грип, не застуда, це був замах на його життя. Він у віденській клініці, його ледве вдалося врятувати. Клініку охороняє поліція. Лікарі, незвиклі до політичних пресинґів, нервуються. Ані підтверджують, ані спростовують факт отруєння. Аналізи передано до спецлабораторій, результатів треба чекати. Опозиція приголомшена. Всі наперебій висувають припущення. Хто каже, що це був рицин, типу зарину, як колись у токійському метро. Хто — що отрута з групи ендотоксинів. Ще хтось — що сепсис поліорганний. І навіть уже зовсім сенсаційна заява — що проти лідера опозиції було застосовано бактеріологічну зброю!

Я мовчу. Я не знаю. Я тільки знаю, що з ним сталося щось страшне.

Його політичні супротивники скептично все заперечують. У них свої версії: панкреатит, харчове отруєння, сепсис, хребет, латентна герпевтична інфекція.

У цьому суспільстві багато чого латентного.

Але щоб так зразу людина підірвалася на хворобах — такого не буває.

Коли він повернувся з Відня, на нього було тяжко дивитися. Ще ж недавно такий молодий і вродливий, тепер він ледве говорить, у нього спотворене обличчя, повело щоку, шкіра зробилася груба, бугриста — наче диявол поставив на обличчя печать.

У суспільстві шок.

— Перекошене обличчя нашої демократії, — сказала моя дружина.

Оце така і є Україна в очах світу.

Цікаво, що Бог вибрав саме його для метафори.

Але він демонструє чудеса витривалості. В перервах між лікуванням їздить, літає, виступає. Моторошна маска його обличчя викликає полярні емоції, у когось жах і співчуття, а в кого й зловтіху. Камери безжально чатують на нього, дають крупним планом обличчя, вихоплюють окремі деталі. Галалакають що хто хоче. Навіть що це піар опозиції.

Добрий мені піар так скалічити власного лідера.

У нас вже телеведучі прощаються: «До нових отруєнь в ефірі!»

Передвиборні пристрасті наростають. Протиборчі сторони зчепилися в політичному клінчі. Газети — як Піфії в отруйних випарах політики. Парламент мордується у прямому ефірі. Президент сказав, що нам потрібна політреформа, і чомусь перехрестився.

Леді Ю вже викликають і в російську військову прокуратуру. Оскільки ж вона не з'являється, тутешні силові структури погрожують доправити її туди силою. Її вже навіть оголошено в міжнародний розшук через Інтерпол.

Однак її голими руками не візьмеш. На превелику втіху моєї дружини, вона заявила, що готова захищатися зі зброєю в руках, оскільки мисливською зброєю володіє. І поки з неї тут роблять якусь невловиму міледі, за якою має ганятися міжнародна кримінальна поліція, вона відкрито їздить з передвиборними турами, полум'яно виступає з трибун, і дуже імпонує народові своєю пасіонарністю і золотою косою віночком на голові.

Провладний кандидат теж їздить, але його спіткала невдача. В одному з університетських міст 17-річний студент шпурнув у нього яйце, але, на відміну від Клінтона й Шварценеґера, він знепритомнів і його забрала швидка у колаптоїдному стані. Дехто з його прихильників запевняє, що то було не яйце, а камінь або який інший тупий і важкий предмет, приміром, штатив чи шарикопідшипник, — інакше як пояснити таку неадекватну реакцію? В подібних випадках леді Ю мізинчиком струшує шкаралущу та й виступає далі. А тут могутньої статури мужчина падає, скошений курячим яйцем. Міліція кілька днів шукала попід кущами якихось речових доказів, але нічого, крім яєчної шкаралупи, так і не знайшла, що спричинило нову серію анекдотів про важкий і тупий предмет.

Телеведучі уже прощаються: «До нових яєць в ефірі!»

Міністр оборони пішов у відставку. Одразу ж призначили нового. Тобто нового-старого, того ж самого, при якому ракета влучила в Бровари. У нас нових не буває. Тасується одна й та ж колода карт, миготять ті ж самі королі й валети. І кілька політично вагомих дам.

Країну трясе. Політики не злазять з екранів. Розперезалися пасквілянти. Вже такого нагородили про нашого кандидата! Малюють його мало не монстром, з рогатою підковою на голові.

Провладного кандидата теж достатньо шельмують, а надто обігрують ту його недавню пригоду з яйцем. Малюють шаржі, карикатури. То в арештантській робі, то за ґратами. Як на мене, це поганий стиль. Людина відсиділа, людина спокутувала. Навіщо знущатись? Інша річ, що людина з минулим не повинна йти в президенти.

У президенти повинна йти людина з майбутнім.

У передмісті Луганська рознесло газом будинок. У Донецьку вибухнула квартира. У Миколаївській області перекинулась яхта. На вулиці Києва вийшла ще якась політична сила під гаслом: «Демократія — курва, бюрократія!»

Словом, вересень був гарний, а жовтень ще кращий.

У Краматорську зайнявся морг (отже, у нас гинуть уже й небіжчики).

У Криму на північному схилі Ай-Петрі замерзло троє донецьких студентів.

В Іраку знову обстріляли наш блок-пост.

В Японії пронісся тайфун, на цей раз із земноводною назвою — «Токаго», що в перекладі — «Ящірка», після чого стався ще й такий землетрус, що в Токіо хиталися хмарочоси і швидкісний поїзд скотився з рейок.

Нас теж трохи труснуло, але ми й не помітили.

У нас вибори.

Але ж скрізь якісь вибори, і нічого, всі живі. Лише у нас таке божевілля. Усі всіх ненавидять, всі з усіма сваряться. В телефонах щось клацає, на телеканалах гуде. Розбиваються душі, рвуться родинні зв'язки.

«Зорі радять виспатися». Мабуть, я так і зроблю.

Але і в сон не втечеш. Снився національний балет — вибори.

Розумію, чому в Бразилії на одній зі станцій метро підвісили боксерську грушу — щоб кожен міг розрядити свій стрес. Бо у нас тепер люди, як наелектризовані, б'ють струмом одне в одного. А так би влупили в боксерську грушу й полегшало.

Друг кличе на барбекю. Хоч подумки. Сьогодні у них там День Колумба. Відзначали всім курсом, весело, на пленері. А в мене тут тільки й товариства, що Лев, інвертований на пустелю. Та й з тим стосунки напружені.

Вчора каже: — Простраційні патріоти, що застрягли в іншому часі. Вони думали, що Українська держава — це коли всі заговорять українською, Дніпропетровськ перейменують на Січеслав, президента оберуть почесним гетьманом і т.д. А опинилися у реальному часі і сіли маком.

— Але ж я не застряг у іншому часі! — обурився я.

— Він застряг у тобі, — сказав він. — Він застряг у всіх нас. Та так глибоко, що вже не надається до хірургічного втручання. Живеш з ним, уже й не помічаєш. Тільки болить і ниє на політичну погоду. А політична погода паскудна. Просто хлющить. Болото.

10 жовтня. Міжнародний День психічного здоров'я. Не знаю, як у світі, а в нас уже чверть мільйона людей з порушенням психіки. Це офіційно, а насправді, то, може, й більше. Стрес. Депресія. Суїцид.

Один психіатр сказав по телебаченню, що такі перманентні вибори згубно впливають на психіку населення, і що кожен кандидат у президенти повинен мати довідку від психіатра. А тут в одного немає навіть про зняття судимості, другому перекосило обличчя, на лаві запасних — паноптикум.

Люди не знають, кого вибирати, бо не можна ж вибрати когось з нікого.

Вчора наш кандидат повернувся з віденської лікарні. По дорозі виступив у Львові на мітингу. Становчо сказав, що зеки ніколи не будуть керувати долею цієї країни, а що долею цієї країни керуватимуть чисті люди. І закликав, знову ж таки, встати з колін, навіть склав пальці дзьобиком і показав, на скільки.

— Малувато, — сказала дружина.

Важко належати до народу, національна свідомість якого прокидається аж тепер. А надто, якщо у тебе вже давно безсоння.

14 жовтня. Покрова. Головне свято українського козацтва.

Козаки у нас принципові. Рішенням Великої Ради саме сьогодні, в день своєї заступниці пресвятої Покрови, дали знати, що виступають на підтримку провладного кандидата. Обрали його гетьманом, нагородили орденом Козацької Слави. Нашого ж кандидата, лідера опозиції, виключили зі своїх лав за несплату членських внесків.

А він, щойно приїхавши з Відня, вже десь на Одещині. Вибачається за свій некосметичний вигляд, не кремпується, виступає, надолужує.

Моя дружина припадає до телевізора, щоб роздивитися зблизька — ну, як він? Ну, як йому? Уже краще, вже краще! Дай, Боже, йому видужати!

Шекспір був добрим психологом. «Вона його за муки полюбила».

Ось він уже в Харкові. Ось у Луганську. Люди збираються, людей багато. Але вони, як і все наше суспільство, різнозаряджені. Одні аплодують, інші ревуть, як на стійбищі. Десь шпурляли каміння. Десь підкинули муляж вибухівки. Десь сотня амбалів з битами не допустила до виступу.

Чи знаєте ви, що таке українські вибори? Ні, ви не знаєте, що таке українські вибори.

Виборам підпорядковане все. Час, ресурси, закони, совість, переконання. Навіть осінні шкільні канікули. Їх перенесли й ущільнили. Раз, що школи підуть під виборні дільниці. Два, що учителям ніколи, вони працюватимуть на дільницях. І взагалі, в такий високовідповідальний період не до дітей. Хай сидять дома.

Малий скачав з інтернету нову комп'ютерну гру «Хамське яєчко», і тепер вони грають з Борькою цілими днями і страшенно регочуть, коли вдається влучити в голову, що бігає на павучих лапках, ухиляючись від траєкторії яйця.

— Що з них виросте? Що з них виросте?! — мало не плаче дружина.

Друг пише з Каліфорнії, що син його уже грає на скрипці, читає Марка Твена в оригіналі. Нічого не розумію. Чи ми свого погано виховуєм, чи це вплив вулиці, школи? Він уже в третьому класі. Вони вже фанатіють, балдіють і тусуються. Борька не дуже й лідер, наш може дати йому фору. Кумир у них Менсон. Тримаються незалежно, дівчат ігнорують, вітаються за руку: «Здоров, братан!», «Прівєт, дружбан!» Називають одне одного — «конкретниє пацани».

Хто прихильник року, хто попу, хочуть створити ансамбль. Але розійшлися в поглядах на назву. «Бляхадраха» — щось подібне уже було. «Крейзі пеніс» теж було. Одні пропонують «Шухер-блін», інші «Сексдрекс», вибір великий. Зійшлися на назві «Дружбани», Борька вніс істотне уточнення: «Дружбанда».

Тепер бринькають на гітарі в під'їздах, наш Бетховен у них головний соліст. Але що він співає, що він співає! У музичній школі розучував менуети й сонатини, а тут бацає то «Стильного чувачка», то «Місісіпі-кля-кля-кля». Спасибі, хоч не перейняв у того кумира хіт «Убий свого батька!»

Не забезпечив я еволюцію. Мушу признатися, не забезпечив.

Боюся вранішніх дзвінків. Боюся, що раптом мій «Тореадор» покличе мене не в бій, а на Лівий берег. Все частіше провідую батька. Він дуже слабкий, у нього був інсульт, відібрало мову, тепер перекладачем у нього дружина. Забрала його вже з лікарні, сама доглядає, возить в інвалідному візку.

— На цій землі головне набутися разом, — каже вона. — Набутися разом.

Тінейджер цього року вже студент.

— На вибори підеш? — питаю без надії на відповідь. Але він, спасибі, таки почув мене крізь голоси природи і вийшов у реал:

— А коли вони будуть? 31 жовтня? Так це ж Геловін.

І справді, як же я не подумав? Ніч на 1 листопада, ніч

кошмарів, привидів і всілякої чортівні. Це що, випадковий збіг чи макабричний жарт Сатани — призначити вибори на таку дату?

Втім, у нас завжди політичний Геловін. Країною правлять привиди минулого. Мигтить червона свитка, рохкають якісь пики. Торохтять кості, літає одрубана голова. Гойдаються зашморги у котельнях, на соснах, на ручках холодильників. Налітають рейдери в чорних масках, як чорти з преісподньої. Круки корупції доклььовують Україну. Блимають очима з трибун гарбузові голови. Пікірують під склепінням кажани, літають на мітлах кікімори. Лисої Гори не треба, у нас шабаш у Верховній Раді. Тіні минулого хапають за ноги майбутнє. Якийсь диявольський ілюзіон. Перевертні, упирі й вовкулаки. Як казав колись Опанас Заливаха, російські бєси сплелися з малоросійською чортівнею і віками творять веремію.

Карлики діловито обстукують і обплутують сплячого Ґуллівера.

То свіфтівський Ґуллівер напружив м'язи і розірвав те ліліпутське мотуззя. А наш український Ґуллівер, не знаю, чи зможе. Надто їх багато. І надто він звик бути обплутаним. Та й спить.

— Це не народ, — сказав мій знайомий Лев. — Це слухняне бидло.

Я його вигнав. Він спокійно встав і пішов. Мене дивує цей його спокій. Він навіть не образився. Образився я. За те, що мусив його вигнати. Більше він не дзвонить і не приходить. Навіть бажання побачити Ґламур не змусить його прийти. Гордий. Інвертований на пустелю.

Почуваюся препогано. Вичерпаність страшна.

Снилася мати, що вона лежала на землі і невтішно плакала.

Ось уже й почалися репресії. Тільки за радянських часів «воронки» під'їжджали вночі, а тепер налітають вдень «беркути» в чорних масках. Б'ють чобітьми у двері, вламуються, проводять обшуки. То наскочили на Києво-Могилянську Академію. То хотіли закрити «Еру», тобто не саму еру, а поки що телеканал. Мені вже обличчя цієї влади — як зашкарубла підошва здоровенного чобота. Вчора брали штурмом приватні двері, сім'я тримала оборону, вимагаючи ордер. Ордер виявився не на того, яка різниця, до всіх дійде. Десь навіть пустили натренованих на вибухівку собак, знайшли тротилову шашку і наркотики. Що підкинули, те й знайшли.

Телеведучі прощаються: «До нових обшуків у ефірі!».

Лютує цензура. Власне, не цензура, а ті остогидлі всім темники. Годі знайти щось об'єктивне в газетах чи почути по телебаченню. Хіба що у малому віконечку сурдоперекладу, де телеведуча розказує правду мовою жестів для глухонімих.

Каналу чесних новин взагалі перекрили кисень. Вирубують цілі реґіони, під його логотипом подають фальшиву інформацію. За 17 днів до виборів взагалі хочуть вилучити з ефіру, позбавили ліцензії на мовлення. А коли вже й заарештували банківський рахунок — тятива терпіння урвалася, канал розпочав голодування. Як ми тоді на граніті, з білими пов'язками на головах. Дружина дивиться на них і мало не плаче, ми згадуємо самих себе.

Журналісти збунтувалися. Телевізійники оголосили бойкот. Пишуть заяви про звільнення, протестують, вимагають права на професію. На знак солідарності з Каналом чесних новин оголошують велике мовчання.

Влада боялася каштанової революції, а сталася журналістська. І назріває студентська.

Молодь іде по Хрещатику і кричить: «Правди!»

А то взяли мітли, швабри й віники і метуть вулиці по всіх містах. Хочуть вимести цю владу, вона брудна.

А ще вважали молодь аполітичною. А вони одягли на ноги кайдани і гримлять ними по Хрещатику. Взялися за руки і скандують: «Разом нас багато, нас не подолати!» Над ними клекочуть помаранчеві прапори.

З'явилася молодіжна організація, називається коротко і ясно: «Пора!»

Бо таки пора.

Наш ґарант, схоже, забезпечив собі наступника і по лінії ненормативної лексики. Навіть по телевізору можна було почути в його численних зустрічах з виборцями, як він старенького вчителя послав на три букви.

А що ж тут такого? У нас письменники матюкаються, а йому не можна? Може, це у нього й не лайка, просто він так говорить. Зовні він чоловік солідний. Кажуть, важкий на руку. Є чутка, що деякі його соратники лежать перебиті, а дехто навіть кастрований. Це, ясно, плітки і наклепи, але ж як не прислухатись до думки його прихильників-земляків? «Ну, хорошо, он бандіт, — каже якийсь парень з міста шахтарської слави. — Но он наш бандіт, поймітє!»

А що ж тут понімать, мать-перемать. От і підняли червону калину.

Останній штрих до свого портрета він домалював собі сам, коли на одній велелюдній зустрічі назвав своїх опонентів козлами, що на блатному жаргоні має два значення, і обидва погані. Після чого народ у пориві громадянського обурення вийшов на вулиці з моральним імперативом: «Ми — не козли!»

Телеведучі з голубих екранів прощаються вже: «До нових тварин в ефірі!»

Тварини не забарилися, опозиція вже облаяна оранжевими крисами, а лідер її персонально — шкодливим котом Леопольдом, хоч у нас навіть дошкільнята знають, що кіт Леопольд шкодливим не був, а шкодливими були, навпаки, миші. Не кажучи вже про таку словесність, як оранжевий путч, оранжевий шабаш і навіть, що кому ближче, оранжевий бардак.

У суспільстві назріває вже не просто політична конфронтація, а протистояння цивілізацій.

І чомусь різко визначився конфлікт по лінії Схід — Захід. Так, наче влада тримала його в загашнику до певного часу «ікс», коли у неї виникне потреба кинути одну частину суспільства на іншу. Схід зображається червоним і прорадянським, Захід — націоналістичним і антиросійським. Ставка робиться на чорториї людської свідомості. Це ще той політичний Геловін. Переламати Україну через коліно. Підлити олію у вогонь. Випустити джина шовінізму з горілчаної пляшки. Політтехнологи потирають руки: усе вдалось.

Провладного кандидата на Сході зустрічають хлібом-сіллю. Московський патріархат молиться за його здоров'я. Йому самому являється Божа Мати і благословляє його на президентство. Патріархи, московський і промосковський, теж його благословили. Це така давня російська традиція — благословляти на царство.

Бравий міністр внутрішніх справ обіцяє пити три дні й три ночі на честь його перемоги і, щоб гарантувати цю перемогу, стягає до столиці елітні підрозділи з іменами хижих звірів і птиць. Як не «Барси», то «Беркути».

Зате лідеру опозиції чиняться всілякі перешкоди. То злітну смугу перекопали, літак не міг приземлитися. То заварили ворота в аеропорту. То на міській площі, де він мав виступати, розмістили звіринець. Воно гарчало, вило й скавчало, що вочевидь відбивало внутрішній стан місцевої влади. У Донецьку його зустріли свистом, матюками й карикатурами в есесівській формі. Батько його, в'язень нацистських концтаборів, здригнувся на тому світі. Мати уже в лікарні з інфарктом. Сім'ю переховують друзі.

Розгулялася малина.

Десь виявлені урни без дна. Десь пропали бюлетені.

У виборчих списках 40% «мертвих душ», Чічіков би позаздрив. Зате живі себе не знаходять у списках, мусять доводити своє існування через суд.

Почастішали випадки бандитизму. У Харкові був напад на інкасаторів.

У Донецьку побили телеоператора, відібрали камеру.

Кобзон приїхав, співає про громадянську війну.

Взагалі вибори у державах, до яких небайдужа Росія, це справа важка й небезпечна. Згадати Прагу і Будапешт, і Кабул, і Грозний. Так що у нас ще нічого. Штурмом штаб опозиції не беруть. Хоча машина з вибухівкою біля штабу стояла.

Моїй тещі прийшов лист із Росії. Так і написано: «Письмо из России», з братнім рукостисканням на конверті. Я думав, може, хто з фронтових друзів покійного тестя вирішив обізватися до вдови, не знаючи, що її вже теж немає на світі. Коли ж ні — небіжчицю агітують голосувати за провладного кандидата. До неї звертаються від імені земляцтва українців Росії. Дружина обурилася, розплакалась, сприйняла це як образу пам'яті матері. Але з'ясувалося, що й сусіди отримали такий лист, і Борьчина мати, і наш двірник, і консьєржка, дехто навіть по два. І підписав цей опус заступник голови земляцтва, який водночас є членом уряду Росії, відтак його втручання у справи іншої держави незаконне.

Проте чого не зроблять політики на підтримку своїх

креатур? І шантаж, і підкуп, і листи до небіжчиків, і жупел «десятимільйонного земляцтва», — аби відкрити в Росії якнайбільше виборчих дільниць. А там уже справа техніки, скільки проголосує і як буде підраховано.

Люди розгадали цей маневр, пікетують Центрвиборчком, вимагають не допустити фальсифікацій. На них налетіла зграя, і то ж не «пара конкретних пацанов», це були, як з'ясувалося потім, переодягнуті працівники міліції, били людей молотками й палицями, штрикали «розочками» по-блатному, гостряками надбитих пляшок. Перша кров пролилася на асфальт. «Але ми не боїмося! — відчайдушно кричить якась жінка. — Всіх не уб'ють!» Це додає оптимізму.

Моя дружина поривається туди. Я її не пускаю. «Що це за мужчини? — кричить вона. — Людей б'ють, а вони мовчать!»

Але який же був її подив, коли депутати від опозиції знешкодили тих амбалів, скрутили їм руки і кинули на підлогу фейсами вниз, вилучили посвідчення і табельну зброю, а то ж були кремезні амбали, чи не з підрозділу «Титан». Спіймані на гарячому, вони втратили свій бойовий дух. І тоді кинулися в бій депутати провладної партії. В ніч із суботи на неділю відбулася ця «битва титанів» у твердині народовладдя. Билися до озвіріння. Виштовхували одне одного, хтось на когось завалив двері. А надто відзначився один депутат, що бився, як Голіаф, голий до пояса. Але опозиція перемогла, і кількість виборчих дільниць у Росії було зведено до розумної цифри. Потім провладний кандидат провідав потерпілих бійців у лікарні, тиснув їм руки в бинтах і в гіпсі, а вони все виправдовувались, чому зазнали поразки в бою з непереважаючими силами противника.

Дружина подивилася на мене з повагою: — Ні, у нас таки є мужчини! — А баритони? — питаю я. — Вона кидається мені на шию, плаче щасливими сльозами, обнімає, цілує, ніби я теж там був.

Господи, як гримить час на стиках років!

Бріжіт Бардо — 70. Софі Лорен — 70.

З часу нашої революції на граніті — скільки ж це проминуло? 14 років! А життя як не було, так і нема. Ту частину забрала та влада, цю споганила ця. У перспективі, не виключено, мезозой.

З дружнім візитом прибув президент Росії — для участі у параді на честь визволення України від фашистських загарбників. Воно то так, але військовий парад за три дні до виборів?! Поповзли чутки, що в столицю превентивно вводять війська для оголошення надзвичайного стану.

За чобітьми парадного маршу навіть не помітили дріж землетрусу, що докотився з гір Румунії. Хрещатиком пройшли солдати — наче з кадрів давньої кінохроніки, несли радянські полкові знамена. Підвезли ветеранів, старенькі, всі в орденах і медалях, вони дивилися на інсценізацію своєї бойової молодості. На трибуні, вже в дещо інших персоналіях, стояли все той же Воланд, Азазелло, Коров'єв і Бегемот.

Великий бал Сатани триває. З гігантського каміна Історії тепер уже виходять мільйони загиблих солдатів, скелети в напівзотлілих шинелях марширують повз трибуну. Вгорі на трибуні їх вітають достойники, дехто з яких і в армії не служив. Вони усміхаються, перемовляються, провладний кандидат пригощає соратників карамельками. Один охоче посмоктує, але президент Росії заперечливо хитає головою. Він не якийсь, щоб на параді в честь перемоги над фашизмом смоктати карамельки. Народ дивиться, народ фіксує, карамелька падає на терези Історії.

Ну й, звичайно ж, танцювали танцювальний гопак. А могли ж затанцювати і бойовий — це ж тепер одне з найефективніших бойових мистецтв України.

І знову баритони співали, що Україну не поставлять на коліна.

Упеклися мені ці коліна. Я вже починаю озиратися — хто і де той напасник, що все намагається поставити Україну на коліна, а вона, горда й нескорена, все встає і встає. Національна аеробіка. Дистрибуція божевілля. Чи сусідство з Росією так впливає? Там теж це улюблена метафора.

Але ж «Россия может встать с колен и огреть», — як сказав їхній президент.

А ми? Хіба що підем навприсядки.

Вибори насуваються, як цунамі.

Хвилі чорного піару накривають суспільство.

Компромати зашкалюють. Концентрація бруду несумісна з життям.

Впритул до виборів заговорили про «особливий стан».

У лікарнях збільшили кількість ліжок для майбутніх потерпілих.

Сайт Каналу чесних новин зламано. По областях б'ють журналістів. Цитадель демократії — Центрвиборчком — під посиленою охороною, обнесена колючим дротом, у дворі три бетеери, чотири водомети, огорожу змащено солідолом. Словом, готовність до виборів №1.

У ніч під самісінькі вибори хтось здогадався по телебаченню показати фільм «Убити дракона». Я його й раніше бачив, гарний фільм, але ж тепер особливо на часі. «Якщо я програю цей бій з Драконом, — каже там Ланселот, — все це ще на 300 років».

А ще він каже: «Мовчи, Звіроящур! Я тебе не боюсь!»

Але ж проблема не лише в тому, щоб не боятися Дракона, проблема в тому, що боїться сам Дракон, через те він смертельно небезпечний.

До Києва стягують війська спецпризначення.

Курсанти на танковому полігоні відпрацьовують свою майстерність.

Містом їздять вантажівки з піском без номерних знаків.

— Як ти думаєш, для чого? — питає дружина. — Перекрити дорогу в разі чого, чи щоб піском присипати кров?

Йшли на вибори, як на останній бій з Драконом. Увечері прикипіли до телевізорів. Хвилювалися, переживали, хоча вже перші екзит-поли були обнадійливі — Дракон зазнавав поразки. Під ранок дружина заснула в кріслі, я вкрив її пледом.

А далі почалась хитавиця, як на старому океанському кораблі. Людей кидало з одного борту на другий, котилися бочки, гриміла порожня тара, корабель трясло й перехняблювало, наче в ньому тисяча пробоїн, і крізь кожну фонтанує брехня.

Затанцювали цифри. Розрив за добу скоротився до одного відсотка. Пірати брали нас на абордаж.

Студентська хвиля вдарила об парламент.

На Подолі біля пам'ятника Сковороди з'явилися перші намети.

Світ його ловив і вже аж тепер, кам'яного, спіймав.

Україну кошмарить. Штаби вибухають, хтось комусь б'є морду. Йде тотальний адміністративний терор.

Одночасно в Америці теж вибори. Там теж два кандидати, один випереджає на якусь дещицю голосів. Можна ж було похитати країну, позмагатися ще — ні, для загального спокою один поступився, і вже й зателефонував, привітав переможця.

А тут до крові, до осатаніння, до замахів на життя. Все пішло в хід — матюки, кулаки й отрута. Хакерські атаки, погрози й шантаж. Центральна виборча комісія залягла, як за порохову бочку, щось плутала, зволікала і, нарешті, оголосила, що переміг спадкоємець влади. Що тут зчинилось! Фальсифікація була очевидна, опозиція вимагала перерахунку голосів — і, о диво, цифри знову затанцювали й дали трохи інший результат. Переміг кандидат від опозиції, але з мінімальною перевагою.

Так що вибори наші тільки почалися, буде ще й другий тур.

Але якщо перший був на Геловін, де за означенням панує нечиста сила, то другий, навпаки, припадає на Архистратига Михаїла, покровителя Києва, який розганяє нечисту силу.

Відчутно міняється політичний клімат. У Києві з'явилися люди специфічної зовнішності. Бритоголові. У шкірянках. Братки. Коли вони сунуть по вулицях, важка енергетика криміналу відкидає перехожих до стін.

У суспільстві війнуло жахом. Моя дружина купила в підземному переході пістолет — велику запальничку тайванського виробництва, дуже схожу на справжню «Беретту». Озброїлась.

Живемо в бойовій обстановці. Звикли й адаптувались. Вночі щось верещало у сквері, і я вже не вийшов рятувати. То паралельний світ.

Сьогодні заходжу в ліфт, а там наш сусід, старенький інтелігентний еврей, що живе поверхом нижче. Двері зачиняються. На стіні кабінки написано: «жид». Тут і раніше було написано всякого, а тепер ще й це.

Ми їхали вгору, а слово «жид» повзло по стіні.

— Що будемо робити? — каже він мені.

— Приходьте до нас, часом що, — кажу я. — Шафу до дверей присунемо, якось будемо одбиватись.

— Або ви до нас, — каже він. — Часом що.

Теж слушно. Бо на стелі кабіни розгонисто, червоним фломастером хтось написав: «Долой оранжевых националистов!». Тобто мене.

Ґабріела Масанґа обіцяє заморозки. Над Києвом стоїть помаранчева осінь. Партія провладного кандидата, відчуваючи брак символіки, з'явилася раптом вся в біло-синіх шаликах, поставила біло-сині прапорці, задекларувавши це як колір надії і правди. Суспільство поляризувалось, парламент став кольоровий.

Політична еліта охрипла, як з перепою. Довиступалася.

Влада, яка завтра стане вчорашньою, хапає усе без пам'яті — заводи, дачі, привілеї, ділянки рекреаційних зон. Роздає звання й нагороди, обіцяє підвищення пенсій, подвійне громадянство з Росією, другу державну мову, додаткові вихідні на Різдво. Штампує емісійні гроші. Пускає за безцінь стратегічні об'єкти на приватизацію. Члени партій і фракцій линяють, і це перша ознака назріваючих змін — вони перебігають в інші вольєри.

Огидне явище — депутатська линька. В'їхали на одній партії, злиняли в іншу. Шерсть літає в повітрі, як тополиний пух.

— У мене вже від них алергія, — каже дружина. — Хіба ж можна так линяти?!

Завершуються серіали XX століття.

Принц Данський розлучається зі своєю принцесою.

Принц Уельський одружується з Каміллою.

В Тірольських Альпах загинув німецький вчений, що кілька років шукав снігову людину. Не помітив розколини і зірвався в провалля.

Померла найстаріша з королівського роду Великої Британії, герцогиня Ґлостерська.

Захворів Арафат, лікують у Парижі.

Хотіли було судити Піночета, але у нього вже помірне слабоумство.

В Амстердамі убито режисера Тео Ван Ґога, припускають, що це помста за його фільм про становище жінок в ісламі.

Згодом невідомі спалили у Нідерландах мечеть. Це вже тепер такий діалог цивілізацій.

Справа Ґонґадзе так і заглухла. Її все ще обіцяють почати з нуля, але ніяк не зрушать з мертвої точки.

Враження таке, що слідство уже замело сліди.

І не стало за цей рік зразу чотирьох президентів.

У Катарі вбито першого президента Ічкерії Єндарбієва — слід російських спецслужб здимів у аравійських пісках. Розбився в горах літак президента Македонії, того, що стояв у нас на трибуні на 10-ліття Незалежності. Влітку у президента Австрії зупинилося серце. І помер Рональд Рейґан на 93-му році життя.

На світанку 11 листопада у Парижі помер Ясир Арафат. Спецборт з його тілом прибув до Єгипту. Прощалися з ним у Каїрі, де проминуло його дитинство. Поховали на Західному березі ріки Йордан. Дітей чоловічої статі, що народилися там у той день, називали Ясирами і Арафатами.

Але це вже з майбутніх серіалів XXI століття.

Наближається 2-й тур.

Аж тепер вже, нарешті, переможе наш кандидат. Перемога буде переконлива й цілковита, з великою перевагою голосів. У цьому всі абсолютно певні.

Один телеведучий навіть сказав з голубого екрана: «До зустрічі у новій країні!»

Я собі не подобаюсь. Я завжди чекаю чогось гіршого, я не здатний на ейфорію. Бачу, як Дракон готується до останнього стрибка, як він випускає кігті.

Прибувають поїзди не за графіком. Під виглядом донецьких шахтарів до Києва підтягуються представники кримінального світу. Для них орендують приміські табори, санаторії, бази відпочинку. Зі Сходу посунув соціально занедбаний агресивний типаж. З автобусів вивалюються якісь п'яні дівки, бомжуваті чоловічки з багровими фізіономіями. Впереміш з матом висловлюють свої пріоритети. Хриплять прямо на камеру: «Будем, блядь, всех вас давить!» Причому їхні автобуси їдуть у супроводі міліції, а нашим під колеса кидають залізні шипи.

У Криму московський патріархат править молебні за провладного кандидата. У психо-неврологічних диспансерах хворим втовкмачують, за кого голосувати. Міліцейський генерал погрожує застосувати до громадян України нещодавно сформований підрозділ «Ніндзя».

Ректори хвилюються, умовляють студентів голосувати за кого кажуть, аргументація цілком відверта: «Не хочеться, щоб тут була Африка, щоб тут була бойня». Тобто маємо голосувати за тих, хто здатен тут влаштувати бойню?! Обурені студенти знову рушають на Київ, їх переймають в полях, погрожують, завертають. У Сумах побили студентів і журналістів. У Ромнах теж побили. Члени молодіжної «Пори» прикували себе ланцюгами до Монумента Незалежності, вимагають припинити терор. «Братки» ходять по Києву, один такий сказав журналістці: «Ми тєпєрь здєсь хозяєва». В моду входять блатні шансони типу: «На свете много женщин и много пацанов». Біля приватного клубу «Геліос» невідомі побили депутата від опозиції. Ті ж невідомі стріляли в міжнародного спостерігача ООН. Міліція їх не ловить, бо хто ж ловить самих себе?

Ати-бати, пройшли дебати. Ажіотаж був страшний, це ж у нас вперше, щоб кандидати прилюдно зблиснули інтелектом. Тим паче, що один став нефотогенічний, другому зблиснути особливо нічим. Та й потреби поспілкуватися у них вочевидь немає. Але дивилася вся Україна, і вдома перед телевізором, і в пабах, і в кав'ярнях, кого де застало. Жіноцтво, зокрема, ще й тому, що прагнуло побачити евентуальних перших леді.

Леді від опозиції бачили — гарна. Друга не явилась народу.

З приємністю відзначили, що провладний кандидат за ці півтора року навчився розмовляти державною мовою. Це у нас вважається великим досягненням. Щоправда, формулювати думки йому ще важко, тож під кінець він перейшов на російську. Це нікого не здивувало, у нас переважна більшість політиків мислить мовою сусідньої держави. Здивував месидж провладного кандидата. «Новая власть уже пришла, — сказав він. — Она уже работает, и нет способа ее выдавить». Навіть не так вразило, що нова влада, виявляється, уже прийшла, як саме слово — «выдавить».

Бо це ж уже не дебати, а базар по фєні.

А нашому кандидату я вірю. Навіть не так його програмі, у них у всіх гарні програми, і не його арґументації в цих дебатах, навіть не його мучеництву через те отруєння, а тому, що одного разу він якось, ніби мимохіть, прохопився: «Куди мені йти з моєю правдою в Україні?» От це мене вразило, дійшло до самого серця. Бо й мені ж нема куди йти з моєю правдою в Україні. І самій Україні нема куди йти зі своєю правдою у світі.

На Київ рухаються військові машини.

Люди з навколишніх сіл виходять на трасу, перепиняють їх, просять, ладні під колеса лягти. Але на них кидають спецпризначенців, і ті виконують своє спецпризначення — б'ють людей, розганяють. При дітях! Погрожують, що це лише дубинки, а будуть ще й кулі.

Один з лідерів опозиції надягнув червоні боксерські рукавиці і сказав майже як Ланселот: «Не бійтеся!»

А ніхто й не боїться. Боїться влада. Міліція зриває помаранчеві стрічки, топче помаранчеву символіку. Навіть дерева пообтрушували, щоб не було оранжевого листя. А воно ж, як на те, жовте й оранжеве. Осінь.

Журналісти розривають паперові кайдани. У центрі міста розгортає свої намети молодіжна «Пора».

Львівські студенти вийшли на демонстрацію з несподіваним парафразом крилатого гасла польських повстань — «За вашу і нашу перемогу!»

Вісім гелікоптерів стоять напоготові. Звіроящур готовий тікати.

У Західній Україні пройшов смерч — як увертюра стихій до 2-го туру. Теща завжди казала, що Архистратиг Михаїл приїжджає на білому коні. І справді, вранці ми йшли голосувати, друкуючи сліди по першому сніжку.

Але цього разу був ще гірший Геловін. І «мертві душі», і «карусель», і хакерські атаки на сервер. Були спроби підпалу, погрози замінування, знеструмлення виборчих дільниць. І навіть удосвіта вбитий на своєму посту міліціонер. Десь розвалилися урни, десь викрали бюлетені. У Запоріжжі вмерла голова однієї з виборчих дільниць. У кабінеті одного мера знайшли гранату в портьєрі. Подекуди вибори взагалі пройшли у стилі вестерн. В урну був укинутий якийсь реаґент, що почав бурхливо діяти. Чорна пекельна рідина клекотіла й випаровувалась, сморід був такий, що люди вискакували, затуляючи ніс і очі. У Львові горіла редакція газети «Поступ». На Донеччині жінку-спостерігача прищемили дверима. У Кіровограді якийсь невідомий схопив урну, вистрелив у стелю і зник у невідомому напрямку.

Один міжнародний спостерігач — і в Нікараґуа був, і в Уґанді, а такого, каже, ніде не бачив.

Все-таки якось проголосували. Зітхнули з полегкістю. Перші ж екзит-поли дали великий розрив на користь нашого кандидата. Потім раптом усе схитнулося, цифри знову затанцювали. Щодалі в ніч вони мінялись, мінялись і, нарешті, під ранок голова Центрвиборчкому оголосив перемогу Дракона.

Спонтанно вибухнув протест. На Майдані з'явилися намети. Оголошено загальнонаціональний страйк. Люди вирішили захищатись.

Наш отруєний кандидат, з обличчям, на яке страшно дивитися, весь у плітках, інсинуаціях, як у павутині, щовечора звертається до Майдану. І ось воно, нарешті, те слово, якого не можна не почути, — він просить, він заклинає: «Підтримайте всенародний Рух Опору!»

У партію я не вступив би, не пішов би ні в який блок. А в Рух Опору мені й не треба йти, я генетично до нього належу.

На Майдані вже тисяч сто людей.

Занепокоєний мер пропонує запровадити карантин у школах.

Леді Ю закликає запасатись харчами і їхати на Майдан.

Почалися телемарафони. Діячі культури й науки сидять у черзі на теледиванах. В родинах сварки, сусіди не вітаються, собаки гавкають одна на одну. Вступаємо в стадію масового психозу.

А власне, за що ми боремося? За те, щоб президентом був той, а не той? Особисто я без ілюзій. Головне, обрати такого, щоб можна було переобрати. Щоб не вп'явся у владу знову на десять років і не пересидів людське терпіння.

Людей на Майдані щодалі більше. Їм відчиняють двері вестибюлі театрів, творчих спілок. Навіть мер виявляє нечувану толерантність, він уже не придумує вітер, який би здмухнув намети. Навпаки, віддає прибулим перший поверх міськради і навіть Колонний зал. «Український дім» розчиняє гостинно двері. Втомлені з дороги люди де впали, там і заснули. У кріслах глядацьких залів, просто на сцені, в простінках між ліфтами і взагалі, де прийдеться. Історія ставить грандіозний спектакль.

На Майдані грім революції, завжди хтось виступає, хтось диригує цим всенародним дійством. Навіть та лялька на монументі набула сенсу, бо аж д'горі до неї доп'яли помаранчевий прапор, і він тріпотить. Телеекран над Майданом — як збільшувальне скло Історії. Я не впізнаю цих облич — вони прекрасні.

Але архозаври системи святкують свою перемогу. Ще немає офіційного результату, ще не названо легітимного переможця, а провладного кандидата вже визнали президентом в законі. Його вже привітав посол Росії, два роки тому посвячений в козаки гранчаком оковитої з шаблі. Привітав спікер Російської Думи. А російський президент аж із Бразилії привітав його навіть двічі.

У Дніпропетровську біля оперного театру запустили вже й феєрверк.

Він уже звернувся до народу з подякою за підтримку. Зверхньо назвав повсталих «невеличкою групкою радикалів». Тих, що не голосували за нього, обіцяв простити.

Я зрозумів, що моє життя закінчилося. Що України вже більше ніколи не буде. І я пішов на Майдан.

Я вже третій день на Майдані. Додому приходжу тільки на ніч, дома у нас теж хлопці з Майдану, одні заходять, інші виходять, перегріються, посплять пару годин і знову на Майдан. Дружина з малим ночують у Борьчиної матері, там такі меблі з бежової шкіри, люстри з венеційського скла — з вулиці не завалишся. Бачимось на бігу, сьогодні казала: вчителька скаржиться, малий з Борькою тікають з уроків, забігають у штаб помаранчевих, набирають символіки, обчіпляються стрічками, воно все тріпотить, розвівається — бігають, як ірокези.

Вдосвіта крізь сон прислухаюся, чи не гудуть танки. Але чую тільки відлуння Майдану. Він тепер, як велике серце Києва — гуготить, пульсує, б'ється у ритмі барабанів Революції.

Здається, що й сонце сходить саме там.

Над Майданом стоїть оранжева аура.

Пройшла чутка, що сьогодні вночі розгромлять наметове містечко.

Готуємось до газової атаки. Дістали протигази, маємо ланцюги. Вирішили зчепитися ними між собою і стояти на смерть. Зброї немає, а якби й була, у цій ситуації головне не схопитися за зброю. Вони можуть, ми — ні.

Я подзвонив дружині, що залишаюся на ніч. У неї здригнувся голос, вона помовчала й сказала: «Добре. Я так і думала. Не застудись».

Не розгромили. Не наважились. Навіть не зробили спроби.

Втім, це може статися щохвилини. Вони можуть кинути армію на людей. Можуть посадити на дахах снайперів і перестріляти прицільно. Або застосувати той метод, що спрацював тоді на Манежній площі в Москві. Вріжеться група відморозків у гущу Майдану, спровокує бійку, посіє паніку — і все. Тільки кров на асфальті.

Дві ночі не спав, стоїмо на варті. Одні змінюють інших, щодня з областей прибувають нові. Впізнаю хлопців, знайомих ще з часів студентської революції. Тренуємось, проходимо вишкіл, ось де згодилася й служба в армії, і той наш досвід на граніті Майдану. Поки що без інцидентів. Правда, якийсь тип різонув одного з наших бритвою по щоці, кров виступила, як калина, ми його скрутили, а кому здаси? Спецпризначенці стоять за щитами, в шоломах, з засніженими комірами, на шевронах хижо вищирений «Барс».

Відібрали у типа бритву і дали ногою під зад.

І всі ці ночі і дні на стовпчику огорожі сиділа сова у помаранчевому шарфі. Вона дивилася на нас круглими жовтими очима, — я не знаю, коли вона спить, на Майдані суцільний день, шум, ритми, пісні й скандування.

А один намет окремий і тихий. Там живе Ґія Ґонґадзе. Над відхиленим входом уже не тінь його голови, а збільшене фото його живого. Люди ставлять свічки, кладуть цукерки, яблука, горіхи, як на могилу в поминальні дні. А могили й досі немає. Рештки «таращанського тіла» так і лежать у морзі на вулиці Оранжерейній, — ось уже п'ятий рік.

«Сніг. Налипання мокрого снігу». Димлять польові кухні. Люди гріються в автобусах, молодь танцює. На екрані Ґабріела Масанґа рекламує шубки, і від її африканського вигляду стає тепліше. Кияни приносять зимовий одяг, наливають з термосів гарячий чай. Мій сусід, отой старенький єврей, приніс булочки й сигарети, помахав мені помаранчевим прапорцем. Підвезли дров. Якась фірма подарувала валянки свого виробництва, тверді, повстяні, дибаласті — в таких валянках хоч і в Сибір, я думав, що таких вже й не роблять.

Барабани б'ють, машини клаксонять, стрічки розвіваються — свобода!

Весь Київ поспішає на Майдан. Тільки пам'ятники наших великих не можуть зрушити з місця.

Стоїть кам'яний Сковорода в помаранчевому шарфі.

І кам'яний Грушевський. І Шевченко. І Леся Українка.

Сидить кам'яний Лесь Курбас, замучений на Соловках. Хтось пов'язав йому помаранчеву стрічку. У мене стислося серце — якби вони хоч на мить воскресли, всі, що боролися за Україну, якби могли подивитися на неї тепер!

Україна відчайдушно хотіла бути. І вона є.

Я відчуваю гордість за Київ. Я милуюся киянами. Так ось же він, справжній портрет нації! Така маса людей, і не перетворюється на юрбу.

Бо це вже не маса, це люди. І вивели їх на Майдан не політики, вони вийшли самі.

Хоча є всякого люду. Знайшлися навіть злодюги з посвідченнями помічників депутатів, збирали гроші й щезали з містечка. Якийсь розлючений тип показав у об'єктив дулю. Інший напився і звалився під колеса автобуса. Скудовчений люмпен працює ліктями, продирається у штаб революції: «Гдє здєсь шапки раздают?» Опасиста дама в шиншиловій шубі пирхає на «помаранчєвих», веде чорного пуделя, хоч і не на важкому срібному ланцюжку, а просто на повідку, але я десь його бачив, це підозрілий пудель, я його читав у Булгакова.

Булгаков недарма був киянином. Містика психологічних містерій огортає це місто. Тут ніколи не знаєш, прикинеться диявол чорним пуделем на срібному ланцюжку, чи архангел Михаїл осінить крильми.

На Майдан виходять університети, виходить політехніка.

Студенти Києво-Могилянської академії оголосили акцію «Ми йдемо!» І вони йдуть, пішки з Подолу, під прапором Спудейського братства. У декого на лобі стрічки з написом: «Чиста Україна». Молодь. Вони хочуть чистої України. Вони йдуть до офісів і владних структур, до зашторених міністерств і забріханих телеканалів. Один такий канал закидали макаронними виробами, повертаючи локшину, яку той навішував людям на вуха. Протестують, таврують, звертаються до совісті. Або й вітають і приймають до свого братства. Курсантів, що стали на бік народу. Журналістів, що говорять правду. І викладачі їхні з ними, попереду ректор, сивий, а молодий, чеше по скрижанілих калюжах, тільки білі кросівки миготять. Вони йдуть. І серед них я бачу свою дружину на великому екрані над Майданом. Я так і думав. Я розумію. Не застудись.

У наметі Ґії Ґонґадзе тихо жевріють свічки, і від їхнього тепла сильніше пахнуть на вулицю приморожені за ніч яблука.

Вуха у помаранчевого зайця стирчать буквою V.

Наш малий з Борькою уже не говорять між собою — скандують.

Уже й наші дипломати підписали звернення на підтримку Майдану.

На Національному банку з'явився помаранчевий прапор.

Кондитерська фабрика імені Карла Маркса припинила роботу, приєднується до загальнонаціонального страйку.

Хлопці, що досі косили від армії, оголосили свій осінній призов, щоб захищати Україну.

Таксисти вночі солідарно перекривають в'їзд до Майдану.

Підполковник міліції відмовляється виконувати протизаконні накази.

Армійські офіцери присягають на вірність народу.

Боже! У мене є народ.

Але влада розламує Україну. На Схід і Захід. На російськомовних і не-російськомовних. На біло-синіх і «оранжевий беспрєдєл». Ось що було у неї в резерві — стратегія розколу. Вона його форсує і поглиблює. Маніпулює ним і залякує. В одному зі східно-південних міст у Палаці льодових видів спорту відбувається політичний вид спорту — з'їзд. Саморозпечені своєю ж пропагандою сепаратисти закликають до створення Південно-Східної Української Автономної республіки (коротко — ПІСУАР), а то й до прямого приєднання до Росії. Якась істероїдна депутатка закликає створювати загони. Збурений Схід суне на Київ. Обурений Захід клекоче. В Одесі чавлять помаранчі. Добре, що досі пролився тільки помаранчевий сік.

У Харкові гудуть заводські труби. Ну, прямо як чорні орга́ни — п'ятдесят закіптюжених труб. Харків'яни у такий спосіб виявляють солідарність зі своїм кандидатом. Ну, це вони даремно. За радянської влади гудки гули, коли генсеків ховали. Була така п'ятирічка, народ назвав її — «гонки на катафалках». А тепер же передвиборні гонки. Тепер ураган «Віктор у квадраті». І якщо всі заводи загудуть і сирени завиють, дзвонарі вдарять у дзвони, а старушки в каструлі, то вже ж ніхто не розбере, хто за якого Віктора.

Події набувають гарячкового характеру. Створено Лігу «Південний Схід» з метою мобілізації населення на підтримку провладного кандидата. «Сьогодні ми стоїмо на порозі громадянської війни», — сказав політик з Партії регіонів.

Де поставили політики, там і стоїмо. А чи не час вже їх поставити на місце? Щось їх забагато у нашому житті.

Наїхало біло-синіх, напинають свої намети навпроти парламенту. Але ночувати не витримали, й металеві бочки для обігріву не допомогли. Покидали ті бочки і розбрелись по готелях. А що українці народ музичний, то навіть старі металеві бочки придалися.

З тих бочок вийшли гарні громохкі барабани революції.

За тим шумом, громом і рейвахом вже і ті, й ті не помітили, що знов на шахті в Донбасі вибухнув метан, один шахтар загинув, дев'ятнадцять з тяжкими опіками в лікарнях. Що у Сьєрра-Леоне загинув наш миротворець: перевозив пальне по розмитій дощем дорозі, машина перекинулась — та й принесли його лелеченьки, мертвого, додому.

Нам не до того. Ми боремося. Нас кинули одне на одного, і ми піддались. Кричимо. Мітингуємо. Щодня гримлять із динаміків взаємні образи і звинувачення. Донецьких називають бандитами. Нас тут — націоналістами. Всі до всіх звертаються, ніхто нікого не чує.

Тим часом у політичному закуліссі ведуться якісь змови і перемови, потаємні торги й прелімінації. Лідери хитрують і маневрують, еластично прогинаються, потенціал компромісів росте. Держава втрачає важелі управління. Президент сидить десь на дачі в екзилі. Ложа уряду порожня. Спікер балансує над прірвою. Протистояння досягає апогею. Скликається позачергова сесія. Щодня, щомиті щось може статися. Залишаються лічені хвилини. На Майдані може пролитися кров.

І тут, як завжди, найрадикальніша леді Ю. Вона вважає, що перед лицем смертельної небезпеки треба діяти негайно й рішуче, а злочинну теперішню владу треба просто винести з коридорів. Винести з коридорів — і все. Моя дружина горда за неї, вона поділяє її радикалізм. А я — як Хав'єр Солана, я хочу, щоб все було у правовому полі.

Але правового поля нема. Є загроза навіки втратити Україну. І тоді сивий чоловік, старійшина депутатського корпусу, просить нашого лідера негайно скласти присягу на святій Книзі. Щоправда, спішно доставлена Книга трохи не та, бо дістати раритетну нашу Першокнигу, Пересопницьку Євангелію, на якій присягають президенти, потребувало б часу. А в скроні вже б'ють секунди. І наш недовбитий, отруєний, ще не зовсім легітимний президент складає присягу на Острозькій Біблії, перед неповним складом парламенту, за відсутності спікера, що зробив їм демарш.

Одні у захваті від його рішучості, інші тримаються за голову.

Майдан скандує і аплодує.

А наступного дня офіційно оголошено іншого президента.

Вдарив дев'ятий вал протесту.

Створено Комітет Національного порятунку.

І справді, спасайся, хто може. Цілковитий політичний галлюциноз.

Маємо трьох президентів, і не маємо жодного.

Сьогодні складає присягу один, завтра оголошують іншого. Отже, він теж складатиме присягу? На якій Святій книзі і де? У тому ж парламенті чи в концертному залі палацу «Україна»?!

Опозиція подає позов до Верховного Суду, «позов на врага своего, на заклятого врага». Тільки у Гоголя Іван Іванович на Івана Никифоровича, а у нас опозиція на своїх опонентів. Вимагає визнати вибори недійсними. Адвокати обох сторін демонструють чудеса красномовності. Судді демонструють чудеса витривалості. Ми пікетуємо суд. Добиваємось 3-го туру як скасування 2-го, щоб він вважався не третім, а законним другим.

А якщо доб'ємося, переможемо і оберуть таки нашого — тоді ж як, він складатиме присягу вдруге? На тій самій Острозькій Біблії чи вже, як належить, на Пересопницькій Євангелії? Тобто дві присяги на двох святих Книгах?!

Може, тоді вже зразу на Книзі Ґіннеса, бо такого ще зроду ніде не було.

Входимо у Будинок профспілок, і ті здаються без бою. Пора захоплювати вокзал, пошту і телеграф. Телеграф можна, він тут близько. А вокзал уже зайняли біло-сині. Там вирує вже їхній мітинг. Не-наш президент обзиває нашого «трєпачом» і «трусом», а нас — «розгулом вулиці», «розгулом оранжевої коричневої чуми».

Переплутав кольори дядько. З політиками це буває.

Папа Римський молиться за Україну.

У німецький Бундестаґ депутати прийшли з помаранчами.

Вацлав Гавел пов'язав помаранчеву стрічку.

П'єр Рішар також пов'язав.

Депардьє сказав: «Слава Україні!» Він хоче зіграти Тараса Бульбу.

Помаранчевий — це вже не колір. Це стан душі, це вітраж майбутнього.

Україна скучила за собою. Майдан — це простір, де вона зустріла себе.

Сніг падав з нічного неба. Над Майданом, теж наче з неба, на великому екрані з'являлися священики всіх конфесій — православний, греко- й римокатолицький, рабин, муфтій і пастор — відбулася спільна молитва усіх церков.

Усіх, крім церкви Московського патріархату, — вона проти. Сидить у нашій стародавній Лаврі — і проти.

Спасибі, хоч не влаштовує хресного ходу і не предає нас усіх анафемі.

Чутки кружляють, як гайвороння. Що з Донецька прибувають частини бандформувань. Що в Запоріжжі на потяг вантажать гармати. Що на кордоні уже російські війська. Що приїхали строковики з Криму. Що під Лаврою топчуться козачки, узброєні палицями й арматурою, а на стадіоні «Динамо» вже заготовані бейсбольні бити й наручники. Що в Ірпені під брезентом у машинах сидить російський підрозділ «Витязь». Не знаю, хто з них російський, хто з них який, усі ці «Тигри» й омони, «Беркути» і «Грифони». Знаю, що вони зачаїлись і лише чекають команди стрибнути нам на голову.

«Мне стыдно за Россию. Она может начать стрелять. Но вот я выйду на Майдан и перестану бояться маленького человека в Кремле». Це написав російський журналіст. Дивно. А чому ж дивно? Ми — інша Україна. Він — інша Росія.

На Майдані ніхто не боїться. Драйв екстриму, захисний інстинкт у часи небезпеки, коли не боїться нічого — нікого — і всі. Недарма водевіль виник на підмостках Французької революції. Щомиті якесь імпровізоване дійство. Хтось співає, хтось танцює, хтось розігрує скетч. Студенти консерваторії грають на тромбоні, трубі і флейті. Гуготить естрада. Відчайдушна Руслана зі своїми «Дикими танцями». «Океан Ельзи» зі своїм космічним стогоном любові. Тендітна співачка, найніжніший голос якої пронизує душу Майдану. Тріо «Ґринджоли», що стрімко в'їхали саме у цей сніг. Все це голосне й переможне, в ритмах тектонічних зрушень свідомості.

Хтось уже навіть женився, хтось вийшов заміж. А що? Ми з дружиною теж зустрілися на Майдані. Тут впізнаєш свою долю, і вона впізнає тебе.

Друг щодня дзвонить із Каліфорнії. Де й поділася його байдужість до наших тут справ. Розпитує, переживає. Я відхиляю мобілку від вуха — даю йому послухати шум Майдану.

— А чому такий гомеричний регіт? — питає він.

— А це хлопці пишуть листа турецькому султану, — кажу я. — Тим паче, що російський президент якраз у Туреччині.

Цілком парламентською лексикою, з підписами тисяч громадян — розстеливши стометровий оранжевий сувій, — наполегливо рекомендують йому не втручатися у наші внутрішні українські справи. Майже як на картині Репіна, навіть писар схожий, тільки там запорожець голий до пояса, а тут зима.

Мандрівний театрик «Вертеп», що об'їхав уже пів-України, показує свої лялькові вистави. Ґротески такі злободенні, персонажі такі впізнавані — нація лікується сміхом. А надто, коли той чолов'яга хотів зняти свою улюблену кепку, щоб бути схожим на нашого провладного кандидата. Але тут вони перебрали. Невже б таки мер Москви зробив сам на себе таку пародію?

Або та прекумедна лялька, ні з чим непорівнянний гіньйоль: шапка набакир, очі безтямні, а текст — найзліший пародист такого б не придумав. Що вона виступає, так сказать, як супруга, не знає, як сказати, кого. Що «што там дєлаєтся в Кієвє, кашмар!» На Майдан привезли «американскіє валянкі» і «наколотиє апельсіни». А ми тут всі на Майдані наїлися тих апельсинів, і нас тут усіх штабелями вивозить з менінґітом швидка.

Правда, кажуть, що та лялька не персонаж «Вертепу», а справді дружина провладного кандидата, яку так хотів побачити народ. Але я не вірю. Не може ж бути, щоб у кандидата в президенти була така розумна жінка в натурі.

Приснилася пальма Мерцалова, на якій сидить мавпа і їсть наколоті апельсини.

Щодня щось пікетуємо. То Верховний Суд, то Верховну Раду. Депутати вже проскакують через підземний хід, мов щури, що ще більше розпалює пристрасті.

Люди закипають, люди обурені — що там робиться, що вирішується? Від цих угодовців можна чекати всього! Деякі гарячі голови уже хочуть брати штурмом парламент, і не з трояндами в руці. У нас тут є такі хлопці Атланти, що можуть небо України утримати собою, а не те, що винести стелю парламенту на собі. Але наш лідер їх зупинив — «щоб ані шибка не тріснула».

Вишукана революція, толерантна. Зазвичай революції по ніздрі у крові. А в нас тільки обіцяють «бандитам тюрми». Якщо, звичайно, не знайдуть з ними консенсусу.

Забіг додому. Нарешті зустрівся зі своїми. У нашій квартирі покотом сплять хлопці з Майдану. Посиділи у Борьчиної матері. Вона заварила чай у товстостінних керамічних чашках, я пив і вже звично грівся, обхопивши чашку руками. На голубому екрані з'явився гарант. Вчора він змотався до президента Росії, але той, кудись відлітаючи, прийняв його нашвидку в аеропорту, і тепер він, як ошпарений, звинувачує опозицію в намірі здійснити державний переворот.

Світ готується до Нового року. Санта-Клаус відкрив поштове відділення у Німеччині. Діти пишуть йому листи, замовляють подаруночки. Студенти Берлінського університету готуються до різдвяних містерій. А у нас вибори. Перевибори. Недовибори. Прагнемо Третього туру. Верховний Суд терміново розглядає наш позов. Одні трясуть документами, інші арґументами. Слова літають, як отруєні стріли. Очима блискають опоненти. Представники обох сторін мало не перекидають столи. «Они казались диким сонмищем гномов, окруженных тяжелым паром, во мраке непробудной ночи», — цитує дружина Гоголя. А особливо одна депутатка. Іноді здається, що вона відкусить вухо засідателю, як гоголівська Аґафья Федосеєвна.

Боїмося, що суддів підкуплять. Уповаємо на справедливість. Віримо, що таки оберемо свого президента, і аж тоді вже нам усміхнеться Доля згідно з довготривалим прогнозом нашого Гімну.

Люди стоять на Майдані. На всіх Майданах України.

Це вже суцільний Майдан.

З гучномовця попереджають, що в центрі міста з'явилися провокатори. Мають на рукавах помаранчеві стрічки, часом зелені пов'язки. Прикидаються людьми Майдану, брудно лаються й провокують бійки.

— Зберігайте спокій і уникайте сутичок! — застерігають польові командири. — Пильно дивіться, хто поруч з вами. Ви їх впізнаєте, у них зовсім інші очі.

Але на Майдані провокатори нефункціональні. Вони швидко напиваються і їх гидливо витісняє живий, пружний і красивий натовп. Плечем до плеча стоять люди, спокійні і певні своєї сили. Вони радісні й розкуті. Я, на жаль, не такий. Я не люблю закликати й вигукувати, не піддаюсь загальному настрою, мене з душі верне, коли людські маси шаліють, прославляють чи скандують чиєсь ім'я.

Все одно за владу буде соромно, за будь-яку владу час від часу буває соромно.

А от за Україну соромно вже не буде, і моє місце серед цих людей.

Уже приїжджають з Донбасу не куплені й не підпоєні, не декласовані й специфічні — приїжджають нормальні стомлені люди. Декого зняли прямо зі зміни. Дехто думає, що тут справді переворот. Дехто просто хоче розібратися, що, власне, діється у столиці.

Хто їх намалював бандитами? Що ми не поділили? Хто нас розвів по різні сторони барикад? Чого ми боремося за них між собою? Ми ж повинні боротися за себе, а не за них! Зрештою, це Майдан, це віче, це давня наша традиція — сюди можуть прийти всі, крім тих, що за гроші, і кожен висловити свою думку, і спільно вирішувати свої проблеми.

Натомість вирішують за нас. А ми аплодуємо, ми скандуємо. А що ми знаємо, за великим рахунком, про тих, що пропонуються нам у вожді? На маскарадах піару ми ж не бачимо їхніх справжніх облич. Суб'єктивно мені подобаються ті чи ті, а об'єктивно я ж не знаю, які вони. Може, такі, може, інші. Може, і такі, й інші, що ще гірше.

Але на цьому відтинку історії саме ці постаті вийшли на кін. І стоять на головній сцені Майдану, і похитуються в такт мажорним ритмам, прикладають руки до серця і співають разом з народом.

А хто б вони були на цій сцені, якби люди не з'їхалися зі всієї України? До кого б вони тут зверталися? До глухих фасадів? До засніжених дерев? До бутафорського глобуса? До козака Мамая з відпиляною баклагою?

Боронь Боже, відчують себе вождями, обранцями, провідниками нації!

Не треба вже поводирів. Нація не сліпа.

Лунають голоси з динаміків, виступають люди відомі й невідомі, промовляють палко і пристрасно, закликають повалити злочинну владу.

Мене теж пориває виступити. Я маю що сказати. Але коли я побачив, хто виникає на тій сцені біля нашого лідера, я передумав. Щойно ж їли з рук тієї злочинної влади, приймали звання й нагороди, а вже переметнулися, вже вони тут. А що, коли ця сцена не що інше, як подіум, а всі вони поп-моделі, діджеї суспільної свідомості? Я ж не знаю, хто їм замовив музику, хто на який здатен кульбіт. Може, для них це шоу, акробатичний трамплін до влади. Ми повстали, а вони імітують. Може, й ці помаранчеві прапори, і стрічки, й шалики лише продукт політтехнологій, психологічно вивірений дизайн.

І взагалі помаранч — це не наш овоч (лізе в голову: бананова республіка, Оранжева республіка). Наш прапор кольору поля і неба, за нього віддавали життя кращі люди всіх поколінь. І якщо вже нас не стає боротися під нашим національним прапором, якщо нам потрібен цей форс-мажор...

Але я відігнав цю думку. Я хотів їм вірити.

Всі хотіли.

Зрештою, це гарний колір, у Нідерландах це королівський колір. Він як очисне помаранчеве полум'я, в якому має згоріти вся нечисть. Навіть щити омонів робляться помаранчеві у відсвітах прапорів. Між ними й нами пурхають надувні помаранчеві кульки. Дуже амортизує.

Приїхала московська опозиція, одягла помаранчеві шарфики.

Європарламентарі обіцяють розповісти своїм онукам про українську Помаранчеву революцію. Її вже називають елеґантна революція, революція усмішок. Може, це вже і є та довгождана усмішка Долі?

Потроху міняється тональність Майдану, примовкає «Плач Єремії», пісні героїчні, стрілецькі й народні. Зникає дух опору, пафос протистояння, саркастичний національний бурлеск. І ось уже премила російська пісенька, знайома ще з радянських часів, починає домінувати над Майданом — «Оранжевые дяди, оранжевые тети, оранжевый верблюд!». Це вже як лейтмотив Майдану, як його позивні. А що вона російська, то ми ж не якісь націоналісти, ми прихильні до всіх народів. Ми добрі, ми великодушні, ми коли перемагаємо — даємо перемогти нас.

Я боюсь. Отак внесемо їх у владу на своїх плечах, а що, як вони не борці, не герої, а всього лише «оранжевые дяди, оранжевые тети»? Потім вони полиняють або перефарбуються, а я так і залишусь «оранжевим верблюдом».

— Ти скептик, — каже дружина.

Тепер уже мій скепсис її добиває.

Я не скептик. Просто я знаю закон маятника. Хитнулося в один бік, може хитнутися у протилежний.

Ми вночі біля Кабміну. На пагорбах гримлять барабани. Що ми пікетуємо? Вікна Кабміну чорні. Єдине вікно на якомусь поверсі світилося і погасло. Хтось там із темряви дивиться на нас. Око Дракона. Він нас бачить, ми його — ні.

А барабани б'ють. Диригує дівчина, такий маленький Ґаврошик у в'язаній шапочці, в оранжевущому светрі — як іскорка на снігу. Вона вібрує вся і вимахує, керує тим незвичайним оркестром, надає таких барабанних темпів, що вже невідомо, чи вона творить ритм, чи ритм творить її.

І раптом я побачив Тінейджера. Я впізнав би його серед тисяч — комп'ютерника з пальцями піаніста і обличчям поета. Посинілий від холоду, обмотаний помаранчевим прапором, він разом з іншими б'є в барабан на тому пагорбі навпроти Кабміну.

Між нами люди і люди, нескінченні людські потоки, крізь які, безперервно клаксонячи, прокладають собі дорогу машини. А згори по спадистій вулиці молодь котить, розлягаючись реготом, величезні снігові кулі у формі тепер уже символічних яєць. Гукати було марно.

Увечері я пішов до нього, у студентський наметовий табір. Спочатку мене зупинили, охоронці були нові, і сова у помаранчевій стрічці подивилася на мене круглими очима, — але він мене побачив, підійшов, ми обнялися.

Він перезнайомив мене зі своїми друзями. Ми погрілися біля чорної бочки, на дні якої жевріли відгорілі дрова, і його тонкі музичні пальці світилися над червоним жаром.

Вранці я його знову бачив на пагорбі. Він так само завзято калатав у залізну бочку. Він, що слухав голоси природи, тепер вибиває шалений ритм.

Я бачив, як він сміється. Я бачив, як вільно й невимушено він рухається.

Я бачив, як він увечері танцює з тією дівчиною-Ґаврошиком!

Ось вони й виросли — перше покоління нашої Незалежності.

Ми, які вчора були молодими, ми вже забуксували. Ось молоді. Вони йдуть, побравшись за руки, і скандують. Їх справді багато і їх не подолати. Вони вільні й розкуті. У них обличчя не зсудомлені болем подвижництва. Вони безстрашно йдуть на ту ж стіну, на яку йшли ми. Але ми об неї розбились, а перед ними вона розступиться.

Я дивлюся на них очима своєї молодості і впізнаю.

Були шістдесятники.

Була студентська революція на граніті.

Були протестні акції початку століття.

Тепер прийшло покоління Помаранчевої революції. І вже аж ці переможуть. Це вже не те щось середнє між бунтом і пиятикою, що прийшло у міжчассі, що тусувалося по кав'ярнях і застряло на пофіґізмі, коли потрібен був голос покоління, — це вже NEXT-покоління, якого ми ждали, і воно прийшло.

Я тільки боюся, що їх теж ошукають.

Що малий наш більше ніколи в житті ні в що не повірить.

Що друг мій не повернеться з Каліфорнії.

Що батько мій так і піде зі світу, не побачивши своєї України.

А найбільше боюся, що Тінейджер знову подивиться тим своїм дивним-наче-з-космосу-і-ніяких-позивних поглядом і одягне на голову навушники.

Під впливом революційних подій Борька перейшов на українську мову. Ґламур теж заговорила українською, — і що цікаво, цій вродливій вишуканій жінці це лише додало якогось несподіваного шарму.

Дружина моя жартома цитує Булгакова про «иностранца в сиреневом», який «очевидно, вследствие потрясения внезапно овладел до тех пор неизвестным ему языком».

Майдан — уже як всесвітній центр тяжіння. Кого тільки тут не зустрінеш! Бачив кількох своїх однокурсників, які давно вже повиїжджали, а тепер приїхали, і ми зустрілись, наче й не розлучалися.

Мій друг у Каліфорнії пакує валізи, повертається в Україну. Пише — все покину і полину, як у пісні. Його мати щаслива. Я радий. Але чогось бере сумнів. Може, сказати йому, щоб не поспішав?

А що, як справді спрацює закон маятника?

Після такої революції це ж може убити.

Але найбільша мені несподіванка — наш Лев, інвертований на пустелю. Я його зустрів на Майдані. Він мене обняв, наче нічого й не було. Де й подівся його сарказм і жовчність. Він рвучкий і привітний, у помаранчевій краватці. Працює у штабі опозиції. Недавно повернувся з округу з підбитим оком і синцем на всю щоку. Там була якась провокація, дійшло до тяжкої сутички. Я ніколи не бачив його таким. То ось у чому його розгадка — він інвертований на свободу!

Запрошую до нас на каву, каже: «Іншим разом, пізніше».

Мабуть, не хоче в такому вигляді потрапляти на очі Ґламур. Його нордична елеґантність сильно контрастує з таким фінґалом під оком.

— Піжон, — каже дружина. — Хай бере приклад зі свого лідера. Його хіба ж так спотворили, а він виходить до людей, не боїться. І це з його вродою і звичкою подобатись. Ти думаєш, тільки жінкам залежить на цьому? Мужчини теж люди.

Помовчавши, додала: — Ти знаєш, так він навіть переконливіший. То був якийсь красунчик, ні те ні се. А тепер — це ж яку мужність треба мати, щоб витримати і не здатись! Він сказав, ти чув, як він сказав: «Мужчини не соромляться своїх шрамів»!

Куди там Бронсону чи Рафу Валлоне.

За цей час він став народним улюбленцем. Люди на колінах стояли, молилися, щоб він видужав. Його вже так і називають: народний Президент. Я не схильний до пафосу. Мені достатньо, щоб він був не Драконом.

І нарешті перший результат досліджень — це було отруєння діоксином! І то в такій концентрації, що наш народний Президент чудом залишився живий. Але що це за діоксин, хто виробляє цю суперсучасну отруту?

Втім, у батька Гамлета були ті ж симптоми, коли Клавдій влив йому у вухо блекоту.

Але йому вже краще. До нього вертається обличчя, як до України.

Дружина в паніці: малий ночував на Майдані. Доки вона зі своїми студентами пікетувала ще якийсь антинародний об'єкт, він сказав, що буде у Борьки, а сам утік. Я її заспокоїв — він з нашим Тінейджером, у його наметі. Я ж їх бачу, стою в нічному дозорі. Та ні, не застудиться, намети на дощаних піддонах. Підвезли платформи з пінопласту, утепляємось. Хтозна, скільки нам ще тут бути. Мороз.

А десь там Януш Рівер ночує під пальмою.

Згодом стало відомо, що саме тієї ночі солдатам роздавали бойові набої. Один з наших проходив і бачив, навіть порахував автобуси, їх було до тридцяти. З них вискакували солдати, вони були озброєні. Потім уже і в газетах було: «28 листопада окремі військові частини були приведені у бойову готовність».

Вони, мабуть, не раз були приведені, ми вже всі давно під прицілом, але влада ніяк не наважиться. Я думаю, ще й через вбивство Ґонґадзе. Вони б давно з нами розправились. Але, психологічно знешкоджені за ці роки, весь час під лупою міжнародної уваги, після тих масових акцій протесту, вони вже нездатні до рішучих дій. Зрештою, вони не хочуть в Гааґу під міжнародний трибунал. І при цьому ще щось лопочуть, торгуються, закликають до єдності, до компромісу. Вони ще й досі не зрозуміли, що народ їх просто прогнав, і що в оранжевій аурі над Україною сходять вже зовсім інші часи.

Сьогодні одинадцятий день нашого протистояння.

«За 11 днів ми змінили Україну!» — радіють на Майдані.

«Ну, то бийте, хлопці, пенальті!» — кажу я.

А от якраз пенальті й не вдарять. Це мав би бути дуже точний удар — штрафний по воротах супротивника з одинадцяти метрів. Але ж у нас елеґантна революція, ввічлива, «революція усмішок». Ми з самої ввічливості не заб'єм.

І потім, ми не знаємо, де чиї ворота.

У нас же це справді, як переставляння ширм.

Раптом провладний кандидат заявив, що він уже не провладний, що він грав на чужому полі, і тепер він уже опозиція. Поміняв керівництво штабу, зміцнив свою команду перебіжчиками. Так що у нас тепер дві опозиції, тільки невідомо, хто на якому полі грає, хто кому забиває і хто тепер президент? Діючий, але вже не діючий, обраний, але ще не легітимний, чи народний, але ще недообраний? Без арбітрів не обійтись.

Приїхав Хав'єр Солана, прибули міжнародні посередники, сіли за стіл переговорів у Маріїнському палаці, до глибокої ночі шукали виходу з кризи. Зійшлися на одному — все має бути врегульоване у правовому полі. Легко їм казати — у правовому полі. Звикли там у Європі до правового поля. А у нас тут на правовому полі чортополох росте.

Криза лишилася кризою. Але про людське око обидва недопрезиденти потисли один одному руки й усміхнулись на камеру.

Однак Ґосдума Росії розцінила це як втручання в українські вибори. Хтось там із депутатів навіть образно висловився: «Європа суйот рило в дєла Украіни». В той час, як право першого рила, як відомо, належить Росії.

«Глядь — во всех окнах повыставлялись свиные рыла, — процитувала дружина, — послышался какой-то неясный звук, весьма похожий на хрюканье, все побледнели». А ще як брязнула шибка, один кум закам'янів, другий підскочив під стелю і вдарився об сволок, затим поліз у піч і затулився звідти заслонкою. А Солопій Черевик, нап'явши замість шапки макітру, дременув навтьоки, нічого не бачачи перед собою.

Проте Верховний Суд не закам'янів, не підскочив під стелю і не затулився заслонкою. В облозі і синіх, і помаранчевих він засідав довго і многотрудно, а таки визнав недійсними результати 2-го туру і призначив повторні вибори. Майдан тріумфує. Люди принесли під Верховний Суд десять кошиків квітів, прикрашають дерева помаранчевими стрічками.

Борька чіпляв стрічку, упав з дерева, тепер лежить з ногою в гіпсі. Наш малий сидить солідарно при ньому. Вони дивляться Майдан по телевізору, співають стрілецьких пісень і раз у раз вигукують: «Разом нас багато, нас не подолати!»

Дні грізні і вирішальні. Дома буваю рідко, забіжу — і знову на Майдан. Тінейджер взагалі додому не їздить, йому далеко. Уявляю, як там його мати — батько прикутий до крісла, чутки всілякі, по телевізору транслюють Майдан, і є така рубрика: «Ті, що творять Історію», і серед них вона бачить свого Тінейджера, він усміхається їй і махає рукою.

Я його теж часом бачу здалеку на екрані, над вируючим морем Майдану. Додзвонитися важко, мобільник чомусь не бере. А то якось дивлюся: жінка везе чоловіка в інвалідному візку. Образ шляхетний, на шиї шарф, помаранчевий колір так пасує до зимового кольору сивини. Боже мій! Це ж мій батько. Таки не витримав. Таки прийшов на Майдан! Ну, не прийшов, а, з дозволу сказати, приїхав, але ж він — тут, він це бачить! Я кинувся їх шукати, та хіба ж прорвешся у такому людському потоці, що несе тебе, розвертає і знову несе, як піщинку!

Наступного ранку я таки додзвонився: «Це ви були на Майдані?»

Так, я не помилився. Це були вони.

Батько ніби аж поздоровшав, навіть мова повернулася. — Тримайтеся, хлопці! — каже він.

Спецназівці стоять стіною. На шевронах ощирені «Барси». Голови у шоломах — мов чорна фашистська ікра за пластиковими щитами. Стоять німо, як відлиті з металу. Між ними й нами незрима стіна відчуження і бетонний бруствер із будівельних плит. Щомиті може статися непоправне.

Люди підходять до них, звертаються. Якийсь чоловік вже говорить римами, з українцями це буває у часи великих потрясінь: «Синок, не натискай курок!», «Наші брати, опустіть щити!» Дівчата перехиляються через бруствер, заквітчують, як на Трійцю, ті щити, те залізне пруття, пов'язують помаранчеві банти, лагідно озиваються до цих роботів у нелицарських обладунках, але — глухо, облич не видно, щити й шоломи, узброєний моноліт.

І раптом з-під шолома — широко відкриті юнацькі очі. По пластику, що прикриває обличчя, збігає розталий від дихання сніг.

Стара жінка стоїть у снігу з іконою.
Дитина тримає за ниточку оранжеву кульку.
По цей бік моляться, по той опускають щити.

Тим часом за нашими спинами йдуть якісь торги, переговори. Вносять зміни до Конституції. Угинають нашого лідера на компроміс. Причому не просто на компроміс, а на Великий Компроміс, з великої літери. І він йде на це, він приймає їхні умови. Він, певно, думає, що, коли стане президентом, усе виправить. Гай-гай, як сказала б моя теща. Влада ж, як плазма, вона двигтить, розтікається, міняє обриси й кольори, обволікає, всмоктує і знову набуває тих самих форм.

Якби він був прямо сказав: «Люди! Я зробив це, щоб вас не вбили».

Люди б йому повірили. Ні, він іде на поступки, він капітулює. Ми на Майдані, а він уже серед них. Серед тих, кого називав злочинною владою.

Всі задоволені, всі усміхаються, і влада, і опозиція, кожен вважає це своєю перемогою, — то за що ж ми стояли на Майдані?!

Вчора, побачивши ці усміхнені лиця, дружина шпурнула пульт телевізора.

Ми нікуди не підемо з Майдану. Ми будемо стояти тут до кінця.

Але сьогодні востаннє гримлять барабани. Сьогодні на Майдан прийшли наші лідери. Привітали всіх з перемогою. І навіть видавали посвідчення Учасників Помаранчевої революції. Я не пішов. Мені не треба доказів моєї причетності. Мені треба, щоб вони, ставши владою, не зрадили цей Майдан. Бо це не їхня перемога, це наша.

Може, вони припишуть її собі. Може, захочуть забути. Може, чиїсь волохаті руки спробують видерти цю сторінку.

Але це вже Історія. Не з бромом, а з помаранчем.

Сторінку можна видерти. Історію — ні.

От і настав наш День Гніву.

Лінію оборони тримають живі.

2001–2010

ББК 84. 4УКР6

Костенко, Ліна.

К72 Записки українського самашедшого / Ліна Костенко. — К. : А-БА-БА-ГА-ЛА-МА-ГА, 2011. — 416 с. — (Перлини сучасної літератури).

ISBN 978-966-7047-88-7

Роман написано від імені 35-річного київського програміста, який на тлі особистої драми прискіпливо, глибоко й болісно сканує усі вивихи нашого глобалізованого часу. У світі надмірної (дез)інформації і тотального відчуження він — заручник світових абсурдів — прагне подолати комунікативну прірву між чоловіком і жінкою, між родиною і професією, між Україною і світом.

За жанровою стилістикою «Записки українського самашедшого» — насичений мікс художньої літератури, внутрішніх щоденників, сучасного літописання і публіцистики. Це перший опублікований прозовий роман видатної української поетеси.